La noche boca arriba

A mitad del largo zaguán del hotel pensó que debía ser tarde, y se apuró a salir a la calle y sacar la motocicleta del rincón donde el portero de al lado le permitía guardarla. En la joyería de la esquina vio que eran las nueve menos diez; llegaría con tiempo sobrado adonde iba. El sol se filtraba entre los altos edificios del centro, y él —porque para sí mismo, para ir pensando, no tenía nombre— montó en la máquina saboreando el paseo. La moto ronroneaba entre sus piernas, y un viento fresco le chicoteaba los pantalones.

Dejó pasar los ministerios (el rosa, el blanco) y la serie de comercios con brillantes vitrinas de la calle Central. Ahora entraba en la parte más agradable del trayecto, el verdadero paseo: una calle larga, bordeada de árboles, con poco tráfico y amplias villas que dejaban venir los jardines hasta las aceras, apenas demarcadas por setos bajos. Quizá algo distraído, pero corriendo sobre la derecha como correspondía, se dejó llevar por la tersura, por la leve crispación de ese día apenas empezado. Tal vez su involuntario relajamiento le impidió prevenir el accidente. Cuando vio que la mujer parada en la esquina se lanzaba a la calzada a pesar de las luces verdes, ya era tarde para las soluciones fáciles. Frenó con el pie y la mano, desviándose a la izquierda; oyó el grito de la mujer, y junto con el choque perdió la visión. Fue como dormirse de golpe.

Volvió bruscamente del desmayo. Cuatro o cinco hombres jóvenes lo estaban sacando de debajo de la moto. Sentía gusto a sal y sangre, le dolía una rodilla, y cuando lo alzaron gritó, porque no podía soportar la presión en el brazo derecho. Voces que no parecían pertenecer a las caras suspendidas sobre él, lo alentaban con bromas y seguridades. Su único alivio fue oír la confirmación de que había estado en su derecho al cruzar la esquina. Preguntó por la mujer, tratando de dominar la náusea que le ganaba la garganta. Mientras lo llevaban boca arriba hasta una farmacia próxima, supo que la causante del accidente no tenía más que rasguños en las piernas. «Usté la agarró apenas, pero el golpe le hizo saltar la máquina de costado...» Opiniones, recuerdos, despacio, éntrenlo de espaldas, así va bien, y alguien con guardapolvo dándole a beber un trago que lo alivió en la penumbra de una pequeña farmacia de barrio.

La ambulancia policial llegó a los cinco minutos, y lo subieron a una camilla blanda donde pudo tenderse a gusto. Con toda lucidez, pero sabiendo que estaba bajo los efectos de un shock terrible, dio sus señas al policía que lo acompañaba. El brazo casi no le dolía; de una cortadura en la ceja goteaba sangre por toda la cara. Una o dos veces se lamió los labios para beberla. Se sentía bien, era un accidente, mala suerte; unas semanas quieto y nada más. El vigilante le dijo que la motocicleta no parecía muy estropeada. «Natural», dijo él. «Como que me la ligué encima...» Los dos se rieron, y el vigilante le dio la mano al llegar al hospital y le deseó buena suerte. Ya la náusea volvía poco a poco; mientras lo llevaban en una camilla de ruedas hasta un pabellón del fondo, pasando bajo árboles llenos de pájaros, cerró los ojos y deseó estar dormido o cloroformado. Pero lo tuvieron largo rato en una pieza con olor a hospital, llenando una ficha, quitándole la ropa y vistiéndolo con una camisa grisácea y dura. Le movían cuidadosamente el brazo, sin que le doliera. Las enfermeras bromeaban todo el tiempo, y si no hubiera sido por las contracciones del estómago se habría sentido muy bien, casi contento.

Lo llevaron a la sala de radio, y veinte minutos después, con la placa todavía húmeda puesta sobre el pecho como una lápida negra, pasó a la sala de operaciones. Alguien de blanco, alto y delgado, se le acercó y se puso a mirar la radiografía. Manos de mujer le acomodaban la cabeza, sintió que lo pasaban de una camilla a otra. El hombre de blanco se le acercó otra vez, sonriendo, con algo que le brillaba en la mano derecha. Le palmeó la mejilla e hizo una seña a alguien parado atrás.

Como sueño era curioso porque estaba lleno de olores y él nunca soñaba olores. Primero un olor a pantano, ya que a la izquierda de la calzada empezaban las marismas, los tembladerales de donde no volvía nadie. Pero el olor cesó, y en cambio vino una fragancia compuesta y oscura como la noche en que se movía huyendo de los aztecas. Y todo era tan natural, tenía que huir de los aztecas que andaban a caza de hombre, y su única probabilidad era la de esconderse en lo más denso de la selva, cuidando de no apartarse de la estrecha calzada que sólo ellos, los motecas, conocían.

Lo que más lo torturaba era el olor, como si aun en la absoluta aceptación del sueño algo se rebelara contra eso que no era habitual, que hasta entonces no había participado del juego. «Huele a guerra», pensó, tocando instintivamente el puñal de piedra atravesado en su ceñidor de lana tejida. Un sonido inesperado lo hizo agacharse y quedar inmóvil, temblando. Tener miedo no era extraño, en sus sueños abundaba el miedo. Esperó, tapado por las ramas de un arbusto y la noche sin estrellas. Muy lejos, probablemente del otro lado del gran lago, debían estar ardiendo fuegos de vivac; un resplandor rojizo teñía esa parte del cielo. El sonido no se repitió. Había sido como una rama quebrada. Tal vez un animal que escapaba como

él del olor de la guerra. Se enderezó despacio, venteando.
No se oía nada, pero el miedo seguía allí como el olor,
ese incienso dulzón de la guerra florida. Había que seguir,
llegar al corazón de la selva evitando las ciénagas. A tien-
tas, agachándose a cada instante para tocar el suelo más
duro de la calzada, dio algunos pasos. Hubiera querido
echar a correr, pero los tembladerales palpitaban a su lado.
En el sendero en tinieblas, buscó el rumbo. Entonces
sintió una bocanada horrible del olor que más temía, y
saltó desesperado hacia adelante.

—Se va a caer de la cama —dijo el enfermo de al lado—.
No brinque tanto, amigazo.

Abrió los ojos y era de tarde, con el sol ya bajo en los
ventanales de la larga sala. Mientras trataba de sonreír a su
vecino, se despegó casi físicamente de la última visión de
la pesadilla. El brazo, enyesado, colgaba de un aparato
con pesas y poleas. Sintió sed, como si hubiera estado
corriendo kilómetros, pero no querían darle mucha agua,
apenas para mojarse los labios y hacer un buche. La fiebre
lo iba ganando despacio y hubiera podido dormirse otra
vez, pero saboreaba el placer de quedarse despierto, en-
tornados los ojos, escuchando el diálogo de los otros
enfermos, respondiendo de cuando en cuando a alguna
pregunta. Vio llegar un carrito blanco que pusieron al
lado de su cama, una enfermera rubia le frotó con alcohol
la cara anterior del muslo y le clavó una gruesa aguja
conectada con un tubo que subía hasta un frasco lleno
de líquido opalino. Un médico joven vino con un aparato
de metal y cuero que le ajustó al brazo sano para verificar
alguna cosa. Caía la noche, y la fiebre lo iba arrastrando
blandamente a un estado donde las cosas tenían un relieve
como de gemelos de teatro, eran reales y dulces y a la vez
ligeramente repugnantes; como estar viendo una película
aburrida y pensar que sin embargo en la calle es peor;
y quedarse.

Vino una taza de maravilloso caldo de oro oliendo a
puerro, a apio, a perejil. Un trocito de pan, más precioso
que todo un banquete, se fue desmigajando poco a poco.
El brazo no le dolía nada y solamente en la ceja, donde lo
habían suturado, chirriaba a veces una punzada caliente

y rápida. Cuando los ventanales de enfrente viraron a manchas de un azul oscuro, pensó que no le iba a ser difícil dormirse. Un poco incómodo, de espaldas, pero al pasarse la lengua por los labios resecos y calientes sintió el sabor del caldo, y suspiró de felicidad, abandonándose.

Primero fue una confusión, un atraer hacia sí todas las sensaciones por un instante embotadas o confundidas. Comprendía que estaba corriendo en plena oscuridad, aunque arriba el cielo cruzado de copas de árboles era menos negro que el resto. «La calzada», pensó. «Me salí de la calzada.» Sus pies se hundían en un colchón de hojas y barro, y ya no podía dar un paso sin que las ramas de los arbustos le azotaran el torso y las piernas. Jadeante, sabiéndose acorralado a pesar de la oscuridad y el silencio, se agachó para escuchar. Tal vez la calzada estaba cerca, con la primera luz del día iba a verla otra vez. Nada podía ayudarlo ahora a encontrarla. La mano que sin saberlo él aferraba el mango del puñal, subió como el escorpión de los pantanos hasta su cuello, donde colgaba el amuleto protector. Moviendo apenas los labios musitó la plegaria del maíz que trae las lunas felices, y la súplica a la MuyAlta, a la dispensadora de los bienes motecas. Pero sentía al mismo tiempo que los tobillos se le estaban hundiendo despacio en el barro, la espera en la oscuridad del chaparral desconocido se le hacía insoportable. La guerra florida había empezado con la luna y llevaba ya tres días y tres noches. Si conseguía refugiarse en lo profundo de la selva, abandonando la calzada más allá de la región de las ciénagas, quizá los guerreros no le siguieran el rastro. Pensó en los muchos prisioneros que ya habían hecho. Pero la cantidad no contaba, sino el tiempo sagrado. La caza continuaría hasta que los sacerdotes dieran la señal del regreso. Todo tenía su número y su fin, y él estaba dentro del tiempo sagrado, del otro lado de los cazadores.

Oyó los gritos y se enderezó de un salto, puñal en mano. Como si el cielo se incendiara en el horizonte, vio antorchas moviéndose entre las ramas, muy cerca. El olor a guerra era insoportable, y cuando el primer enemigo le saltó al cuello casi sintió placer en hundirle la hoja de piedra en pleno pecho. Ya lo rodeaban las luces, los gritos alegres. Alcanzó a cortar el aire una o dos veces, y entonces una soga lo atrapó desde atrás.

—Es la fiebre —dijo el de la cama de al lado—. A mí me pasaba igual cuando me operé del duodeno. Tome agua y va a ver que duerme bien.

Al lado de la noche de donde volvía, la penumbra tibia de la sala le pareció deliciosa. Una lámpara violeta velaba en lo alto de la pared del fondo como un ojo protector. Se oía toser, respirar fuerte, a veces un diálogo en voz baja. Todo era grato y seguro, sin ese acoso, sin... Pero no quería seguir pensando en la pesadilla. Había tantas cosas en qué entretenerse. Se puso a mirar el yeso del brazo, las poleas que tan cómodamente se lo sostenían en el aire. Le habían puesto una botella de agua mineral en la mesa de noche. Bebió del gollete, golosamente. Distinguía ahora las formas de la sala, las treinta camas, los armarios con vitrinas. Ya no debía tener tanta fiebre, sentía fresca la cara. La ceja le dolía apenas, como un recuerdo. Se vio otra vez saliendo del hotel, sacando la moto. ¿Quién hubiera pensado que la cosa iba a acabar así? Trataba de fijar el momento del accidente, y le dio rabia advertir que había ahí como un hueco, un vacío que no alcanzaba a rellenar. Entre el choque y el momento en que lo habían levantado del suelo, un desmayo o lo que fuera no le dejaba ver nada. Y al mismo tiempo tenía la sensación de que ese hueco, esa nada, había durado una eternidad. No, ni siquiera tiempo, más bien como si en ese hueco él hubiera pasado a través de algo o recorrido distancias inmensas. El choque, el golpe brutal contra el pavimento. De todas maneras al salir del pozo negro había sentido casi un alivio mientras los hombres lo alzaban del suelo. Con el dolor del brazo roto, la sangre de la ceja partida, la contusión en la rodilla; con todo eso, un alivio al volver al día y sentirse sostenido y auxiliado. Y era raro. Le preguntaría alguna vez al médico de la oficina. Ahora volvía a ganarlo el sueño, a tirarlo despacio hacia abajo. La almohada era tan blanda, y en su garganta afiebrada la frescura del agua mineral. Quizá pudiera descansar de veras, sin las malditas pesadillas. La luz violeta de la lámpara en lo alto se iba apagando poco a poco.

Como dormía de espaldas, no lo sorprendió la posición
en que volvía a reconocerse, pero en cambio el olor a
humedad, a piedra rezumante de filtraciones, le cerró la
garganta y lo obligó a comprender. Inútil abrir los ojos
y mirar en todas direcciones; lo envolvía una oscuridad
absoluta. Quiso enderezarse y sintió las sogas en las muñecas y los tobillos. Estaba estaqueado en el suelo, en un
piso de lajas helado y húmedo. El frío le ganaba la espalda desnuda, las piernas. Con el mentón buscó torpemente el contacto con su amuleto, y supo que se lo habían
arrancado. Ahora estaba perdido, ninguna plegaria podía
salvarlo del final. Lejanamente, como filtrándose entre
las piedras del calabozo, oyó los atabales de la fiesta.
Lo habían traído al teocalli, estaba en las mazmorras del
templo a la espera de su turno.

Oyó gritar, un grito ronco que rebotaba en las paredes.
Otro grito, acabando en un quejido. Era él que gritaba
en las tinieblas, gritaba porque estaba vivo, todo su cuerpo
se defendía con el grito de lo que iba a venir, del final
inevitable. Pensó en sus compañeros que llenarían otras
mazmorras, y en los que ascendían ya los peldaños del
sacrificio. Gritó de nuevo sofocadamente, casi no podía
abrir la boca, tenía las mandíbulas agarrotadas y a la vez
como·si fueran de goma y se abrieran lentamente, con un
esfuerzo interminable. El chirriar de los cerrojos lo sa-
cudió como un látigo. Convulso, retorciéndose, luchó por
zafarse de las cuerdas que se le hundían en la carne. Su
brazo derecho, el más fuerte, tiraba hasta que el dolor se
hizo intolerable y tuvo que ceder. Vio abrirse la doble
puerta, y el olor de las antorchas le llegó antes que la luz.
Apenas ceñidos con el taparrabos de la ceremonia, los
acólitos de los sacerdotes se le acercaron mirándolo con
desprecio. Las luces se reflejaban en los torsos sudados,
en el pelo negro lleno de plumas. Cedieron las sogas, y en
su lugar lo aferraron manos calientes, duras como bronce;
se sintió alzado, siempre boca arriba, tironeado por los
cuatro acólitos que lo llevaban por el pasadizo. Los porta-
dores de antorchas iban adelante, alumbrando vagamente
el corredor de paredes mojadas y techo tan bajo que los
acólitos debían agachar la cabeza. Ahora lo llevaban, lo

llevaban, era el final. Boca arriba, a un metro del techo de
roca viva que por momentos se iluminaba con un reflejo
de antorcha. Cuando en vez de techo nacieran las estrellas
y se alzara frente a él la escalinata incendiada de gritos
y danzas, sería el fin. El pasadizo no acababa nunca, pero
ya iba a acabar, de repente olería el aire lleno de estrellas,
pero todavía no, andaban llevándolo sin fin en la penumbra roja, tironeándolo brutalmente, y él no quería, pero
cómo impedirlo si le habían arrancado el amuleto que era
su verdadero corazón, el centro de la vida.

Salió de un brinco a la noche del hospital, al alto cielo
raso dulce, a la sombra blanda que lo rodeaba. Pensó que
debía haber gritado, pero sus vecinos dormían callados.
En la mesa de noche, la botella de agua tenía algo de burbuja, de imagen traslúcida contra la sombra azulada de
los ventanales. Jadeó, buscando el alivio de los pulmones,
el olvido de esas imágenes que seguían pegadas a sus
párpados. Cada vez que cerraba los ojos las veía formarse
instantáneamente, y se enderezaba aterrado pero gozando
a la vez del saber que ahora estaba despierto, que la vigilia
lo protegía, que pronto iba a amanecer, con el buen sueño
profundo que se tiene a esa hora, sin imágenes, sin nada...
Le costaba mantener los ojos abiertos, la modorra era
más fuerte que él. Hizo un último esfuerzo, con la mano
sana esbozó un gesto hacia la botella de agua; no llegó a
tomarla, sus dedos se cerraron en un vacío otra vez negro,
y el pasadizo seguía interminable, roca tras roca, con
súbitas fulguraciones rojizas, y él boca arriba gimió apa-
gadamente porque el techo iba a acabarse, subía, abrién-
dose como una boca de sombra, y los acólitos se endere-
zaban y de la altura una luna menguante le cayó en la cara
donde los ojos no querían verla, desesperadamente se
cerraban y abrían buscando pasar al otro lado, descubrir
de nuevo el cielo raso protector de la sala. Y cada vez
que se abrían era la noche y la luna mientras lo subían
por la escalinata, ahora con la cabeza colgando hacia
abajo, y en lo alto estaban las hogueras, las rojas columnas
de humo perfumado, y de golpe vio la piedra roja, brillante de sangre que chorreaba, y el vaivén de los pies
del sacrificado que arrastraban para tirarlo rodando por

las escalinatas del norte. Con una última esperanza apretó los párpados, gimiendo por despertar. Durante un segundo creyó que lo lograría, porque otra vez estaba inmóvil en la cama, a salvo del balanceo cabeza abajo. Pero olía la muerte, y cuando abrió los ojos vio la figura ensangrentada del sacrificador que venía hacia él con el cuchillo de piedra en la mano. Alcanzó a cerrar otra vez los párpados, aunque ahora sabía que no iba a despertarse, que estaba despierto, que el sueño maravilloso había sido el otro, absurdo como todos los sueños; un sueño en el que había andado por extrañas avenidas de una ciudad asombrosa, con luces verdes y rojas que ardían sin llama ni humo, con un enorme insecto de metal que zumbaba bajo sus piernas. En la mentira infinita de ese sueño también lo habían alzado del suelo, también alguien se le había acercado con un cuchillo en la mano, a él tendido boca arriba, a él boca arriba con los ojos cerrados entre las hogueras.

Entre la última cucharada de arroz con leche —poca
canela, una lástima— y los besos antes de subir a acostarse, llamó la campanilla en la pieza del teléfono e Isabel
se quedó remoloneando hasta que Inés vino de atender
y dijo algo al oído de su madre. Se miraron entre ellas
y después las dos a Isabel, que pensó en la jaula rota y las
cuentas de dividir y un poco en la rabia de misia Lucera
por tocarle el timbre a la vuelta de la escuela. No estaba
tan inquieta, su madre e Inés miraban como más allá
de ella, casi tomándola por pretexto; pero la miraban.

—A mí, creeme que no me gusta que vaya —dijo Inés—.
No tanto por el tigre, después de todo cuidan bien ese
aspecto. Pero la casa tan triste, y ese chico solo para jugar
con ella...

—A mí tampoco me gusta —dijo la madre, e Isabel
supo como desde un tobogán que la mandarían a lo de
Funes a pasar el verano. Se tiró en la noticia, en la enorme
ola verde, lo de Funes, lo de Funes, claro que la mandaban. No les gustaba pero convenía. Bronquios delicados,

Mar del Plata carísima, difícil manejarse con una chica consentida, boba, conducta regular con lo buena que es la señorita Tania, sueño inquieto y juguetes por todos lados, preguntas, botones, rodillas sucias. Sintió miedo, delicia, olor de sauces y la *ú* de Funes se le mezclaba con el arroz con leche, tan tarde y a dormir, ya mismo a la cama.

Acostada, sin luz, llena de besos y miradas tristes de Inés y su madre, no bien decididas pero ya decididas del todo a mandarla. Antevivía la llegada en *break*, el primer desayuno, la alegría de Nino cazador de cucarachas, Nino sapo, Nino pescado (un recuerdo de tres años atrás, Nino mostrándole unas figuritas puestas con engrudo en un álbum, diciéndole grave: «Este es un sapo, y este un pes-cado»). Ahora Nino en el parque esperándola con la red de mariposas, y también las manos blandas de Rema —las vio que nacían de la oscuridad—, estaba con los ojos abiertos y en vez de la cara de Nino zás las manos de Rema, la menor de los Funes. «Tía Rema me quiere tanto», y los ojos de Nino se hacían grandes y mojados, otra vez vio a Nino desgajarse flotando en el aire confuso del dormitorio, mirándola contento. Nino pescado. Se durmió queriendo que la semana pasara esa misma noche, y las despedidas, el viaje en tren, la legua en *break*, el portón, los eucaliptos del camino de entrada. Antes de dormirse tuvo un momento de horror cuando imaginó que podía estar soñando. Estirándose de golpe dio con los pies en los barrotes de bronce, le dolieron a través de las colchas, y en el comedor grande se oía hablar a su madre y a Inés, equipaje, ver al médico por lo de las erupciones, aceite de bacalao y hamamelis virgínica. No era un sueño, no era un sueño.

No era un sueño. La llevaron a Constitución una mañana ventosa, con banderitas en los puestos ambulantes de la plaza, torta en el *Tren Mixto* y gran entrada en el andén número catorce. La besaron tanto entre Inés y su madre que le quedó la cara como caminada, blanda y oliendo a rouge y polvo rachel de Coty, húmeda alrededor de la boca, un asco que el viento le sacó de un manotazo. No tenía miedo de viajar sola porque era una chica grande, con nada menos que veinte pesos en la cartera, Compañía Sansinena de Carnes Congeladas metiéndose por la ventanilla con un olor dulzón, el Riachuelo amarillo e Isabel repuesta ya del llanto forzado, contenta, muerta de miedo, activa en el ejercicio pleno de su asiento, su ventanilla, viajera casi única en un pedazo de coche donde se podía probar todos los lugares y verse en los espejitos. Pensó una o dos veces en su madre, en Inés —ya estarían en el 97, saliendo de Constitución—, leyó prohibido fumar, prohibido escupir, capacidad 42 pasajeros sentados, pasaban por Banfield a toda carrera, vuuuúm! campo más campo más campo mezclado con el gusto de milkibar y las pastillas de mentol. Inés le había aconsejado que fuera tejiendo la mañanita de lana verde, de manera que Isabel la llevaba en lo más escondido del maletín, pobre Inés con cada idea tan pava.

En la estación le vino un poco de miedo, porque si el *break*... Pero estaba ahí, con don Nicanor florido y respetuoso, niña de aquí y niña de allá, si el viaje bueno, si doña Elisa siempre guapa, claro que había llovido —Oh andar del *break*, vaivén para traerle el entero acuario de su anterior venida a Los Horneros. Todo más menudo, más de cristal y rosa, sin el tigre entonces, con don Nicanor menos canoso, apenas tres años atrás, Nino un sapo, Nino un pescado, y las manos de Rema que daban deseos de llorar y sentirlas eternamente contra su cabeza, en una caricia casi de muerte y de vainillas con crema, las dos mejores cosas de la vida.

Le dieron un cuarto arriba, entero para ella, lindísimo. Un cuarto para grande (idea de Nino, todo rulos negros y ojos, bonito en su mono azul; claro que de tarde Luis lo hacía vestir muy bien, de gris pizarra con corbata colorada) y dentro otro cuarto chiquito con un cardenal enorme y salvaje. El baño quedaba a dos puertas (pero internas, de modo que se podía ir sin averiguar antes dónde estaba el tigre), lleno de canillas y metales, aunque a Isabel no la engañaban fácil y ya en el baño se notaba bien el campo, las cosas no eran tan perfectas como en un baño de ciudad. Olía a viejo, la segunda mañana encontró un bicho de humedad paseando por el lavabo.

Lo tocó apenas, se hizo una bolita temerosa, perdió pie y se fue por el agujero gorgoteante.

Querida mamá tomo la pluma para —Comían en el comedor de cristales, donde se estaba más fresco. El Nene se quejaba a cada momento del calor, Luis no decía nada pero poco a poco se le veía brotar el agua en la frente y la barba. Solamente Rema estaba tranquila, pasaba los platos despacio y siempre como si la comida fuera de cumpleaños, un poco solemne y emocionante. (Isabel aprendía en secreto su manera de trinchar, de dirigir a las sirvientitas.) Luis casi siempre leía, los puños en las sienes y el libro apoyado en un sifón. Rema le tocaba el brazo antes de pasarle un plato, y a veces el Nene lo interrumpía y lo llamaba filósofo. A Isabel le dolía que Luis fuera filósofo, no por eso sino por el Nene, porque entonces el Nene tenía pretexto para burlarse y decírselo.

Comían así: Luis en la cabecera, Rema y Nino de un lado, el Nene e Isabel del otro, de manera que había un grande en la punta y a los lados un chico y un grande. Cuando Nino quería decirle algo de veras le daba con el zapato en la canilla. Una vez Isabel gritó y el Nene se puso furioso y le dijo malcriada. Rema se quedó mirándola, hasta que Isabel se consoló en su mirada y la sopa juliana.

Mamita, antes de ir a comer es como en todos los otros momentos, hay que fijarse si —Casi siempre era Rema la que iba a ver si se podía pasar al comedor de cristales. Al segundo día vino al living grande y les dijo que esperaran. Pasó un rato largo hasta que un peón avisó que el tigre estaba en el jardín de los tréboles, entonces Rema tomó a los chicos de la mano y entraron todos a comer. Esa mañana las papas estuvieron resecas, aunque solamente el Nene y Nino protestaron.

Vos me dijiste que no debo andar haciendo —Porque Rema parecía detener, con su tersa bondad, toda pregunta. Estaban tan bien que no era necesario preocuparse por lo de las piezas. Una casa grandísima, y en el peor de los casos había que no entrar en una habitación; nunca más

de una, de modo que no importaba. A los dos días Isabel
se habituó igual que Nino. Jugaban de la mañana a la
noche en el bosque de sauces, y si no se podía en el bosque
de sauces les quedaba el jardín de los tréboles, el parque
de las hamacas y la costa del arroyo. En la casa lo mismo,
tenían sus dormitorios, el corredor del medio, la biblioteca de abajo (salvo un jueves en que no se pudo ir a la
biblioteca) y el comedor de cristales. Al estudio de Luis
no iban porque Luis leía todo el tiempo, a veces llamaba
a su hijo y le daba libros con figuras; pero Nino los sacaba
de ahí, se iban a mirarlos al living o al jardín del frente.
No entraban nunca en el estudio del Nene porque tenían
miedo de sus rabias. Rema les dijo que era mejor así, se
lo dijo como advirtiéndoles; ellos ya sabían leer en sus
silencios.

Al fin y al cabo era una vida triste. Isabel se preguntó
una noche por qué los Funes la habrían invitado a vera-
near. Le faltó edad para comprender que no era por ella
sino por Nino, un juguete estival para alegrar a Nino.
Sólo alcanzaba a advertir la casa triste, que Rema estaba
como cansada, que apenas llovía y las cosas tenían, sin
embargo, algo de húmedo y abandonado. Después de
unos días se habituó al orden de la casa, a la no difícil
disciplina de aquel verano en Los Horneros. Nino empezaba a comprender el microscopio que le regalara Luis,
pasaron una semana espléndida criando bichos en una
batea con agua estancada y hojas de cala, poniendo gotas
en la placa de vidrio para mirar los microbios. «Son larvas
de mosquito, con ese microscopio no van a ver microbios»,
les decía Luis desde su sonrisa un poco quemada y lejana.
Ellos no podían creer que ese rebullente horror no fuese
un microbio. Rema les trajo un calidoscopio que guardaba
en su armario, pero siempre les gustó más descubrir microbios y numerarles las patas. Isabel llevaba una libreta
con los apuntes de los experimentos, combinaba la bio-
logía con la química y la preparación de un botiquín.
Hicieron el botiquín en el cuarto de Nino, después de re-
quisar la casa para proveerse de cosas. Isabel se lo dijo
a Luis: «Queremos de todo: cosas.» Luis les dio pastillas
de Andreu, algodón rosado, un tubo de ensayo. El Nene,

una bolsa de goma y un frasco de píldoras verdes con la etiqueta raspada. Rema fue a ver el botiquín, leyó el inventario en la libreta, y les dijo que estaban aprendiendo cosas útiles. A ella o a Nino (que siempre se excitaba y quería lucirse delante de Rema) se les ocurrió montar un herbario. Como esa mañana se podía ir al jardín de los tréboles, anduvieron sacando muestras y a la noche tenían el piso de sus dormitorios llenos de hojas y flores sobre papeles, casi no quedaba dónde pisar. Antes de dormirse, Isabel apuntó: «Hoja N.º 74: verde, forma de corazón, con pintitas marrones.» La fastidiaba un poco que casi todas las hojas fueran verdes, casi todas lisas, casi todas lanceoladas.

El día que salieron a cazar las hormigas, vio a los peones de la estancia. Al capataz y al mayordomo los conocía bien porque iban con las noticias a la casa. Pero estos otros peones, más jóvenes, estaban ahí del lado de los galpones con un aire de siesta, bostezando a ratos y mirando jugar a los niños. Uno le dijo a Nino: «Pa que vaj a juntar tó esos bichos», y le dio con dos dedos en la cabeza, entre los rulos. Isabel hubiera querido que Nino se enojara, que demostrase ser el hijo del patrón. Ya estaban con la botella hirviendo de hormigas y en la costa del arroyo dieron con un enorme cascarudo y lo tiraron también adentro, para ver. La idea del formicario la habían sacado del Tesoro de la Juventud, y Luis les prestó un largo y profundo cofre de cristal. Cuando se iban, llevándolo entre los dos, Isabel le oyó decirle a Rema: «Mejor que se estén así quietos en casa.» También le pareció que Rema suspiraba. Se acordó antes de dormirse, a la hora de las caras en la oscuridad, lo vio otra vez al Nene saliendo a fumar al porch, delgado y canturreando, a Rema que le llevaba el café y él que tomaba la taza equivocándose, tan torpe que apretó los dedos de Rema al tomar la taza, Isabel había visto desde el comedor que Rema tiraba la mano atrás y el Nene salvaba apenas la taza de caerse, y se reía con la confusión. Mejor hormigas negras que coloradas: más grandes, más feroces. Soltar después un montón de coloradas, seguir la guerra detrás del vidrio, bien seguros. Salvo que no se pelearan. Dos hormigueros uno en cada esquina de la caja de vidrio. Se consolarían estudiando las distintas costumbres, con una libreta especial para cada clase de hormigas. Pero casi seguro que se pelearían, guerra *sin cuartel* para mirar por los vidrios, y una sola libreta.

A Rema no le gustaba espiarlos, a veces pasaba delante de los dormitorios y los veía con el formicario al lado de la ventana, apasionados e importantes. Nino era especial para señalar en seguida las nuevas galerías, e Isabel ampliaba el plano trazado con tinta a doble página. Por consejo de Luis terminaron aceptando hormigas negras solamente, y el formicario ya era enorme, las hormigas parecían furiosas y trabajaban hasta la noche, cavando y removiendo con mil órdenes y evoluciones, avisado frotar de antenas y patas, repentinos arranques de furor o vehemencia, concentraciones y desbandes sin causa visible. Isabel no sabía ya qué apuntar, dejó poco a poco la libreta y se pasaban horas estudiando y olvidándose los descubrimientos. Nino empezaba a querer volverse al jardín, aludía a las hamacas y a los petisos. Isabel lo despreciaba un poco. El formicario valía más que todo Los Horneros, y a ella le encantaba pensar que las hormigas iban y venían sin miedo a ningún tigre, a veces le daba por imaginarse un tigrecito chico como una goma de borrar, rondando las galerías del formicario; tal vez por eso los desbandes, las concentraciones. Y le gustaba repetir el mundo grande en el de cristal, ahora que se sentía un poco presa, ahora que estaba prohibido bajar al comedor hasta que Rema les avisara.

Acercó la nariz a uno de los vidrios, de pronto atenta porque le gustaba que la consideraran; oyó a Rema detenerse en la puerta, callar, mirarla. Esas cosas las oía con tan nítida claridad cuando era Rema.

—¿Por qué así sola?

—Nino se fue a las hamacas. Me parece que esta debe ser una reina, es grandísima.

El delantal de Rema se reflejaba en el vidrio. Isabel le vio una mano levemente alzada, con el reflejo en el vidrio parecía como si estuviera dentro del formicario, de pronto pensó en la misma mano dándole la taza de café al Nene, pero ahora eran las hormigas que le andaban por los dedos, las hormigas en vez de la taza y la mano del Nene apretándole las yemas.

—Saque la mano, Rema —pidió.

—¿La mano?

—Ahora está bien. El reflejo asustaba a las hormigas.

—Ah. Ya se puede bajar al comedor.

—Después. ¿El Nene está enojado con usted, Rema?

La mano pasó sobre el vidrio como un pájaro por una ventana. A Isabel le pareció que las hormigas se espantaban de veras, que huían del reflejo. Ahora ya no se veía nada, Rema se había ido, andaba por el corredor como escapando de algo. Isabel sintió miedo de su pregunta, un miedo sordo y sin sentido, quizá no de la pregunta como de verla irse así a Rema, del vidrio otra vez límpido donde las galerías desembocaban y se torcían como crispados dedos dentro de la tierra.

Una tarde hubo siesta, sandía, pelota y paleta en la pared que miraba al arroyo, y Nino estuvo espléndido sacando tiros que parecían perdidos y subiéndose al techo por la glicina para desenganchar la pelota metida entre dos tejas. Vino un peoncito del lado de los sauces y los acompañó a jugar, pero era lerdo y se le iban los tiros. Isabel olía hojas de aguaribay y en un momento, al devolver con un revés una pelota insidiosa que Nino le mandaba baja, sintió como muy adentro la felicidad del verano. Por primera vez entendía su presencia en Los Horneros, las vacaciones, Nino. Pensó en el formicario, allá arriba, y era una cosa muerta y rezumante, un horror de patas buscando salir, un aire viciado y venenoso. Golpeó la pelota con rabia, con alegría, cortó un tallo de aguaribay con los dientes y lo escupió asqueada, feliz, por fin de veras bajo el sol del campo.

Los vidrios cayeron como granizo. Era en el estudio

del Nene. Lo vieron asomarse en mangas de camisa, con
los anchos anteojos negros.

—¡Mocosos de porquería!

El peoncito escapaba. Nino se puso al lado de Isabel,
ella lo sintió temblar con el mismo viento que los sauces.

—Fue sin querer, tío.

—De veras, Nene, fue sin querer.

Ya no estaba.

Le había pedido a Rema que se llevara el formicario
y Rema se lo prometió. Después, charlando mientras la
ayudaba a colgar su ropa y a ponerse el piyama, se olvidaron. Isabel sintió la cercanía de las hormigas cuando
Rema le apagó la luz y se fue por el corredor a darle las
buenas noches a Nino todavía lloroso y dolido, pero no
se animó a llamarla de nuevo, Rema hubiera pensado
que era una chiquilina. Se propuso dormir en seguida, y
se desveló como nunca. Cuando fue el momento de las
caras en la oscuridad, vio a su madre y a Inés mirándose
con un sonriente aire de cómplices y poniéndose unos
guantes de fosforescente amarillo. Vio a Nino llorando,
a su madre y a Inés con los guantes que ahora eran gorros
violeta que les giraban y giraban en la cabeza, a Nino con
ojos enormes y huecos —tal vez por haber llorado tanto—
y previó que ahora vería a Rema y a Luis, deseaba verlos
y no al Nene, pero vio al Nene sin los anteojos, con la
misma cara contraída que tenía cuando empezó a pegarle
a Nino y Nino se iba echando atrás hasta quedar contra
la pared y lo miraba como esperando que eso concluyera,
y el Nene volvía a cruzarle la cara con un bofetón suelto
y blando que sonaba a mojado, hasta que Rema se puso
delante y él se rió con la cara casi tocando la de Rema, y
entonces se oyó volver a Luis y decir desde lejos que ya
podían ir al comedor de adentro. Todo tan rápido, todo
porque Nino estaba ahí y Rema vino a decirles que no se
movieran del living hasta que Luis verificara en qué pieza
estaba el tigre, y se quedó con ellos mirándolos jugar a
las damas. Nino ganaba y Rema lo elogió, entonces Nino
se puso tan contento que le pasó los brazos por el talle

y quiso besarla. Rema se había inclinado, riéndose, y Nino la besaba en los ojos y la nariz, los dos se reían y también Isabel, estaban tan contentos jugando así. No vieron acercarse al Nene, cuando estuvo al lado arrancó a Nino de un tirón, le dijo algo del pelotazo al vidrio de su cuarto y le empezó a pegar, miraba a Rema cuando pegaba, parecía furioso contra Rema y ella lo desafió un momento con los ojos, Isabel asustada la vio que lo encaraba y se ponía delante para proteger a Nino. Toda la cena fue un disimulo, una mentira, Luis creía que Nino lloraba por un porrazo, el Nene miraba a Rema como mandándola que se callara, Isabel lo veía ahora con la boca dura y hermosa, de labios rojísimos; en la tiniebla los labios eran todavía más escarlata, se le veía un brillo de dientes naciendo apenas. De los dientes salió una nube esponjosa, un triángulo verde, Isabel parpadeaba para borrar las imágenes y otra vez salieron Inés y su madre con guantes amarillos; las miró un momento y pensó en el formicario: eso estaba ahí y no se veía; los guantes amarillos no estaban y ella los veía en cambio como a pleno sol. Le pareció casi curioso, no podía hacer salir el formicario, más bien lo alcanzaba como un peso, un pedazo de espacio denso y vivo. Tanto lo sintió que se puso a buscar los fósforos, la vela de noche. El formicario saltó de la nada envuelto en penumbra oscilante. Isabel se acercaba llevando la vela. Pobres hormigas, iban a creer que era el sol que salía. Cuando pudo mirar uno de los lados, tuvo miedo; en plena oscuridad las hormigas habían estado trabajando. Las vio ir y venir, bullentes, en un silencio tan visible, tan palpable. Trabajaban allí adentro, como si no hubieran perdido todavía la esperanza de salir.

Casi siempre era el capataz el que avisaba de los movimientos del tigre; Luis le tenía la mayor confianza y como se pasaba casi todo el día trabajando en su estudio, no salía nunca ni dejaba moverse a los que venían del piso alto hasta que don Roberto mandaba su informe. Pero también tenían que confiar entre ellos. Rema, ocupada en los quehaceres de adentro, sabía bien lo que pasaba en la planta baja y arriba. Otras veces eran los chicos que traían la noticia al Nene o a Luis. No porque vieran nada,

pero si don Roberto los encontraba afuera les marcaba
el paradero del tigre y ellos volvían a avisar. A Nino le
creían todo, a Isabel menos porque era nueva y podía
equivocarse. Después, como andaba siempre con Nino
pegado a sus polleras, terminaron creyéndole lo mismo.
Eso, de mañana y de tarde; por la noche era el Nene quien
salía a verificar si los perros estaban atados o si no había
quedado rescoldo cerca de las casas. Isabel vio que llevaba el revólver y a veces un bastón con puño de plata.

A Rema no quería preguntarle porque Rema parecía
encontrar en eso algo tan obvio y necesario; preguntarle
hubiera sido pasar por tonta, y ella cuidaba su orgullo
delante de otra mujer. Nino era fácil, hablaba y refería.
Todo tan claro y evidente cuando él lo explicaba. Sólo
por la noche, si quería repetirse esa claridad y esa eviden-
cia, Isabel se daba cuenta de que las razones importantes
continuaban faltando. Aprendió pronto lo que de veras
importaba: verificar previamente si se podía salir de la
casa o bajar al comedor de cristales, al estudio de Luis, a la
biblioteca. «Hay que fiar en don Roberto», había dicho
Rema. También en ella, y en Nino. A Luis no le preguntaba
porque pocas veces sabía. Al Nene, que sabía siempre,
no le preguntó jamás. Y así todo era fácil, la vida se orga-
nizaba para Isabel con algunas obligaciones más del lado
de los movimientos, y algunas menos del lado de la ropa,
las comidas, la hora de dormir. Un veraneo de veras, como
debería ser el año entero.

*...verte pronto. Ellos están bien. Con Nino tenemos
un formicario y jugamos y llevamos un herbario muy
grande. Rema te manda besos, está bien. Yo la encuentro
triste, lo mismo a Luis que es muy bueno. Yo creo que
Luis tiene algo, y eso que estudia tanto. Rema me dio
unos pañuelos de colores preciosos, a Inés le van a gustar.
Mamá esto es lindo y yo me divierto con Nino y don
Roberto, es el capataz y nos dice cuándo podemos salir
y adónde, una tarde casi se equivoca y nos manda a la
costa del arroyo, en eso vino un peón a decir que no, vieras
qué afligido estaba don Roberto y después Rema, lo alzó*

a Nino y lo estuvo besando, y a mí me apretó tanto. Luis anduvo diciendo que la casa no era para chicos, y Nino le preguntó quiénes eran los chicos y todos se rieron, hasta el Nene se reía. Don Roberto es el capataz.

Si vinieras a buscarme te quedarías unos días y podrías estar con Rema y alegrarla. Yo creo que ella...

Pero decirle a su madre que Rema lloraba de noche, que la había oído llorar pasando por el corredor a pasos titubeantes, pararse en la puerta de Nino, seguir, bajar la escalera (se estaría secando los ojos) y la voz de Luis, lejana: «¿Qué tenés, Rema? ¿No estás bien?», un silencio, toda la casa como una inmensa oreja, después un murmullo y otra vez la voz de Luis: «Es un miserable, un miserable...», casi como comprobando fríamente un hecho, una filiación, tal vez un destino.

... está un poco enferma, le haría bien que vinieras y la acompañaras. Tengo que mostrarte el herbario y unas piedras del arroyo que me trajeron los peones. Decíle a Inés...

Era una noche como le gustaban a ella, con bichos, humedad, pan recalentado y flan de sémola con pasas de corinto. Todo el tiempo ladraban los perros sobre la costa del arroyo, un mamboretá enorme se plantó de un vuelo en el mantel y Nino fue a buscar la lupa, lo taparon con un vaso ancho y lo hicieron rabiar para que mostrase los colores de las alas.

—Tirá ese bicho —pidió Rema—. Les tengo tanto asco.

—Es un buen ejemplar —admitió Luis—. Miren cómo sigue mi mano con los ojos. El único insecto que gira la cabeza.

—Qué maldita noche —dijo el Nene detrás de su diario.

Isabel hubiera querido decapitar al mamboretá, darle un tijeretazo y ver qué pasaba.

—Dejálo dentro del vaso —pidió a Nino—. Mañana lo podríamos meter en el formicario y estudiarlo.

El calor subía, a las diez y media no se respiraba. Los chicos se quedaron con Rema en el comedor de adentro, los hombres estaban en sus estudios. Nino fue el primero en decir que tenía sueño.

—Subí solo, yo voy después a verte. Arriba está todo bien. —Y Rema lo ceñía por la cintura, con un gesto que a él le gustaba tanto.

—¿Nos contás un cuento, tía Rema?

—Otra noche.

Se quedaron solas, con el mamboretá que las miraba. Vino Luis a darles las buenas noches, murmuró algo sobre la hora en que los chicos debían irse a la cama, Rema le sonrió al besarlo.

—Oso gruñón —dijo, e Isabel inclinada sobre el vaso del mamboretá pensó que nunca había visto a Rema besando al Nene y a un mamboretá de un verde tan verde. Le movía un poco el vaso y el mamboretá rabiaba. Rema se acercó para pedirle que fuera a dormir.

—Tirá ese bicho, es horrible.

—Mañana, Rema.

Le pidió que subiera a darle las buenas noches. El Nene tenía entornada la puerta de su estudio y estaba paseándose en mangas de camisa, con el cuello suelto. Le silbó al pasar.

—Me voy a dormir, Nene.

—Oíme: decíle a Rema que me haga una limonada bien fresca y me la traiga aquí. Después subís no más a tu cuarto.

Claro que iba a subir a su cuarto, no veía por qué tenía él que mandárselo. Volvió al comedor para decirle a Rema, vio que vacilaba.

—No subas todavía. Voy a hacer la limonada y se la llevás vos misma.

—El dijo que...

—Por favor.

Isabel se sentó al lado de la mesa. Por favor. Había nubes de bichos girando bajo la lámpara de carburo, se hubiera quedado horas mirando la nada y repitiendo:

Por favor, por favor. Rema, Rema. Cuánto la quería, y esa voz de tristeza sin fondo, sin razón posible, la voz misma de la tristeza. Por favor. Rema, Rema... Un calor de fiebre le ganaba la cara, un deseo de tirarse a los pies de Rema, de dejarse llevar en brazos por Rema, una voluntad de morirse mirándola y que Rema le tuviera lástima, le pasara finos dedos frescos por el pelo, por los párpados...

Ahora le alcanzaba una jarra verde llena de limones partidos y hielo.

—Llévasela.

—Rema...

Le pareció que temblaba, que se ponía de espaldas a la mesa para que ella no le viese los ojos.

—Ya tiré el mamboretá, Rema.

Se duerme mal con el calor pegajoso y tanto zumbar de mosquitos. Dos veces estuvo a punto de levantarse, salir al corredor o ir al baño a mojarse las muñecas y la cara. Pero oía andar a alguien abajo, alguien se paseaba de un lado al otro del comedor, llegaba al pie de la escalera, volvía... No eran los pasos oscuros y espaciados de Luis, no era el andar de Rema. Cuánto calor tenía esa noche el Nene, cómo se habría bebido a largos sorbos la limonada. Isabel lo veía bebiendo de la jarra, las manos sosteniendo la jarra verde con rodajas amarillas oscilando en el agua bajo la lámpara; pero a la vez estaba segura de que el Nene no había bebido la limonada, que estaba aún mirando la jarra que ella le llevara hasta la mesa como alguien que mira una perversidad infinita. No quería pensar en la sonrisa del Nene, su ir hasta la puerta como para asomarse al comedor, su retorno lento.

—Ella tenía que traérmela. A vos te dije que subieras a tu cuarto.

Y no ocurrírsele más que una respuesta tan idiota:

—Está bien fresca, Nene.

Y la jarra verde como el mamboretá.

Nino se levantó el primero y le propuso ir a buscar caracoles al arroyo. Isabel casi no había dormido, recordaba salones con flores, campanillas, corredores de clínica, hermanas de caridad, termómetros en bocales con bicloruro, imágenes de primera comunión, Inés, la bicicleta rota, el Tren Mixto, el disfraz de gitana de los ocho años. Entre todo eso, como delgado aire entre hojas de álbum, se veía despierta, pensando en tantas cosas que no eran flores, campanillas, corredores de clínica. Se levantó de mala gana, se lavó duramente las orejas. Nino dijo que eran las diez y que el tigre estaba en la sala del piano, de modo que podían irse en seguida al arroyo. Bajaron juntos, saludando apenas a Luis y al Nene que leían con las puertas abiertas. Los caracoles quedaban en la costa sobre los trigales. Nino anduvo quejándose de la distracción de Isabel, la trató de mala compañera y de que no ayudaba a formar la colección. Ella lo veía de repente tan chico, tan un muchachito entre sus caracoles y sus hojas.

Volvió la primera, cuando en la casa izaban la bandera para el almuerzo. Don Roberto venía de inspeccionar e Isabel le preguntó como siempre. Ya Nino se acercaba despacio, cargando la caja de los caracoles y los rastrillos, Isabel lo ayudó a dejar los rastrillos en el porch y entraron juntos. Rema estaba ahí, blanca y callada. Nino le puso un caracol azul en la mano.

—Para vos, el más lindo.

El Nene ya comía, con el diario al lado, a Isabel le quedaba apenas sitio para apoyar el brazo. Luis vino el último de su cuarto, contento como siempre a mediodía. Comieron, Nino hablaba de los caracoles, los huevos de caracoles en las cañas, la colección por tamaños o colores El los mataría solo, porque a Isabel le daba pena, los pondría a secar en una chapa de cinc. Después vino el café y Luis los miró con la pregunta usual, entonces Isabel se levantó la primera para buscar a don Roberto, aunque don Roberto ya le había dicho antes. Dio vuelta al porch y cuando entró otra vez, Rema y Nino tenían las cabezas juntas sobre los caracoles, estaban como en una fotografía de familia, solamente Luis la miró y ella dijo: «Está en el estudio del Nene», se quedó viendo cómo el Nene alzaba los hombros, fastidiado, y Rema que tocaba un caracol con la punta del dedo, tan delicadamente que también su dedo tenía algo de caracol. Después Rema se levantó para ir a buscar más azúcar, e Isabel fue detrás de ella charlando hasta que volvieron riendo por una broma que habían cambiado en la antecocina. Como a Luis le faltaba tabaco y mandó a Nino a su estudio, Isabel lo desafió a que encontraba primero los cigarrillos y salieron juntos. Ganó Nino, volvieron corriendo y empujándose, casi chocan con el Nene que se iba a leer el diario a la biblioteca, quejándose por no poder usar su estudio. Isabel se acercó a mirar los caracoles, y Luis esperando que le encendiera como siempre el cigarrillo la vio perdida, estudiando los caracoles que empezaban despacio a asomar y moverse, mirando de pronto a Rema, pero saliéndose de ella como una ráfaga, y obsesionada por los caracoles, tanto que no se movió al primer alarido del Nene, todos corrían ya y ella estaba sobre los caracoles como si no oyera el nuevo grito ahogado del Nene, los golpes de Luis en la puerta de la biblioteca, don Roberto que entraba con perros, las quejas del Nene entre los ladridos furiosos de los perros, y Luis repitiendo: «¡Pero si estaba en el estudio de él! ¡Ella dijo que estaba en el estudio de él!», inclinada sobre los caracoles esbeltos como dedos, quizá como los dedos de Rema, o era la mano de Rema que le tomaba el hombro, le hacía alzar la cabeza para mirarla, para estarla mirando una eternidad, rota por su llanto feroz contra la pollera de Rema, su alterada alegría, y Rema pasándole la mano por el pelo, calmándola con un suave apretar de dedos y un murmullo contra su oído, un balbucear como de gratitud, de innominable aquiescencia.

Andrée, yo no quería venirme a vivir a su departamento de la calle Suipacha. No tanto por los conejitos, más bien porque me duele ingresar en un orden cerrado, construido ya hasta en las más finas mallas del aire, esas que en su casa preservan la música de la lavanda, el aletear de un cisne con polvos, el juego del violín y la viola en el cuarteto de Rará. Me es amargo entrar en un ámbito donde alguien que vive bellamente lo ha dispuesto todo como una reiteración visible de su alma, aquí los libros (de un lado en español, del otro en francés e inglés), allí los almohadones verdes, en este preciso sitio de la mesita el cenicero de cristal que parece el corte de una pompa de jabón, y siempre un perfume, un sonido, un crecer de plantas, una fotografía del amigo muerto, ritual de bandejas con té y tenacillas de azúcar... Ah, querida Andrée, qué difícil oponerse, aun aceptándolo con entera sumisión del propio ser, al orden minucioso que una mujer instaura en su liviana residencia. Cuán culpable tomar una tacita de metal y ponerla al otro extremo de la mesa, ponerla allí simplemente porque uno ha traído sus diccionarios

ingleses y es de este lado, al alcance de la mano, donde
habrán de estar. Mover esa tacita vale por un horrible
rojo inesperado en medio de una modulación de Ozenfant,
como si de golpe las cuerdas de todos los contrabajos se
rompieran al mismo tiempo con el mismo espantoso chico-
tazo en el instante más callado de una sinfonía de Mozart.
Mover esa tacita altera el juego de relaciones de toda la casa,
de cada objeto con otro, de cada momento de su alma con
el alma entera de la casa y su habitante lejana. Y yo no
puedo acercar los dedos a un libro, ceñir apenas el cono
de luz de una lámpara, destapar la caja de música, sin que
un sentimiento de ultraje y desafío me pase por los ojos
como un bando de gorriones.

Usted sabe por qué vine a su casa, a su quieto salón soli-
citado de mediodía. Todo parece tan natural, como siempre que no se sabe la verdad. Usted se ha ido a París, yo
me quedé con el departamento de la calle Suipacha, ela-
boramos un simple y satisfactorio plan de mutua conve-
niencia hasta que septiembre la traiga de nuevo a Buenos
Aires y me lance a mí a alguna otra casa donde quizá...
Pero no le escribo por eso, esta carta se la envío a causa
de los conejillos, me parece justo enterarla; y porque me
gusta escribir cartas, y tal vez porque llueve.

Me mudé el jueves pasado, a las cinco de la tarde, entre
niebla y hastío. He cerrado tantas maletas en mi vida,
me he pasado tantas horas haciendo equipajes que no
llevaban a ninguna parte, que el jueves fue un día lleno
de sombras y correas, porque cuando yo veo las correas
de las valijas es como si viera sombras, elementos de un
látigo que me azota indirectamente, de la manera más
sutil y más horrible. Pero hice las maletas, avisé a su mucama que vendría a instalarme, y subí en el ascensor.
Justo entre el primero y segundo piso sentí que iba a
vomitar un conejito. Nunca se lo había explicado antes,
no crea que por deslealtad, pero naturalmente uno no va
a ponerse a explicarle a la gente que de cuando en cuando
vomita un conejito. Como siempre me ha sucedido estando a solas, guardaba el hecho igual que se guardan tantas
constancias de lo que acaece (o hace uno acaecer) en la
privacía total. No me lo reproche, Andrée, no me lo re-

proche. De cuando en cuando me ocurre vomitar un conejito. No es razón para no vivir en cualquier casa, no es razón para que uno tenga que avergonzarse y estar aislado y andar callándose.

Cuando siento que voy a vomitar un conejito, me pongo dos dedos en la boca como una pinza abierta, y espero a sentir en la garganta la pelusa tibia que sube como una efervescencia de sal de frutas. Todo es veloz e higiénico, transcurre en un brevísimo instante. Saco los dedos de la boca, y en ellos traigo sujeto por las orejas a un conejito blanco. El conejito parece contento, es un conejito normal y perfecto, sólo que muy pequeño, pequeño como un conejito de chocolate pero blanco y enteramente un conejito. Me lo pongo en la palma de la mano, le alzo la pelusa con una caricia de los dedos, el conejito parece satisfecho de haber nacido y bulle y pega el hocico contra mi piel, moviéndolo con esa trituración silenciosa y cosquilleante del hocico de un conejo contra la piel de una mano. Busca de comer y entonces yo (hablo de cuando esto ocurría en mi casa de las afueras) lo saco conmigo al balcón y lo pongo en la gran maceta donde crece el trébol que a propósito he sembrado. El conejito alza del todo sus orejas, envuelve un trébol tierno con un veloz molinete del hocico, y yo sé que puedo dejarlo e irme, continuar por un tiempo una vida no distinta a la de tantos que compran sus conejos en las granjas.

Entre el primero y el segundo piso, Andrée, como un anuncio de lo que sería mi vida en su casa, supe que iba a vomitar un conejito. En seguida tuve miedo (¿o era extrañeza? No, miedo de la misma extrañeza, acaso) porque antes de dejar mi casa, sólo dos días antes, había vomitado un conejito y estaba seguro por un mes, por cinco semanas, tal vez seis con un poco de suerte. Mire usted, yo tenía perfectamente resuelto el problema de los conejitos. Sembraba trébol en el balcón de mi otra casa, vomitaba un conejito, lo ponía en el trébol y al cabo de un mes, cuando sospechaba que de un momento a otro... entonces regalaba el conejo ya crecido a la señora de Molina, que creía en un *hobby* y se callaba. Ya en otra maceta venía creciendo un trébol tierno y propicio, yo aguardaba sin preocupación la mañana en que la cosquilla de una pelusa subiendo me cerraba la garganta, y el nuevo conejito repetía desde esa hora la vida y las costumbres del anterior. Las costumbres, Andrée, son formas concretas del ritmo, son la cuota de ritmo que nos ayuda a vivir. No era tan terrible vomitar conejitos una vez que se había entrado en el ciclo invariable, en el método. Usted querrá saber por qué todo ese trabajo, por qué todo ese trébol y la señora de Molina. Hubiera sido preferible matar en seguida al conejito y... Ah, tendría usted que vomitar tan sólo uno, tomarlo con dos dedos y ponérselo en la mano abierta, adherido aún a usted por el acto mismo, por el aura inefable de su proximidad apenas rota. Un mes distancia tanto; un mes es tamaño, largos pelos, saltos, ojos salvajes, diferencia absoluta. Andrée, un mes es un conejo, hace de veras a un conejo; pero el minuto inicial, cuando el copo tibio y bullente encubre una presencia inajenable... Como un poema en los primeros minutos, el fruto de una noche de Idumea: tan de uno que uno mismo... y después tan no uno, tan aislado y distante en su llano mundo blanco tamaño carta.

Me decidí, con todo, a matar el conejito apenas naciera. Yo viviría cuatro meses en su casa: cuatro —quizá, con suerte, tres— cucharadas de alcohol en el hocico. (¿Sabe usted que la misericordia permite matar instantáneamente a un conejito dándole a beber una cucharada de alcohol? Su carne sabe luego mejor, dicen, aunque yo... Tres o cuatro cucharadas de alcohol, luego el cuarto de baño o un paquete sumándose a los desechos.)

Al cruzar el tercer piso el conejito se movía en mi mano abierta. Sara esperaba arriba, para ayudarme a entrar las valijas... ¿Cómo explicarle que un capricho, una tienda de animales? Envolví el conejito en mi pañuelo, lo puse en el bolsillo del sobretodo dejando el sobretodo suelto para no oprimirlo. Apenas se movía. Su menuda conciencia debía estarle revelando hechos importantes: que la vida es un movimiento hacia arriba con un click final, y que es también un cielo bajo, blanco, envolvente y oliendo a lavanda, en el fondo de un pozo tibio.

Sara no vio nada, la fascinaba demasiado el arduo pro-

blema de ajustar su sentido del orden a mi valijaropero,
mis papeles y mi displicencia ante sus elaboradas explicaciones donde abunda la expresión «por ejemplo». Apenas
pude me encerré en el baño; matarlo ahora. Una fina zona
de calor rodeaba el pañuelo, el conejito era blanquísimo
y creo que más lindo que los otros. No me miraba, solamente bullía y estaba contento, lo que era el más horrible
modo de mirarme. Lo encerré en el botiquín vacío y me
volví para desempacar, desorientado pero no infeliz, no
culpable, no jabonándome las manos para quitarles una
última convulsión.

Comprendí que no podía matarlo. Pero esa misma noche
vomité un conejito negro. Y dos días después uno blanco.
Y a la cuarta noche un conejito gris.

Usted ha de amar el bello armario de su dormitorio,
con la gran puerta que se abre generosa, las tablas vacías
a la espera de mi ropa. Ahora los tengo ahí. Ahí dentro.
Verdad que parece imposible; ni Sara lo creería. Porque
Sara nada sospecha, y el que no sospeche nada procede
de mi horrible tarea, una tarea que se lleva mis días y mis
noches en un solo golpe de rastrillo y me va calcinando
por dentro y endureciendo como esa estrella de mar que
ha puesto usted sobre la bañera y que a cada baño parece
llenarle a uno el cuerpo de sal y azotes de sol y grandes
rumores de la profundidad.

De día duermen. Hay diez. De día duermen. Con la
puerta cerrada, el armario es una noche diurna solamente
para ellos, allí duermen su noche con sosegada obediencia.
Me llevo las llaves del dormitorio al partir a mi empleo.
Sara debe creer que desconfío de su honradez y mira
dubitativa, se le ve todas las mañanas que está por decirme
algo, pero al final se calla y yo estoy tan contento. (Cuando
arregla el dormitorio, de nueve a diez, hago ruido en el
salón, pongo un disco de Benny Carter que ocupa toda
la atmósfera, y como Sara es también amiga de saetas y
pasodobles, el armario parece silencioso y acaso lo esté,
porque para los conejitos transcurre ya la noche y el descanso.)

Su día principia a esa hora que sigue a la cena, cuando Sara se lleva la bandeja con un menudo tintinear de tenacillas de azúcar, me desea buenas noches —sí, me las desea, Andrée, lo más amargo es que me desea las buenas noches— y se encierra en su cuarto y de pronto estoy yo solo, solo con el armario condenado, solo con mi deber y mi tristeza.

Los dejo salir, lanzarse ágiles al asalto del salón, oliendo vivaces el trébol que ocultaban mis bolsillos y ahora hace en la alfombra efímeras puntillas que ellos alteran, remueven, acaban en un momento. Comen bien, callados y correctos, hasta ese instante nada tengo que decir, los miro solamente desde el sofá, con un libro inútil en la mano —yo que quería leerme todos sus Giraudoux, Andrée, y la historia argentina de López que tiene usted en el anaquel más bajo—; y se comen el trébol.

Son diez. Casi todos blancos. Alzan la tibia cabeza hacia las lámparas del salón, los tres soles inmóviles de su día, ellos que aman la luz porque su noche no tiene luna ni estrellas ni faroles. Miran su triple sol y están contentos. Así es que saltan por la alfombra, a las sillas, diez manchas livianas se trasladan como una moviente constelación de una parte a otra, mientras yo quisiera verlos quietos, verlos a mis pies y quietos —un poco el sueño de todo dios, Andrée, el sueño nunca cumplido de los dioses—, no así insinuándose detrás del retrato de Miguel de Unamuno, en torno al jarrón verde claro, por la negra cavidad del escritorio, siempre menos de diez, siempre seis u ocho y yo preguntándome dónde andarán los dos que faltan, y si Sara se levantara por cualquier cosa, y la presidencia de Rivadavia que yo quería leer en la historia de López.

No sé cómo resisto, Andrée. Usted recuerda que vine a descansar a su casa. No es culpa mía si de cuando en cuando vomito un conejito, si esta mudanza me alteró también por dentro —no es nominalismo, no es magia, solamente que las cosas no se pueden variar así de pronto, a veces las cosas viran brutalmente y cuando usted esperaba la bofetada a la derecha—. Así, Andrée, o de otro modo, pero siempre así.

Le escribo de noche. Son las tres de la tarde, pero le escribo en la noche de ellos. De día duermen. ¡Qué alivio esta oficina cubierta de gritos, órdenes, máquinas Royal, vicepresidentes y mimeógrafos! ¡Qué alivio, qué paz, qué horror, Andrée! Ahora me llaman por teléfono, son los amigos que se inquietan por mis noches recoletas, es Luis que me invita a caminar o Jorge que me guarda un concierto. Casi no me atrevo a decirles que no, invento prolongadas e ineficaces historias de mala salud, de traducciones atrasadas, de evasión. Y cuando regreso y subo en el ascensor —ese tramo, entre el primero y segundo piso— me formulo noche a noche irremediablemente la vana esperanza de que no sea verdad.

Hago lo que puedo para que no destrocen sus cosas. Han roído un poco los libros del anaquel más bajo, usted los encontrará disimulados para que Sara no se dé cuenta. ¿Quería usted mucho su lámpara con el vientre de porcelana lleno de mariposas y caballeros antiguos? El trizado apenas se advierte, toda la noche trabajé con un cemento especial que me vendieron en una casa inglesa —usted sabe que las casas inglesas tienen los mejores cementos— y ahora me quedo al lado para que ninguno la alcance otra vez con las patas (es casi hermoso ver cómo les gusta pararse, nostalgia de lo humano distante, quizá imitación de su dios ambulando y mirándolos hosco; además usted habrá advertido —en su infancia, quizá— que se puede dejar a un conejito en penitencia contra la pared, parado, las patitas apoyadas y muy quieto horas y horas).

A las cinco de la mañana (he dormido un poco, tirado en el sofá verde y despertándome a cada carrera afelpada, a cada tintineo) los pongo en el armario y hago la limpieza. Por eso Sara encuentra todo bien aunque a veces le he visto algún asombro contenido, un quedarse mirando un objeto, una leve decoloración de la alfombra, y de nuevo el deseo de preguntarme algo, pero yo silbando las variaciones sinfónicas de Franck, de manera que nones. Para qué contarle, Andrée, las minucias desventuradas de ese amanecer sordo y vegetal, en que camino entredormido levantando cabos de trébol, hojas sueltas, pelusas blancas, dándome contra los muebles, loco de

sueño, y mi Gide que se atrasa, Troyat que no he tradu-
cido, y mis respuestas a una señora lejana que estará preguntándose ya si... para qué seguir todo esto, para qué
seguir esta carta que escribo entre teléfonos y entrevistas.

Andrée, querida Andrée, mi consuelo es que son diez
y ya no más. Hace quince días contuve en la palma de la
mano un último conejito, después nada, solamente los
diez conmigo, su diurna noche y creciendo, ya feos y
y naciéndoles el pelo largo, ya adolescentes y llenos de
urgencias y caprichos, saltando sobre el busto de Antinoo
(¿es Antinoo, verdad, ese muchacho que mira ciega-
mente?) o perdiéndose en el living donde sus movimientos crean ruidos resonantes, tanto que de allí debo echarlos
por miedo a que los oiga Sara y se me aparezca horripilada,
tal vez en camisón —porque Sara ha de ser así, con camisón— y entonces... Solamente diez, piense usted esa
pequeña alegría que tengo en medio de todo, la creciente
calma con que franqueo de vuelta los rígidos cielos del
primero y el segundo piso.

Interrumpí esta carta porque debía asistir a una tarea
de comisiones. La continúo en su casa, Andrée, bajo una
sorda grisalla de amanecer. ¿Es de veras el día siguiente,
Andrée? Un trozo en blanco de la página será para usted
el intervalo, apenas el puente que une mi letra de ayer a
mi letra de hoy. Decirle que en ese intervalo todo se ha
roto, donde mira usted el puente fácil oigo yo quebrarse
la cintura furiosa del agua, para mí este lado del papel,
este lado de mi carta no continúa la calma con que venía
yo escribiéndole cuando la dejé para asistir a una tarea
de comisiones. En su cúbica noche sin tristeza duermen
once conejitos; acaso ahora mismo, pero no, no ahora
—En el ascensor, luego, o al entrar; ya no importa dónde,
si el cuándo es ahora, si puede ser en cualquier ahora de
los que me quedan.

Basta ya, he escrito esto porque me importa probarle
que no fui tan culpable en el destrozo insalvable de su
casa. Dejaré esta carta esperándola, sería sórdido que el
correo se la entregara alguna clara mañana de París.

Anoche di vueltas los libros del segundo estante; alcanzaban ya a ellos, parándose o saltando, royeron los lomos para afilarse los dientes —no por hambre, tienen todo el trébol que les compro y almaceno en los cajones del escritorio. Rompieron las cortinas, las telas de los sillones, el borde del autorretrato de Augusto Torres, llenaron de pelos la alfombra y también gritaron, estuvieron en círculo bajo la luz de la lámpara, en círculo y como adorándome, y de pronto gritaban, gritaban como yo no creo que griten los conejos.

He querido en vano sacar los pelos que estropean la alfombra, alisar el borde de la tela roída, encerrarlos de nuevo en el armario. El día sube, tal vez Sara se levante pronto. Es casi extraño que no me importe Sara. Es casi extraño que no me importe verlos brincar en busca de juguetes. No tuve tanta culpa, usted verá cuando llegue que muchos de los destrozos están bien reparados con el cemento que compré en una casa inglesa, yo hice lo que pude para evitarle un enojo... En cuanto a mí, del diez al once hay como un hueco insuperable. Usted ve: diez estaba bien, con un armario, trébol y esperanza, cuántas cosas pueden construirse. No ya con once, porque decir once es seguramente doce, Andrée, doce que será trece. Entonces está el amanecer y una fría soledad en la que caben la alegría, los recuerdos, usted y acaso tantos más. Está este balcón sobre Suipacha lleno de alba, los primeros sonidos de la ciudad. No creo que les sea difícil juntar once conejitos salpicados sobre los adoquines, tal vez ni se fijen en ellos, atareados con el otro cuerpo que conviene llevarse pronto, antes de que pasen los primeros colegiales.

Con legítimo orgullo *

In Memoriam K.

Ninguno de nosotros recuerda el texto de la ley que obliga a recoger las hojas secas, pero estamos convencidos de que a nadie se le ocurriría que puede dejar de recogerlas; es una de esas cosas que vienen desde muy atrás, con las primeras lecciones de la infancia, y ya no hay demasiada diferencia entre los gestos elementales de atarse los zapatos o abrir los paraguas y los que hacemos al recoger las hojas secas a partir del dos de noviembre a las nueve de la mañana.

Tampoco a nadie se le ocurriría discutir la oportunidad de esa fecha, es algo que figura en las costumbres del país y que tiene su razón de ser. La víspera nos dedicamos a visitar el cementerio, no se hace otra cosa que acudir a las tumbas familiares, barrer las hojas secas que las ocultan y confunden, aunque ese día las hojas secas no tienen importancia oficial, por así decir, a lo sumo son una penosa molestia de la que hay que librarse para luego cambiar el agua a los floreros y limpiar las huellas de los

* Reproducido con autorización de «Siglo XXI, S. A.», México.

caracoles en las lápidas. Alguna vez se ha podido insinuar que la campaña contra las hojas secas podría adelantarse en dos o tres días, de manera que al llegar el primero de noviembre el cementerio estuviera ya limpio y las familias pudieran recogerse ante las tumbas sin el molesto barrido previo que suele provocar escenas penosas y nos distrae de nuestros deberes en ese día de recordación. Pero nunca hemos aceptado esas insinuaciones, como tampoco hemos creído que se pudieran impedir las expediciones a las selvas del norte, por más que nos cuesten. Son costumbres tradicionales que tienen su razón de ser, y muchas veces hemos oído a nuestros abuelos contestar severamente a esas voces anárquicas, haciendo notar que la acumulación de hojas secas en las tumbas sirve precisamente para mostrar a la colectividad la molestia que representan una vez avanzado el otoño, e incitarla así a participar con más entusiasmo en la labor que ha de iniciarse al día siguiente.

Toda la población está llamada a desempeñar una tarea en la campaña. La víspera, cuando regresamos del cementerio, la municipalidad ya ha instalado su quiosco pintado de blanco en medio de la plaza, y a medida que vamos llegando nos ponemos en fila y esperamos nuestro turno. Como la fila es interminable, la mayoría sólo puede volver muy tarde a su casa, pero tenemos la satisfacción de haber recibido nuestra tarjeta de manos de un funcionario municipal. En esa forma y a partir de la mañana siguiente, nuestra participación quedará registrada día tras día en las casillas de la tarjeta, que una máquina especial va perforando a medida que entregamos las bolsas de hojas secas o las jaulas con las mangostas, según la tarea que nos haya correspondido. Los niños son los que más se divierten porque les dan una tarjeta muy grande, que les encanta mostrar a sus madres, y los destinan a diversas tareas livianas pero sobre todo a vigilar el comportamiento de las mangostas. A los adultos nos toca el trabajo más pesado, puesto que además de dirigir a las mangostas debemos llenar las bolsas de arpillera con las hojas secas que han recogido las mangostas, y llevarlas a hombros hasta los camiones municipales. A los viejos se les confían las pistolas de aire comprimido con las que se pulveriza

la esencia de serpiente sobre las hojas secas. Pero el trabajo de los adultos es el que exige la mayor responsabilidad, porque las mangostas suelen distraerse y no rinden
lo que se espera de ellas; en ese caso nuestras tarjetas
mostrarán al cabo de pocos días la insuficiencia de la
labor realizada, y aumentarán las probabilidades de que
nos envíen a las selvas del norte. Como es de imaginar
hacemos todo lo posible por evitarlo, aunque llegado el
caso reconocemos que se trata de una costumbre tan
natural como la campaña misma, y no se nos ocurriría
protestar; pero es humano que nos esforcemos lo más
posible en hacer trabajar a las mangostas para conseguir
el máximo de puntos en nuestras tarjetas, y que para ello
seamos severos con las mangostas, los ancianos y los
niños, elementos imprencisdibles para el éxito de la
campaña.

Nos hemos preguntado alguna vez cómo pudo nacer
la idea de pulverizar las hojas secas con esencia de serpiente, pero después de algunas conjeturas desganadas
acabamos por convenir en que el origen de las costumbres,
sobre todo cuando son útiles y atinadas, se pierde en el
fondo de la raza. Un buen día la municpalidad debió reconocer que la población no daba abasto para recoger las
hojas que caen en otoño, y que sólo la utilización inteligente de las mangostas, que abundan en el país, podría
cubrir el déficit. Algún funcionario proveniente de las
ciudades linderas con la selva advirtió que las mangostas,
indiferentes por completo a las hojas secas, se encarni-
zaban con ellas si olían a serpiente. Habrá hecho falta
mucho tiempo para llegar a esos descubrimientos, para
estudiar las reacciones de las mangostas frente a las hojas
secas, para pulverizar las hojas secas a a fin de que las
mangostas las recogieran vindicativamente. Nosotros hemos crecido en una época en que ya todo estaba estable-
cido y codificado, los criaderos de mangostas contaban
con el personal necesario para adiestarlas, y las expediciones a las selvas volvían cada verano con una cantidad
satisfactoria de serpientes. Esas cosas nos resultan tan
naturales que sólo pocas veces y con gran esfuerzo vol-
vemos a hacernos las preguntas que nuestros padres con-

testaban severamente en nuestra infancia, enseñándonos así a responder algún día a las preguntas que nos harían nuestros hijos. Es curioso que ese deseo de interrogarse sólo se manifieste, y aun así muy raramente, antes o después de la campaña. El dos de noviembre, apenas hemos recibido nuestras tarjetas y nos entregamos a las tareas que nos han sido asignadas, la justificación de cada uno de nuestros actos nos parece tan evidente que sólo un loco osaría poner en duda la utilidad de la campaña y la forma en que se la lleva a cabo. Sin embargo, nuestras autoridades han debido prever esa posibilidad porque en el texto de la ley impresa en el dorso de las tarjetas se señalan los castigos que se impondrían en tales casos; pero nadie recuerda que haya sido necesario aplicarlos.

Siempre nos ha admirado cómo la municipalidad distribuye nuestras labores de manera que la vida del estado y del país no se vean alteradas por la ejecución de la campaña. Los adultos dedicamos cinco horas diarias a recoger las hojas secas, antes o después de cumplir nuestro horario de trabajo en la administración o en el comercio. Los niños dejan de asistir a las clases de gimnasia y a las de entrenamiento cívico y militar, y los viejos aprovechan las horas de sol para salir de los asilos y ocupar sus puestos respectivos. Al cabo de dos o tres días la campaña ha cumplido su primer objetivo, y las calles y plazas del distrito central quedan libres de hojas secas. Los encargados de las mangostas tenemos entonces que multiplicar las precauciones, porque a medida que progresa la campaña las mangostas muestran menos encarnizamiento en su trabajo, y nos incumbe la grave responsabilidad de señalar el hecho al inspector municipal de nuestro distrito para que ordene un refuerzo de las pulverizaciones. Esta orden sólo la da el inspector después de haberse asegurado de que hemos hecho todo lo posible para que las mangostas sigan recogiendo, y si se comprobara que nos hemos apresurado frívolamente a pedir que se refuercen las pulverizaciones, correríamos el riesgo de ser inmediatamente movilizados y enviados a las selvas. Pero cuando decimos riesgo es evidente que exageramos, porque las expediciones a las selvas forman parte de las costumbres del estado a igual título que la campaña propiamente dicha, y a nadie se le ocurriría protestar por algo que constituye un deber como cualquier otro.

Se ha murmurado alguna vez que es un error confiar a los ancianos las pistolas pulverizadoras. Puesto que se trata de una antigua costumbre no puede ser un error, pero a veces ocurre que los ancianos se distraen y gastan una buena parte de la esencia de serpiente en un pequeño sector de la calle o una plaza, olvidando que deben distribuirlo en una superficie lo más amplia posible. Ocurre así que las mangostas se precipitan salvajemente sobre un montón de hojas secas, y en pocos minutos las recogen y las traen hasta donde las esperamos con las bolsas preparadas; pero después, cuando confiadamente creemos que van a seguir con el mismo tesón, las vemos detenerse, olisquearse entre ellas como desconcertadas, y renunciar a su tarea con evidentes signos de fatiga y hasta de disgusto. En esos casos el adiestrador apela a su silbato, y por un momento consigue que las mangostas junten algunas hojas, pero no tardamos en darnos cuenta de que la pulverización ha sido despareja y que las mangostas se resisten con razón a una tarea que de golpe ha perdido todo interés para ellas. Si se contara con suficiente cantidad de esencia de serpiente, jamás se plantearían estas situaciones de tensión en las que los ancianos, nosotros y el inspector municipal nos vemos abocados a nuestras respectivas responsabilidades y sufrimos enormemente; pero desde tiempo inmemorial se sabe que la provisión de esencia apenas alcanza para cubrir las necesidades de la campaña, y que en algunos casos las expediciones a las selvas no han alcanzado su objetivo, obligando a la municipalidad a apelar a sus exiguas reservas para hacer frente a una nueva campaña. Esta situación acentúa el temor de que la próxima movilización abarque un número mayor de reclutas, aunque al decir temor es evidente que exageramos, porque el aumento del número de reclutas forma parte de las costumbres del estado a igual título que la campaña propiamente dicha, y a nadie se le ocurriría protestar por algo que constituye un deber como cualquier otro. De las expediciones a las selvas se habla poco entre nosotros, y los que regresan están obligados a callar por un juramento del que apenas tenemos noticia. Estamos convencidos de que nuestras autoridades procuran evitarnos toda preocupación referente a las expediciones a las selvas del norte, pero desgraciadamente nadie puede cerrar los ojos a las bajas. Sin la menor intención de extraer conclusiones, la muerte de tantos familiares o conocidos en el curso de cada expedición nos obliga a suponer que la búsqueda de las serpientes en las selvas tropieza cada año con la despiadada resistencia de los habitantes del país fronterizo, y que nuestros conciudadanos han tenido que hacer frente, a veces con graves pérdidas, a su crueldad y a su malicia legendarias. Aunque no lo digamos públicamente, a todos nos indigna que una nación que no recoge las hojas secas se oponga a que cacemos serpientes en sus selvas. Nunca hemos dudado de que nuestras autoridades están dispuestas a garantizar que la entrada de las expediciones en ese territorio no obedece a otro motivo, y que la resistencia que encuentran se debe únicamente a un estúpido orgullo extranjero que nada justifica.

La generosidad de nuestras autoridades no tiene límites, incluso en aquellas cosas que podrían perturbar la tranquilidad pública. Por eso nunca sabremos —ni queremos saber, conviene subrayarlo— qué ocurre con nuestros gloriosos heridos. Como si quisieran evitarnos inútiles zozobras, sólo se da a conocer la lista de los expedicionarios ilesos y la de los muertos, cuyos ataúdes llegan en el mismo tren militar que trae a los expedicionarios y a las serpientes. Dos días después las autoridades y la población acuden al cementerio para asistir al entierro de los caídos. Rechazando el vulgar expediente de la fosa común, nuestras autoridades han querido que cada expedicionario tuviera su tumba propia, fácilmente reconocible por su lápida y las inscripciones que la familia puede hacer grabar sin impedimento alguno; pero como en los últimos años el número de bajas ha sido cada vez más grande, la municipalidad ha expropiado los terrenos adyacentes para ampliar el cementerio. Puede imaginarse entonces cuántos somos los que al llegar el primero de noviembre acudimos desde la mañana al cementerio para honrar las tumbas de nuestros muertos. Desgraciadamente el otoño ya está muy avanzado, y las hojas secas cubren de tal manera las calles y las tumbas que resulta muy difícil orientarse; con frecuencia nos confundimos completamente y pasamos varias horas dando vueltas y preguntando hasta ubicar la tumba que buscamos. Casi todos llevamos nuestra escoba, y suele ocurrirnos barrer las hojas secas de una tumba creyendo que es la de nuestro muerto, y descubrir que estamos equivocados. Pero poco a poco vamos encontrando las tumbas, y ya mediada la tarde podemos descansar y recogernos. En cierto modo nos alegra haber tropezado con tantas dificultades para encontrar las tumbas porque eso prueba la utilidad de la campaña que va a comenzar a la mañana siguiente, y nos parece como si nuestros muertos nos alentaran a recoger las hojas secas, aunque no contemos con la ayuda de las mangostas que sólo intervendrán al día siguiente cuando las autoridades distribuyan la nueva ración de esencia de serpiente traída por los expedicionarios junto con los ataúdes de los muertos, y que los ancianos pulverizarán sobre las hojas secas para que las recojan las mangostas.

No te preocupes, discúlpame este gesto de impaciencia. Era perfectamente natural que nombraras a Lucio, que te acordaras de él a la hora de las nostalgias, cuando uno se deja corromper por esas ausencias que llamamos recuerdos y hay que remendar con palabras y con imágenes tanto hueco insaciable. Además no sé, te habrás fijado que este bungalow invita, basta que uno se instale en la veranda y mire un rato hacia el río y los naranjales, de golpe se está increíblemente lejos de Buenos Aires, perdido en un mundo elemental. Me acuerdo de Láinez cuando nos decía que el Delta hubiera tenido que llamarse el Alfa. Y esa otra vez en la clase de matemáticas, cuando vos... ¿Pero por qué nombraste a Lucio, era necesario que dijeras: Lucio?

El coñac está ahí, servite. A veces me pregunto por qué te molestás todavía en venir a visitarme. Te embarrás los zapatos, te aguantás los mosquitos y el olor de la lámpara kerosene... Ya sé, no pongas la cara del amigo ofendido. No es eso, Mauricio, pero en realidad sos el único que queda, del grupo de entonces ya no veo a nadie. Vos, cada

48

cinco o seis meses llega tu carta, y después la lancha te
trae con un paquete de libros y botellas, con noticias de
ese mundo remoto a menos de cincuenta kilómetros, a lo
mejor con la esperanza de arrancarme alguna vez de este
rancho medio podrido. No te ofendas, pero casi me da
rabia tu fidelidad amistosa. Comprendé, tiene algo de
reproche, cuando te vas me siento como enjuiciado,
todas mis elecciones definitivas me parecen simples formas
de la hipocondría, que un viaje a la ciudad bastaría para
mandar al diablo. Vos pertenecés a esa especie de testigos
cariñosos que hasta en los peores sueños nos acosan
sonriendo. Y ya que hablamos de sueños, ya que nombraste a Lucio, por qué no habría de contarte el sueño
como antes se lo conté a él. Era aquí mismo, pero en esos
tiempos —¿cuántos años ya, viejo?— todos ustedes venían
a pasar temporadas al bungalow que me dejaban mis
padres, nos daba por el remo, por leer poesía hasta la
náusea, por enamorarnos desesperadamente de lo más
precario y lo más perecedero, todo eso envuelto en una
infinita pedantería inofensiva, en una ternura de cachorros
sonsos. Eramos tan jóvenes, Mauricio, resultaba tan fácil
creerse hastiado, acariciar la imagen de la muerte entre
discos de jazz y mate amargo, dueños de una sólida in-
mortalidad de cincuenta o sesenta años por vivir. Vos eras
el más retraído, mostrabas ya esa cortés fidelidad que no se
puede rechazar como se rechazan otras fidelidades más
impertinentes. Nos mirabas un poco desde fuera, y ya
entonces aprendí a admirar en vos las cualidades de los
gatos. Uno habla con vos y es como si al mismo tiempo
estuviera solo, y a lo mejor es por eso que uno habla con
vos como yo ahora. Pero entonces estaban los otros, y
jugábamos a tomarnos en serio. Sabés, lo terrible de ese
momento de la juventud es que en una hora oscura y sin
nombre todo deja de ser serio para ceder a la sucia máscara
de seriedad que hay que ponerse en la cara, y yo ahora soy
el doctor fulano, y vos el ingeniero mengano, bruscamente
nos hemos quedado atrás, empezamos a vernos de otro
modo aunque por un tiempo persistamos en los rituales,
en los juegos comunes, en las cenas de camaradería que
tiran sus últimos salvavidas en medio de la dispersión

y el abandono, y todo es tan horriblemente natural, Mauricio, y a algunos les duele más que a otros, los hay como vos que van pasando por sus edades sin sentirlo, que encuentran normal un álbum donde uno se ve con pantalones cortos, con un sombrero de paja o el uniforme de conscripto... En fin, hablábamos de un sueño que tuve en ese tiempo, y era un sueño que empezaba aquí en la veranda, conmigo mirando la luna llena sobre los cañaverales, oyendo las ranas que ladraban como no ladran ni siquiera los perros, y después siguiendo un vago sendero hasta llegar al río, andando despacio por la orilla con la sensación de estar descalzo y que los pies se me hundían en el barro. En el sueño yo estaba solo en la isla, lo que era raro en ese tiempo; si volviese a soñarlo ahora la soledad no me parecería tan vecina de la pesadilla como entonces. Una soledad con la luna apenas trepada en el cielo de la otra orilla, con el chapoteo del río y a veces el golpe aplastado de un durazno cayendo en una zanja. Ahora hasta las ranas se habían callado, el aire estaba pegajoso como esta noche, o como casi siempre aquí, y parecía necesario seguir, dejar atrás el muelle, meterse por la vuelta grande de la costa, cruzar los naranjales, siempre con la luna en la cara. No invento nada, Mauricio, la memoria sabe lo que debe guardar entero. Te cuento lo mismo que entonces le conté a Lucio, voy llegando al lugar donde los juncos raleaban poco a poco y una lengua de tierra avanzaba sobre el río, peligrosa por el barro y la proximidad del canal, porque en el sueño yo sabía que eso era un canal profundo y lleno de remansos, y me acercaba a la punta paso a paso, hundiéndome en el barro amarillo y caliente de luna. Y así me quedé al borde, viendo del otro lado los cañaverales negros donde el agua se perdía secreta mientras aquí, tan cerca, el río manoteaba solapado buscando dónde agarrarse, resbalando otra vez y empecinándose. Todo el canal era luna, una inmensa cuchillería confusa que me tajeaba los ojos, y encima un cielo aplastándose contra la nuca y los hombros, obligándome a mirar interminablemente el agua. Y cuando río arriba vi el cuerpo del ahogado, balanceándose lentamente como para desenredarse de los juncos de la otra orilla, la razón de la

noche y de que yo estuviera en ella se resolvió en esa
mancha negra a la deriva, que giraba apenas, retenida
por un tobillo, por una mano, oscilando blandamente para
soltarse saliendo de los juncos hasta ingresar en la corriente del canal, acercándose cadenciosa a la ribera desnuda donde la luna iba a darle de lleno en plena cara.

Estás pálido, Mauricio. Apelemos al coñac, si querés.
Lucio también estaba un poco pálido cuando le conté
el sueño. Me dijo solamente: «Cómo te acordás de los
detalles.» Y a diferencia de vos, cortés como siempre, él
parecía adelantarse a lo que le estaba contando como si
temiera que de golpe se me olvidase el resto del sueño.
Pero todavía faltaba algo, te estaba diciendo que la corriente del canal hacía girar el cuerpo, jugaba con él antes
de traerlo de mi lado, y al borde de la lengua de tierra yo
esperaba ese momento en que pasaría casi a mis pies y
podría verle la cara. Otra vuelta, un brazo blandamente
tendido como si eso nadara todavía, la luna hincándose
en el pecho, mordiéndole el vientre, las piernas, pálidas,
desnudando otra vez al ahogado boca arriba. Tan cerca
de mí que me hubiera bastado agacharme para sujetarlo
del pelo, tan cerca que lo reconocí. Mauricio, le vi la cara
y grité, creo, algo como un grito que me arrancó de mí
mismo y me tiró en el despertar, en el jarro de agua que
bebí jadeando, en la asombrada y confundida conciencia
de que ya no me acordaba de esa cara que acababa de reconocer. Y eso seguiría ya corriente abajo, de nada serviría
cerrar los ojos y querer volver al borde del agua, al borde
del sueño, luchando por acordarme, queriendo precisamente eso que algo en mí no quería. En fin, vos sabés
que más tarde uno se conforma, la máquina diurna está
ahí con sus bielas bien lubricadas, con sus rótulos satis-
factorios. Ese fin de semana viniste vos, vinieron Lucio
y los otros, anduvimos de fiesta todo aquel verano, me
acuerdo que después te fuiste al norte, llovió mucho en
el delta, y hacia el fin Lucio se hartó de la isla, la lluvia y
tantas cosas lo enervaban, de golpe nos mirábamos como
yo nunca hubiera pensado que podríamos mirarnos.
Entonces empezaron los refugios en el ajedrez o la lectura,
el cansancio de tantas inútiles concesiones, y cuando

Lucio volvía a Buenos Aires yo me juraba no esperarlo más, incluía a todos mis amigos, al verde mundo que día a día se iba cerrando y muriendo, en una misma hastiada condenación. Pero si algunos se daban por enterados y no aparecían más después de un impecable «hasta pronto», Lucio volvía sin ganas, yo estaba en el muelle esperándolo, nos mirábamos como desde lejos, realmente desde ese otro mundo cada vez más atrás, el pobre paraíso perdido que empecinadamente él volvía a buscar y yo me obstinaba en defenderle casi sin ganas. Vos nunca sospechaste demasiado todo eso, Mauricio, veraneante imperturbable en alguna quebrada norteña, pero ese fin de verano... ¿La ves, allá? Empieza a levantarse entre los juncos, dentro de un momento te dará en la cara. A esta hora es curioso cómo crece el chapoteo del río, no sé si porque los pájaros se han callado o porque la sombra consiente mejor ciertos sonidos. Ya ves, sería injusto no terminar lo que te estaba contando, a esta altura de la noche en que todo coincide cada vez más con esa otra noche en que se lo conté a Lucio. Hasta la situación es simétrica, en esa silla de hamaca llenás el hueco de Lucio que venía en ese fin de verano y se quedaba como vos sin hablar, él que tanto había hablado, y dejaba correr las horas bebiendo, resentido por nada o por la nada, por esa repleta nada que nos iba acosando sin que pudiéramos defendernos. Yo no creía que hubiera odio entre nosotros, era a la vez menos y peor que el odio, un hastío en el centro mismo de algo que había sido a veces una tormenta o un girasol o si preferís una espada, todo menos ese tedio, ese otoño pardo y sucio que crecía desde adentro como telas en los ojos. Salíamos a recorrer la isla, corteses y amables, cuidando de no herirnos; caminábamos sobre hojas secas, pesados colchones de hojas secas a la orilla del río. A veces me engañaba el silencio, a veces una palabra con el acento de antes, y tal vez Lucio caía conmigo en las astutas trampas inútiles del hábito, hasta que una mirada o el deseo acuciante de estar a solas nos ponía de nuevo frente a frente, siempre amables y corteses y extranjeros. Entonces él me dijo: «Es una hermosa noche; caminemos.» Y como podríamos hacerlo ahora vos y yo, bajamos de la veranda y fuimos hacia allá, donde sale esa luna que te da en los ojos. No me acuerdo demasiado del camino, Lucio iba delante y yo dejaba que mis pasos cayeran sobre sus huellas y aplastaran otra vez las hojas muertas. En algún momento debí empezar a reconocer la senda entre los naranjos; quizá fue más allá, del lado de los últimos ranchos y los juncales. Sé que en ese momento la silueta de Lucio se volvió lo único incongruente en ese encuentro metro a metro, noche a noche, a tal punto coincidente que no me extrañé cuando los juncos se abrieron para mostrar a plena luna la lengua de tierra entrando en el canal, las manos del río resbalando sobre el barro amarillo. En alguna parte a nuestras espaldas un durazno podrido cayó con un golpe que tenía algo de bofetada, de torpeza indecible.

Al borde del agua, Lucio se volvió y me estuvo mirando un momento. Dijo: «¿Este es el lugar, verdad?» Nunca habíamos vuelto a hablar del sueño, pero le contesté: «Sí, este es el lugar.» Pasó un tiempo antes que dijera: «Hasta eso me has robado, hasta mi deseo más secreto; porque yo he deseado un sitio así, yo he necesitado un sitio así. Has soñado un sueño ajeno.» Y cuando dijo eso, Mauricio, cuando dijo con una voz monótona y dando un paso hacia mí, algo debió estallar en mi olvido, cerré los ojos y supe que iba a recordar, sin mirar hacia el río supe que iba a ver el final del sueño, y lo vi, Mauricio, vi al ahogado con la luna arrodillada sobre el pecho, y la cara del ahogado era la mía, Mauricio, la cara del ahogado era la mía.

¿Por qué te vas? Si te hace falta, hay un revólver en el cajón del escritorio, si querés podés alertar a la gente del otro rancho. Pero quedate, Mauricio, quedate otro poco oyendo el chapoteo del río, a lo mejor acabarás por sentir que entre todas esas manos de agua y juncos que resbalan en el barro y se deshacen en remolinos, hay una manos que a esta hora se hincan en las raíces y no sueltan, algo trepa al muelle y se endereza cubierto de basuras y mordiscos de peces, viene hacia aquí a buscarme. Todavía puedo dar vuelta a la moneda, todavía puedo matarlo otra vez, pero se obstina y vuelve y alguna noche me llevará

con él. Me llevará, te digo, y el sueño cumplirá su imagen
verdadera. Tendré que ir, la lengua de tierra y los cañaverales me verán pasar boca arriba, magnífico de luna,
y el sueño estará al fin completo, Mauricio, el sueño estará
al fin completo.

—Me da lo mismo que me escuches o no —dijo Somoza—. Es así, y me parece justo que lo sepas.

Morand se sobresaltó como si regresara bruscamente de muy lejos. Recordó que antes de perderse en un vago fantaseo, había pensado que Somoza se estaba volviendo loco.

—Perdona, me distraje un momento —dijo—. Admitirás que todo esto... En fin, llegar aquí y encontrarte en medio de...

Pero dar por supuesto que Somoza se estaba volviendo loco era demasiado fácil.

—Sí, no hay palabras para eso —dijo Somoza—. Por lo menos nuestras palabras.

Se miraron un segundo, y Morand fue el primero en desviar los ojos mientras la voz de Somoza se alzaba otra vez con el tono impersonal de esas explicaciones que se perdían en seguida más allá de la inteligencia. Morand prefería no mirarlo, pero entonces recaía en la contemplación involuntaria de la estatuilla sobre la columna, y era como volver a aquella tarde dorada de cigarras y de

olor a hierbas en que increíblemente Somoza y él la habían
desenterrado en la isla. Se acordaba de cómo Thérèse,
unos metros más allá sobre el peñón desde donde se alcanzaba a distinguir el litoral de Paros, había vuelto la
cabeza al oír el grito de Somoza, y tras un segundo de
vacilación había corrido hacia ellos olvidando que tenía
en la mano el corpiño rojo de su *deux pièces*, para inclinarse
sobre el pozo de donde brotaban las manos de Somoza
con la estatuilla casi irreconocible de moho y adherencias
calcáreas, hasta que Morand con una mezcla de cólera
y risa le gritó que se cubriera, y Thérèse se enderezó
mirándolo como si no comprendiera, y de golpe les dio
la espalda y escondió los senos entre las manos mientras
Somoza tendía la estatuilla a Morand y saltaba fuera del
pozo. Casi sin transición Morand recordó las horas si-
guientes, la noche en las tiendas de campaña a orillas del
torrente, la sombra de Thérèse caminando bajo la luna
entre los olivos, y era como si ahora la voz de Somoza,
reverberando monótona en el taller de escultura casi
vacío, le llegara también desde aquella noche, formando
parte de su recuerdo, cuando le había insinuado confusamente su absurda esperanza y él, entre dos tragos de vino
resinoso, había reído alegremente y lo había tratado de
falso arqueólogo y de incurable poeta.

«No hay palabras para eso», acababa de decir Somoza.
«Por lo menos nuestras palabras.»
En la tienda de campaña en lo hondo del valle de Skoros,
sus manos habían sostenido la estatuilla y la habían acariciado para terminar de quitarle su falso ropaje de tiempo
y de olvido (Thérèse, entre los olivos, seguía enfurruñada
por la represión de Morand, por sus estúpidos prejuicios),
y la noche había girado lentamente mientras Somoza le
confiaba su insensata esperanza de llegar alguna vez
hasta la estatuilla por otras vías que las manos y los ojos
y la ciencia, mientras el vino y el tabaco se mezclaban al
diálogo con los grillos y el agua del torrente hasta no dejar
más que una confusa sensación de no poder entenderse.
Más tarde, cuando Somoza se fue a su tienda llevándose
la estatuilla y Thérèse se cansó de estar sola y vino a

acostarse, Morand le habló de las ilusiones de Somoza y
los dos se preguntaron con amable ironía parisiense si
toda la gente del Río de la Plata tendría la imaginación
fácil. Antes de dormirse discutieron en voz baja lo ocurrido esa tarde, hasta que Thérèse aceptó las excusas de
Morand, hasta que lo besó y fue como siempre en la isla,
en todas partes, fueron él y ella y la noche por encima y el
largo olvido.

—¿Alguien más lo sabe? —preguntó Morand.

—No. Tú y yo. Era justo, me parece —dijo Somoza—.
Casi no me he movido de aquí en los últimos meses. Al
principio venía una vieja a arreglar el taller y a lavarme
la ropa, pero me molestaba.

—Parece increíble que se pueda vivir así en las afueras
de París. El silencio... Oye, pero al menos bajas al pueblo
para comprar provisiones.

—Antes sí, ya te dije. Ahora no hace falta. Hay todo lo
necesario, ahí.

Morand miró en la dirección que mostraba el dedo de
Somoza, más allá de la estatuilla y de las réplicas abando-
nadas en las estanterías. Vio madera, yeso, piedra, mar-
tillos, polvo, la sombra de los árboles contra los cristales.
El dedo parecía señalar un rincón del taller donde no
había nada, apenas un trapo sucio en el piso.

Pero poco había cambiado en el fondo, esos dos años
entre ellos habían sido también un rincón vacío del tiempo,
con un trapo sucio que era como todo lo que no se habían
dicho y que quizá hubieran debido decirse. La expedición
a las islas, una locura romántica nacida en una terraza de
café del bulevar Saint-Michel, había terminado apenas
encontraron el ídolo en las ruinas del valle. Tal vez el
temor de que los descubrieran les fue limando la alegría
de las primeras semanas, y llegó el día en que Morand
sorprendió una mirada de Somoza mientras los tres bajaban a la playa, y esa noche habló con Thérèse y decidieron volver lo antes posible, porque estimaban a Somoza
y les parecía casi injusto que él empezara —tan imprevi-
siblemente— a sufrir. En París siguieron viéndose espa-
ciadamente, casi siempre por razones profesionales, pero
Morand iba solo a las citas. La primera vez Somoza pre-

guntó por Thérèse, después pareció no importarle. Todo
lo que hubieran debido decirse pesaba entre los dos,
quizás entre los tres. Morand estuvo de acuerdo en que
Somoza guardara por un tiempo la estatuilla. Era imposible venderla antes de un par de años; Marcos, el hombre
que conocía a un coronel que conocía a un aduanero
ateniense, había impuesto el plazo como condición com-
plementaria del soborno. Somoza se llevó la estatuilla a su
departamento, y Morand la veía cada vez que se encontraban. Nunca se habló de que Somoza visitara alguna vez
a los Morand, como tantas otras cosas que ya no se men-
cionaban y que en el fondo eran siempre Thérèse. A Somoza parecía preocuparle únicamente su idea fija, y si
alguna vez invitaba a Morand a beber un coñac en su
departamento no era más que para volver sobre eso. Nada
muy extraordinario, después de todo Morand conocía
demasiado bien los gustos de Somoza por ciertas litera-
turas marginales como para extrañarse de su nostalgia.
Sólo lo sorprendía el fanatismo de esa esperanza a la hora
de las confidencias casi automáticas y en las que él se
sentía como innecesario, la repetida caricia de las manos
en el cuerpecito de la estatua inexpresivamente bella, los
ensalmos monótonos repitiendo hasta el cansancio las
mismas fórmulas de pasaje. Vista desde Morand, la obse-
sión de Somoza era analizable: todo arqueólogo se iden-
tifica en algún sentido con el pasado que explora y saca
a luz. De ahí a creer que la intimidad con una de esas
huellas podía enajenar, alterar el tiempo y el espacio,
abrir una fisura por donde acceder a... Somoza no em-
pleaba jamás ese vocabulario; lo que decía era siempre
más o menos que eso, una suerte de lenguaje que aludía
y conjuraba desde planos irreducibles. Ya por ese entonces había empezado a trabajar torpemente en las réplicas
de la estatuilla; Morand alcanzó a ver la primera antes de
que Somoza se fuera de París, y escuchó con amistosa
cortesía los obstinados lugares comunes sobre la reiteración de los gestos y las situaciones como vía de abolición,
la seguridad de Somoza de que su obstinado acercamiento
llegaría a identificarlo con la estructura inicial, en una
superposición que sería más que eso porque ya no habría

dualidad sino fusión, contacto primordial (no eran sus palabras, pero de alguna manera tenía que traducirlas Morand cuando, más tarde, las reconstruía para Thérèse). Contacto que, como acababa de decirle Somoza, había ocurrido cuarenta y ocho horas antes, en la noche del solsticio de junio.

—Sí —admitió Morand, encendiendo otro cigarrillo—. Pero me gustaría que me explicaras por qué estás tan seguro de que... Bueno, de que has tocado fondo.

—Explicar... ¿No lo estás viendo?

Otra vez tendía la mano a una casa del aire, a un rincón del taller, describía un arco que incluía el techo y la estatuilla posada sobre una fina columna de mármol, envuelta por el cono brillante del reflector. Morand se acordó incongruentemente de que Thérèse había pasado la frontera llevando la estatuilla escondida en el perro de juguete fabricado por Marcos en un sótano de Placca.

—No podía ser que no ocurriera —dijo casi puerilmente Somoza—. A cada nueva réplica me acercaba un poco más. Las formas me iban conociendo. Quiero decir que... Ah, necesitaría explicarte durante días enteros... y lo absurdo es que ahí todo entra en un... Pero cuando es esto...

La mano iba y venía, acentuando el *ahí*, el *esto*.

—La verdad es que has llegado a convertirte en un escultor —dijo Morand, oyéndose hablar y encontrándose estúpido—. Las dos últimas réplicas son perfectas. Si alguna vez me dejas tener la estatua, nunca sabré si me has dado el original.

—No te la daré nunca —dijo Somoza simplemente—. Y no creas que he olvidado de que es de los dos. Pero no te la daré nunca. Lo único que hubiera querido es que Thérèse y tú me siguieran, que se encontraran conmigo. Sí, me hubiera gustado que estuvieran conmigo la noche en que llegué.

Era la primera vez desde hacía casi dos años que Morand le oía mencionar a Thérèse, como si hasta ese momento hubiera estado muerta para él, pero su manera de nombrar a Thérèse era incurablemente antigua, era Grecia aquella mañana en que habían bajado a la playa. Pobre

Somoza. Todavía. Pobre loco. Pero aún más extraño era
preguntarse por qué a último momento, antes de subir
al auto después del llamado de Somoza, había sentido
como una necesidad de telefonear a Thérèse a su oficina
para pedirle que más tarde viniera a reunirse con ellos
en el taller. Tendría que preguntárselo, saber qué había
pensado Thérèse mientras escuchaba sus instrucciones para
llegar hasta el pabellón solitario en la colina. Que Thérèse
repitiera exactamente lo que le había oído decir, palabra
por palabra. Morand maldijo en silencio esa manía sis-
temática de recomponer la vida como restauraba un vaso
griego en el museo, pegando minuciosamente los ínfimos
trozos, y la voz de Somoza ahí mezclada con el ir y venir
de sus manos que también parecían querer pegar trozos de
aire, armar un vaso transparente, sus manos que señalaban
la estatuilla, obligando a Morand a mirar una vez más contra
su voluntad ese blanco cuerpo lunar de insecto anterior
a toda historia, trabajado en circunstancias inconcebibles
por alguien inconcebiblemente remoto, a miles de años
pero todavía más atrás, en una lejanía vertiginosa de
grito animal, de salto, de ritos vegetales alternando con
mareas y sicigias y épocas de celo y torpes ceremonias
de producción, el rostro inexpresivo donde sólo la línea
de la nariz quebraba su espejo ciego de insoportable
tensión, los senos apenas definidos, el triángulo sexual
y los brazos ceñidos al vientre, el ídolo de los orígenes,
del primer terror bajo los ritos del tiempo sagrado, del
hacha de piedra de las inmolaciones en los altares de las
colinas. Era realmente para creer que también él se estaba
volviendo imbécil, como si ser arqueólogo no fuera ya
bastante.

—Por favor —dijo Morand—, ¿no podrías hacer un
esfuerzo para explicarme aunque creas que nada de eso
se puede explicar? En definitiva lo único que sé es que te
has pasado estos meses tallando réplicas, y que hace dos
noches...

—Es tan sencillo —dijo Somoza—. Siempre sentí que
la piel estaba todavía en contacto con lo otro. Pero había
que desandar cinco mil años de caminos equivocados.
Curioso que ellos mismos, los descendientes de los egeos,

fueran culpables de ese error. Pero nada importa ahora. *Mira, es así.*

Junto al ídolo, alzó una mano y la posó suavemente sobre los senos y el vientre. La otra acariciaba el cuello, subía hasta la boca ausente de la estatua, y Morand oyó hablar a Somoza con una voz sorda y opaca, un poco como si fuesen sus manos o quizás esa boca inexistente las que hablaban de la cacería en las cavernas del humo, de los ciervos acorralados, del nombre que sólo debía decirse después, de los círculos de grasa azul, del juego de los ríos dobles, de la infancia de Pohk, de la marcha hacia las gradas del oeste y los altos en las sombras nefastas. Se preguntó si llamando por teléfono en un descuido de Somoza, alcanzaría a prevenir a Thérèse para que trajera al doctor Vernet. Pero Thérèse ya debía de estar en camino, y al borde de las rocas, donde mugía la Múltiple, el jefe de los verdes cercenaba el cuerno izquierdo del macho más hermoso y lo tendía al jefe de los que cuidan la sal, para renovar el pacto con Haghesa.

—Oye, déjame respirar —dijo Morand, levantándose y dando un paso adelante—. Es fabuloso, y además tengo una sed terrible. Bebamos algo, puedo ir a buscar un...

—El whisky está ahí —dijo Somoza retirando lentamente las manos de la estatua—. Yo no beberé, tengo que ayunar antes del sacrificio.

—Una lástima —dijo Morand, buscando la botella—. No me gusta nada beber solo. ¿Qué sacrificio?

Se sirvió whisky hasta el borde del vaso.

—El de la unión, para hablar con tus palabras. ¿No los oyes? La flauta doble, como la de la estatuilla que vimos en el museo de Atenas. El sonido de la vida a la izquierda, el de la discordia a la derecha. La discordia es también la vida para Haghesa, pero cuando se cumpla el sacrificio los flautistas cesarán de soplar en la caña de la derecha y sólo se escuchará el silbido de la vida nueva que bebe la sangre derramada. Y los flautistas se llenarán la boca de sangre y la soplarán por la caña de la izquierda, y yo untaré de sangre su cara, ves, así, y le asomarán los ojos y la boca bajo la sangre.

—Déjate de tonterías —dijo Morand, bebiendo un

largo trago—. La sangre le quedaría mal a nuestra mu-
ñequita de mármol. Sí, hace calor.

Somoza se había quitado la blusa con un lento gesto
pausado. Cuando lo vio que se desabotonaba los pantalones, Morand se dijo que había hecho mal en permitir
que se excitara, en consentirle esa explosión de su manía.
Enjuto y moreno, Somoza se irguió desnudo bajo la luz
del reflector y pareció perderse en la contemplación de
un punto del espacio. De la boca entreabierta le caía un
hilo de saliva y Morand, dejando precipitadamente el
vaso en el suelo, calculó que para llegar a la puerta tendría
que engañarlo de alguna manera. Nunca supo de dónde
había salido el hacha de piedra que se balanceaba en la
mano de Somoza. Comprendió.

—Era previsible —dijo, retrocediendo lentamente—.
El pacto con Haghesa, ¿eh? La sangre va a donarla el
pobre Morand, ¿no es cierto?

Sin mirarlo, Somoza empezó a moverse hacia él des-
cribiendo un arco de círculo, como si cumpliera un derrotero prefijado.

—Si realmente me quieres matar —le gritó Morand
retrocediendo hacia la zona en penumbra—, ¿a qué viene
esta *mise en scène*? Los dos sabemos muy bien que es por
Thérèse. ¿Pero de qué te va a servir si no te ha querido
ni te querrá nunca?

El cuerpo desnudo salía ya del círculo iluminado por
reflector. Refugiado en la sombra del rincón Morand
pisó los trapos húmedos del suelo y supo que ya no podía
ir más atrás. Vio levantarse el hacha y saltó como le había
enseñado Nagashi en el gimnasio de la Place des Ternes.
Somoza recibió el puntapié en mitad del muslo y el golpe
nishi en el lado izquierdo del cuello. El hacha bajó en
diagonal, demasiado lejos, y Morand repelió elásticamente
el torso que se volcaba sobre él y atrapó la muñeca inde-
fensa. Somoza era todavía un grito ahogado y atónito
cuando el filo del hacha le cayó en mitad de la frente.

Antes de volver a mirarlo, Morand vomitó en el rincón
del taller, sobre los trapos sucios. Se sentía como hueco,
y vomitar le hizo bien. Levantó el vaso del suelo y bebió
lo que quedaba de whisky, pensando que Thérèse llegaría

de un momento a otro y que habría que hacer algo, avisar a la policía, explicarse. Mientras arrastraba por un pie el cuerpo de Somoza hasta exponerlo de lleno a la luz del reflector, pensó que no le sería difícil demostrar que había obrado en legítima defensa. Las excentricidades de Somoza, su alejamiento del mundo, la evidente locura. Agachándose, mojó las manos en la sangre que corría por la cara y el pelo del muerto, mirando al mismo tiempo su reloj pulsera que marcaba las siete y cuarenta. Thérèse no podía tardar, lo mejor sería salir, esperarla en el jardín o en la calle, evitarle el espectáculo del ídolo con la cara chorreante de sangre, los hilillos rojos que resbalaban por el cuello, contorneaban los senos, se juntaban en el fino triángulo del sexo, caían por los muslos. El hacha estaba profundamente hundida en la cabeza del sacrificado, y Morand la tomó sopesándola entre las manos pegajosas. Empujó un poco más el cadáver con un pie hasta dejarlo contra la columna, husmeó el aire y se acercó a la puerta. Lo mejor sería abrirla para que pudiera entrar Thérèse. Apoyando el hacha junto a la puerta empezó a quitarse la ropa porque hacía calor y olía a espeso, a multitud encerrada. Ya estaba desnudo cuando oyó el ruido del taxi y la voz de Thérèse dominando el sonido de las flautas; apagó la luz y con el hacha en la mano esperó detrás de la puerta, lamiendo el filo del hacha y pensando que Thérèse era la puntualidad en persona.

—Si le viene bien, tráigame *El Hogar* cuando vuelva —pidió la señora Roberta, reclinándose en el sillón para la siesta. Clara ordenaba las medicinas en la mesita de ruedas, recorría la habitación con una mirada precisa. No faltaba nada, la niña Matilde se quedaría cuidando a la señora Roberta, la mucama estaba al corriente de lo necesario. Ahora podía salir, con toda la tarde del sábado para ella sola, su amiga Ana esperándola para charlar, el té dulcísimo a las cinco y media, la radio y los chocolates.

A las dos, cuando la ola de los empleados termina de romper en los umbrales de tanta casa, Villa del Parque se pone desierta y luminosa. Por Tinogasta y Zamudio bajó Clara taconeando distintamente, saboreando un sol de noviembre roto por islas de sombra que le tiraban a su paso los árboles de Agronomía. En la esquina de Avenida San Martín y Nogoyá, mientras esperaba el ómnibus 168, oyó una batalla de gorriones sobre su cabeza, y la torre florentina de San Juan María Vianney le pareció más roja contra el cielo sin nubes, alto hasta dar vértigo. Pasó don Luis, el relojero, y la saludó apreciativo, como si alabara su figura prolija, los zapatos que la hacían más esbelta, su cuellito blanco sobre la blusa crema. Por la calle vacía vino remolonamente el 168, soltando su seco bufido insatisfecho al abrirse la puerta para Clara, sola pasajera en la esquina callada de la tarde.

Buscando las monedas en el bolso lleno de cosas, se demoró en pagar el boleto. El guarda esperaba con cara de pocos amigos, retacón y compadre sobre sus piernas combadas, canchero para aguantar los viajes y las frenadas. Dos veces le dijo Clara: «De quince», sin que el tipo le sacara los ojos de encima, como extrañado de algo. Después le dio el boleto rosado, y Clara se acordó de un verso de infancia, algo como: «Marca, marca, boletero, un boleto azul o rosa; canta, canta alguna cosa, mientras cuentas el dinero.» Sonriendo para ella buscó asiento hacia el fondo, vacío el que correspondía a *Puerta de Emergencia*, y se instaló con el menudo placer de propietario que siempre da el lado de la ventanilla. Entonces vio que el guarda la seguía mirando. Y en la esquina del puente de Avenida San Martín, antes de virar, el conductor se dio vuelta y también la miró, con trabajo por la distancia pero buscando hasta distinguirla muy hundida en su asiento. Era un rubio huesudo con cara de hambre, que cambió unas palabras con el guarda, los dos miraron a Clara, se miraron entre ellos, el ómnibus dio un salto y se metió por Chorroarín a toda carrera.

«Par de estúpidos», pensó Clara entre halagada y nerviosa. Ocupada en guardar su boleto en el monedero, observó de reojo a la señora del gran ramo de claveles que viajaba en el asiento de delante. Entonces la señora la miró a ella, por sobre el ramo se dio vuelta y la miró dulcemente como una vaca sobre un cerco, y Clara sacó el espejito y estuvo en seguida absorta en el estudio de sus labios y sus cejas. Sentía ya en la nuca una impresión desagradable; la sospecha de otra impertinencia la hizo darse vuelta con rapidez, enojada de veras. A dos centímetros de su cara estaban los ojos de un viejo de cuello duro, con un ramo de margaritas componiendo un olor casi nauseabundo. En el fondo del ómnibus, instalados en el largo asiento verde, todos los pasajeros miraron hacia Clara,

parecían criticar alguna cosa en Clara que sostuvo sus
miradas con un esfuerzo creciente, sintiendo que cada vez
era más difícil, no por la incidencia de los ojos en ella ni
por los ramos que llevaban los pasajeros; más bien porque
había esperado un desenlace amable, una razón de risa
como tener un tizne en la nariz (pero no lo tenía); y sobre
su comienzo de risa se posaban helándola esas miradas
atentas y continuas, como si los ramos la estuvieran
mirando.

Súbitamente inquieta, dejó resbalar un poco el cuerpo,
fijó los ojos en el estropeado respaldo delantero, exami-
nando la palanca de la puerta de emergencia y su ins-
cripción *Para abrir la puerta* TIRE LA MANIJA *hacia
adentro y levántese*, considerando las letras una a una sin
alcanzar a reunirlas en palabras. Lograba así una zona de
seguridad, una tregua donde pensar. Es natural que los
pasajeros miren al que recién asciende, está bien que la
gente lleve ramos si va a Chacarita, y está casi bien que
todos en el ómnibus tengan ramos. Pasaban delante del
hospital Alvear, y del lado de Clara se tendían los baldíos
en cuyo extremo lejano se levanta la Estrella, zona de
charcos sucios, caballos amarillos con pedazos de soga
colgándoles del pescuezo. A Clara le costaba apartarse
de un paisaje que el brillo duro del sol no alcanzaba a
alegrar, y apenas si una vez y otra se atrevía a dirigir
una ojeada rápida al interior del coche. Rosas rojas y
calas, más lejos gladiolos horribles, como machucados
y sucios, color rosa viejo con manchas lívidas. El señor
de la tercera ventanilla (la estaba mirando, ahora no,
ahora de nuevo) llevaba claveles casi negros paretados en
una sola masa continua, como una piel rugosa. Las dos
muchachitas de nariz cruel que se sentaban adelante en
uno de los asientos laterales, sostenían entre ambas el
ramo de los pobres, crisantemos y dalias, pero ellas no
eran pobres, iban vestidas con saquitos bien cortados,
faldas tableadas, medias blancas tres cuartos, y miraban
a Clara con altanería. Quiso hacerles bajar los ojos, mocosas insolentes, pero eran cuatro pupilas fijas y también
el guarda, el señor de los claveles, el calor en la nuca por
toda esa gente de atrás, el viejo del cuello duro tan cerca,

los jóvenes del asiento posterior, la Paternal: boletos de Cuenca terminan.

Nadie bajaba. El hombre ascendió ágilmente, enfrentando al guarda que lo esperaba a medio coche mirándole las manos. El hombre tenía veinte centavos en la derecha y con la otra se alisaba el saco. Esperó ajeno al escrutinio: «De quince», oyó Clara. Como ella: de quince. Pero el guarda no cortaba el boleto, seguía mirando al hombre que al final se dio cuenta y le hizo un gesto de impaciencia cordial: «Le dije de quince.» Tomó el boleto y esperó el vuelto. Antes de recibirlo, ya se había deslizado livianamente en un asiento vacío al lado del señor de los claveles. El guarda le dio cinco centavos, lo miró otro poco, desde arriba, como si le examinara la cabeza; él ni se daba cuenta, absorto en la contemplación de los negros claveles. El señor lo observaba, una o dos veces lo miró rápido y él se puso a devolverle la mirada; los dos movían la cabeza casi a la vez, pero sin provocación, nada más que mirándose. Clara seguía furiosa con las chicas de adelante, que la miraban un rato largo y después al nuevo pasajero; hubo un momento, cuando el 168 empezaba su carrera pegado al paredón de Chacarita, en que todos los pasajeros estaban mirando al hombre y también a Clara, sólo que ya no la miraban directamente porque les interesaba más el recién llegado, pero era como si la incluyeran en su mirada, unieran a los dos en la misma observación. Qué cosa estúpida esa gente, porque hasta las mocosas no eran tan chicas, cada uno con su ramo y ocupaciones por delante, y portándose con esa grosería. Le hubiera gustado prevenir al otro pasajero, una oscura fraternidad sin razones crecía en Clara. Decirle: «Usted y yo sacamos boleto de quince», como si eso los acercara. Tocarle el brazo, aconsejarle: «No se dé por aludido, son unos impertinentes, metidos ahí detrás de las flores como zonzos.» Le hubiera gustado que él viniera a sentarse a su lado, pero el muchacho —en realidad era joven, aunque tenía marcas duras en la cara— se había dejado caer en el primer asiento libre que tuvo a su alcance. Con un gesto entre divertido y azorado se empeñaba en devolver la mirada del guarda, de las dos chicas, de la señora con los

gladiolos; y ahora el señor de los claveles rojos tenía
vuelta la cabeza hacia atrás y miraba a Clara, la miraba
inexpresivamente, con una blandura opaca y flotante de
piedra pómez. Clara le respondía obstinada, sintiéndose
como hueca; le venían ganas de bajarse (pero esa calle,
a esa altura, y total por nada, por no tener un ramo); notó
que el muchacho parecía inquieto, miraba a un lado y al
otro, después hacia atrás, y se quedaba sorprendido al
ver a los cuatro pasajeros del asiento posterior y al an-
ciano del cuello duro con las margaritas. Sus ojos pasaron
por el rostro de Clara, deteniéndose un segundo en su
boca, en su mentón; de adelante tiraban las miradas del
guarda y las dos chiquilinas, de la señora de los gladiolos,
hasta que el muchacho se dio vuelta para mirarlos como
aflojando. Clara midió su acoso de minutos antes por el
que ahora inquietaba al pasajero. «Y el pobre con las
manos vacías», pensó absurdamente. Le encontraba algo
de indefenso, solo con sus ojos para parar aquel fuego
frío cayéndole de todas partes.

Sin detenerse el 168 entró en las dos curvas que dan
acceso a la explanada frente al peristilo del cementerio.
Las muchachitas vinieron por el pasillo y se instalaron
en la puerta de salida; detrás se alinearon las margaritas,
los gladiolos, las calas. Atrás había un grupo confuso
y las flores olían para Clara, quietita en su ventanilla pero
tan aliviada al ver cuántos se bajaban, lo bien que se
viajaría en el otro tramo. Los claveles negros aparecie-
ron en lo alto, el pasajero se había parado para dejar salir
a los claveles negros, y quedó ladeado, metido a medias
en un asiento vacío delante del de Clara. Era un lindo
muchacho, sencillo y franco, tal vez un dependiente de
farmacia, o un tenedor de libros, o constructor. El ómnibus se detuvo suavemente, y la puerta hizo un bufido al
abrirse. El muchacho esperó que bajara la gente para
elegir a gusto su asiento, mientras Clara participaba de
su paciente espera y urgía con el deseo a los gladiolos
y a las rosas para que bajasen de una vez. Ya la puerta
abierta y todos en fila, mirándola y mirando al pasajero,
sin bajar, mirándolos entre los ramos que se agitaban
como si hubiera viento, un viento de debajo de la tierra

que moviera las raíces de las plantas y agitara en bloque los ramos. Salieron las calas, los claveles rojos, los hombres de atrás con sus ramos, las dos chicas, el viejo de las margaritas. Quedaron ellos dos solos y el 168 pareció de golpe más pequeño, más gris, más bonito. Clara encontró bien y casi necesario que el pasajero se sentara a su lado, aunque tenía todo el ómnibus para elegir. El se sentó y los dos bajaron la cabeza y se miraron las manos. Estaban ahí, eran simplemente manos; nada más.

—¡Chacarita! —gritó el guarda.

Clara y el pasajero contestaron su urgida mirada con una simple fórmula: «Tenemos boletos de quince.» La pensaron tan sólo, y era suficiente.

La puerta seguía abierta. El guarda se les acercó.

—Chacarita —dijo, casi explicativamente.

El pasajero ni lo miraba, pero Clara le tuvo lástima.

—Voy a Retiro —dijo, y le mostró el boleto. Marca, marca, boletero un boleto azul o rosa. El conductor estaba casi salido del asiento, mirándolos; el guarda se volvió indeciso, hizo una seña. Bufó la puerta trasera (nadie había subido adelante) y el 168 tomó velocidad con bandazos coléricos, liviano y suelto en una carrera que puso plomo en el estómago de Clara. Al lado del conductor, el guarda se tenía ahora del barrote cromado y los miraba profundamente. Ellos le devolvían la mirada, se estuvieron así hasta la curva de entrada a Dorrego. Después Clara sintió que el muchacho posaba despacio una mano en la suya, como aprovechando que no podían verlo desde adelante. Era una mano suave, muy tibia, y ella no retiró la suya pero la fue moviendo despacio hasta llevarla más al extremo del muslo, casi sobre la rodilla. Un viento de velocidad envolvía al ómnibus en plena marcha.

—Tanta gente —dijo él, casi sin voz—. Y de golpe se bajan todos.

—Llevaban flores a la Chacarita —dijo Clara—. Los sábados va mucha gente a los cementerios.

—Sí, pero...

—Un poco raro era, sí. ¿Usted se fijó...?

—Sí —dijo él, casi cerrándole el paso—. Y a usted le
pasó igual, me di cuenta.

—Es raro. Pero ahora ya no sube nadie.

El coche frenó brutalmente, barrera del Central Argentino. Se dejaron ir hacia adelante, aliviados por el
salto a una sorpresa, a un sacudón. El coche temblaba
como un cuerpo enorme.

—Yo voy a Retiro —dijo Clara.

—Yo también.

El guarda no se había movido, ahora hablaba iracundo
con el conductor. Vieron (sin querer reconocer que estaban atentos a la escena) cómo el conductor abandonaba
su asiento y venía por el pasillo hacia ellos, con el guarda
copiándole los pasos. Clara notó que los dos miraban al
muchacho y que éste se ponía rígido, como reuniendo
fuerzas; le temblaron las piernas, el hombro que se apoyaba en el suyo. Entonces aulló horriblemente una loco-
motora a toda carrera, un humo negro cubrió el sol.
El fragor del rápido tapaba las palabras que debía estar
diciendo el conductor; a dos asientos del de ellos se detuvo, agachándose como quien va a saltar. El guarda lo
contuvo prendiéndole una mano en el hombro, le señaló
imperioso las barreras que ya se alzaban mientras el último
vagón pasaba con un estrépito de hierros. El conductor
apretó los labios y se volvió corriendo a su puesto; con un
salto de rabia el 168 encaró las vías, la pendiente opuesta.

El muchacho aflojó el cuerpo y se dejó resbalar suavemente.

—Nunca me pasó una cosa así —dijo, como hablándose.

Clara quería llorar. Y el llanto esperaba ahí, disponible
pero inútil. Sin siquiera pensarlo tenía conciencia de que
todo estaba bien, que viajaba en un 168 vacío aparte de
otro pasajero, y que toda protesta contra ese orden podía
resolverse tirando de la campanilla y descendiendo en la
primera esquina. Pero todo estaba bien así; lo único que
sobraba era la idea de bajarse, de apartar esa mano que
de nuevo había apretado la suya.

—Tengo miedo —dijo, sencillamente—. Si por lo
menos me hubiera puesto unas violetas en la blusa.

El la miró, miró su blusa lisa.

—A mí a veces me gusta llevar un jazmín del país en la solapa —dijo—. Hoy salí apurado y ni me fijé.

—Qué lástima. Pero en realidad nosotros vamos a Retiro.

—Seguro, vamos a Retiro.

Era un diálogo, un diálogo. Cuidar de él, alimentarlo.

—¿No se podría levantar un poco la ventanilla? Me ahogo aquí adentro.

El la miró sorprendido, porque más bien sentía frío. El guarda los observaba de reojo, hablando con el conductor; el 168 no había vuelto a detenerse después de la barrera y daban ya la vuelta en Cánning y Santa Fe.

—Este asiento tiene ventanilla fija —dijo él—. Usted ve que es el único asiento del coche que viene así, por la puerta de emergencia.

—Ah —dijo Clara.

—Nos podíamos pasar a otro.

—No, no. —Le apretó los dedos, deteniendo su movimiento de levantarse.— Cuanto menos nos movamos mejor.

—Bueno, pero podríamos levantar la ventanilla de adelante.

—No, por favor, no.

El esperó, pensando que Clara iba a agregar algo, pero ella se hizo más pequeña en el asiento. Ahora lo miraba de lleno para escapar a la atracción de allá adelante, de esa cólera que les llegaba como un silencio o un calor. El pasajero puso la otra mano sobre la rodilla de Clara, y ella acercó la suya y ambos se comunicaron oscuramente por los dedos, por el tibio acariciarse de las palmas.

—A veces una es tan descuidada —dijo tímidamente Clara—. Cree que lleva todo, y siempre olvida algo.

—Es que no sabíamos.

—Bueno, pero lo mismo. Me miraban, sobre todo esas chicas, y me sentí tan mal.

Eran insoportables —protestó él—. ¿Usted vio cómo se habían puesto de acuerdo para clavarnos los ojos?

—Al fin y al cabo, el ramo era de crisantemos y dalias —dijo Clara—. Pero presumían lo mismo.

—Porque los otros les daban alas —afirmó él con

irritación—. El viejo de mi asiento con sus claveles apelmazados, con esa cara de pájaro. A los que no vi bien fue a los de atrás. ¿Usted cree que todos...?

—Todos —dijo Clara—. Los vi apenas había subido. Yo subí en Nogoyá y Avenida San Martín, y casi en seguida me di vuelta y vi que todos, todos...

—Menos mal que se bajaron.

Pueyrredón, frenada en seco. Un policía moreno se abría en cruz acusándose de algo en su alto quiosco. El conductor salió del asiento como deslizándose, el guarda quiso sujetarlo de la manga, pero se soltó con violencia y vino por el pasillo, mirándolos alternadamente, encogido y con los labios húmedos parpadeando. «¡Ahí da paso!», gritó el guarda con una voz rara. Diez bocinas ladraban en la cola del ómnibus, y el conductor corrió afligido a su asiento. El guarda le habló al oído, dándose vuelta a cada momento para mirarlos.

—Si no estuviera usted... —murmuró Clara—. Yo creo que si no estuviera usted me habría animado a bajarme.

—Pero usted va a Retiro —dijo él, con alguna sorpresa.

—Sí, tengo que hacer una visita. No importa, me hubiera dado igual.

—Yo saqué boleto de quince —dijo él—. Hasta Retiro.

—Yo también. Lo malo es que si una se baja, después hasta que viene otro coche...

—Claro, y además a lo mejor está completo.

—A lo mejor. Se viaja tan mal, ahora. ¿Usted ha visto los subtes?

—Algo increíble. Cansa más el viaje que el empleo.

Un aire verde y claro flotaba en el coche, vieron el rosa viejo del Museo, la nueva Facultad de Derecho, y el 168 aceleró todavía más en Leandro N. Alem, como rabioso por llegar. Dos veces lo detuvo algún policía de tráfico, y dos veces quiso el conductor tirarse contra ellos; a la segunda, el guarda se le puso por delante, negándose con rabia, como si le doliera. Clara sentía subírsele las rodillas hasta el pecho, y las manos de su compañero la desertaron bruscamente y se cubrieron de huesos salientes, de venas rígidas. Clara no había visto jamás el paso viril de la mano al puño, contempló esos objetos macizos con una humilde confianza casi perdida bajo el terror. Y hablando todo el tiempo de los viajes, de las colas que hay que hacer en Plaza de Mayo, de la grosería de la gente, de la paciencia. Después callaron, mirando el paredón ferroviario, y su compañero sacó la billetera, la estuvo revisando muy serio, temblándole un poco los dedos.

—Falta apenas —dijo Clara, enderezándose—. Ya llegamos.

—Sí. Mire, cuando doble en Retiro, nos levantamos rápido para bajar.

—Bueno. Cuando esté al lado de la plaza.

—Eso es. La parada queda más acá de la torre de los Ingleses. Usted baja primero.

—Oh, es lo mismo.

—No, yo me quedaré atrás por cualquier cosa. Apenas doblemos yo me paro y le doy paso. Usted tiene que levantarse rápido y bajar un escalón de la puerta; entonces yo me pongo atrás.

—Bueno, gracias —dijo Clara mirándolo emocionada, y se concentraron en el plan, estudiando la ubicación de sus piernas, los espacios a cubrir. Vieron que el 168 tendría paso libre en la esquina de la plaza; temblándole los vidrios y a punto de embestir el cordón de la plaza, tomó el viraje a toda carrera. El pasajero saltó del asiento hacia adelante, y detrás de él pasó veloz Clara, tirándose escalón abajo mientras él se volvía y la ocultaba con su cuerpo. Clara miraba la puerta, las tiras de goma negra y los rectángulos de sucio vidrio; no quería ver otra cosa y temblaba horriblemente. Sintió en el pelo el jadeo de su compañero, los arrojó a un lado la frenada brutal, y en el mismo momento en que la puerta se abría el conductor corrió por el pasillo con las manos tendidas. Clara saltaba ya a la plaza, y cuando se volvió su compañero saltaba también y la puerta bufó al cerrarse. Las gomas negras apresaron una mano del conductor, sus dedos rígidos y blancos. Clara vio a través de las ventanillas que el guarda se había echado sobre el volante para alcanzar la palanca que cerraba la puerta.

El la tomó del brazo y caminaron rápidamente por la

plaza llena de chicos y vendedores de helados. No se dijeron nada, pero temblaban como de felicidad y sin mirarse. Clara se dejaba guiar, notando vagamente el césped, los canteros, oliendo un aire de río que crecía de frente. El florista estaba a un lado de la plaza, y él fue a pararse ante el canasto montado en caballetes y eligió dos ramos de pensamientos. Alcanzó uno a Clara, después le hizo tener los dos mientras sacaba la billetera y pagaba. Pero cuando siguieron andando (él no volvió a tomarla del brazo) cada uno llevaba su ramo, cada uno iba con el suyo y estaba contento.

Alcanzándome un programa impreso en papel crema, Don Pérez me condujo a mi platea. Fila nueve, ligeramente hacia la derecha: el perfecto equilibrio acústico. Conozco bien el teatro Corona y sé que tiene caprichos de mujer histérica. A mis amigos les aconsejo que no acepten jamás fila trece porque hay una especie de pozo de aire donde no entra le música; ni tampoco el lado izquierdo de las tertulias, porque al igual que en el Teatro Comunale de Florencia, algunos instrumentos dan la impresión de apartarse de la orquesta, flotar en el aire, y es así como una flauta puede ponerse a sonar a tres metros de uno mientras el resto continúa correctamente en la escena, lo cual será pintoresco pero muy poco agradable.

Le eché una mirada al programa. Tendríamos *El sueño de una noche de verano*, *Don Juan*, *El mar* y la *Quinta sinfonía*. No pude menos de reírme al pensar en el Maestro. Una vez más el viejo zorro había ordenado su programa de concierto con esa insolente arbitrariedad estética que encubría un profundo olfato psicológico, rasgo común en los régisseurs de music-hall, los virtuosos de piano y los match-makers de lucha libre. Sólo yo de puro aburrido podía meterme en un concierto donde después de Strauss, Debussy, y sobre el pucho, Beethoven contra todos los mandatos humanos y divinos. Pero el Maestro conocía a su público, armaba conciertos para los habitués del teatro Corona, es decir, gente tranquila y bien dispuesta que prefiere lo malo conocido a lo bueno por conocer, y que exige ante todo profundo respeto por su digestión y su tranquilidad. Con Mendelssohn se pondrían cómodos, después el *Don Juan* generoso y redondo, con tonaditas silbables. Debussy los haría sentirse artistas, porque no cualquiera entiende su música. Y luego el plato fuerte, el gran masaje vibratorio beethoveniano, así llama el destino a la puerta, la V de la victoria, el sordo genial, y después volando a casa que mañana hay un trabajo loco en la oficina.

En realidad yo le tenía un enorme cariño al Maestro, que nos trajo buena música a esta ciudad sin arte, alejada de los grandes centros, donde hace diez años no se pasaba de *La Traviata* y la obertura de *El Guaraní*. El Maestro vino a la ciudad contratado por un empresario decidido, y armó esta orquesta que podía considerarse de primera línea. Poco a poco nos fue soltando Brahms, Mahler, los impresionistas, Strauss y Mussorgski. Al principio los abonados le gruñeron y el Maestro tuvo que achicar las velas y poner muchas «secciones de ópera» en los programás; después empezaron a aplaudirle el Beethoven duro y parejo que nos planteaba, y al final lo ovacionaron por cualquier cosa, por sólo verlo, como ahora que su entrada estaba provocando un entusiasmo fuera de lo común. Pero a principios de temporada la gente tiene las manos frescas, aplaude con gusto, y además todo el mundo lo quería al Maestro que se inclinaba secamente, sin demasiada condescendencia y se volvía a los músicos con su aire de jefe de brigantes. Yo tenía a mi izquierda a la señora de Jonatán, a quien no conozco mucho pero que pasa por melómana, y que sonrosadamente me dijo:

—Ahí tiene, ahí tiene a un hombre que ha conseguido lo que pocos. No sólo ha formado una orquesta sino un público. ¿No es admirable?

—Sí —dije yo con mi condescendencia habitual.

—A veces pienso que debería dirigir mirando hacia la sala, porque también nosotros somos un poco sus músicos.

—No me incluya, por favor —dije—. En materia de música tengo una triste confusión mental. Este programa, por ejemplo, me parece horrendo. Pero sin duda me equivoco.

La señora de Jonatán me miró con dureza y desvió el rostro, aunque su amabilidad pudo más y la indujo a darme una explicación.

—El programa es de puras obras maestras, y cada una ha sido solicitada especialmente por cartas de admiradores. ¿No sabe que el Maestro cumple esta noche sus bodas de plata con la música? ¿Y que la orquesta festeja los cinco años de formación? Lea al dorso del programa, hay un artículo tan delicado del doctor Palacín.

Leí el artículo del doctor Palacín en el intervalo, después de Mendelssohn y Strauss que le valieron al Maestro sendas ovaciones. Paseándome por el foyer me pregunté una o dos veces si las ejecuciones justificaban semejantes arrebatos de un público que, según me consta, no es demasiado generoso. Pero los aniversarios son las grandes puertas de la estupidez, y presumí que los adictos del Maestro no eran capaces de contener su emoción. En el bar encontré al doctor Epifanía con su familia, y me quedé a charlar unos minutos. Las chicas estaban rojas y excitadas, me rodearon como gallinitas cacareantes (hacen pensar en volátiles diversos) para decirme que Mendelssohn había estado bestial, que era una música como de terciopelo y de gasas, y que tenía un romanticismo divino. Uno podría quedarse toda la vida oyendo el nocturno, y el scherzo estaba tocado como por manos de hadas. A la Beba le gustaba más Strauss porque era fuerte, verdaderamente un Don Juan alemán, con esos cornos y esos trombones que le ponían carne de gallina —cosa que me resultó sorprendentemente literal—. El doctor Epifanía nos escuchaba con sonriente indulgencia.

—¡Ah, los jóvenes! Bien se ve que ustedes no escucharon tocar a Risler, ni dirigir a von Bülow. Esos eran los grandes tiempos.

Las chicas lo miraban furiosas. Rosario dijo que las orquestas estaban mucho mejor dirigidas que cincuenta años atrás, y la Beba negó a su padre todo derecho a disminuir la calidad extraordinaria del Maestro.

—Por supuesto, por supuesto —dijo el doctor Epifanía—. Considero que el Maestro está genial esta noche. ¡Qué fuego, qué arrebato! Yo mismo hacía años que no aplaudía tanto.

Y me mostró dos manos con las que se hubiera dicho que acababa de aplastar una remolacha. Lo curioso es que hasta ese momento yo había tenido la impresión contraria, y me parecía que el Maestro estaba en una de esas noches en que el hígado le molesta y él opta por un estilo escueto y directo, sin prodigarse mucho. Pero debía ser el único que pensaba así, porque Cayo Rodríguez casi me saltó al pescuezo al descubrirme, y me dijo que el *Don Juan* había estado brutal y que el Maestro era un director increíble.

—¿Vos no viste ese momento en el scherzo de Mendelssohn cuando parece que en vez de una orquesta son como susurros de voces de duendes?

—La verdad —dije yo— es que primero tendría que enterarme de cómo son las voces de los duendes.

—No seas bruto —dijo Cayo enrojeciendo, y vi que me lo decía sinceramente rabioso—. ¿Cómo no sois capaz de captar eso? El Maestro está genial, che, dirige como nunca. Parece mentira que seas tan coriáceo.

Guillermina Fontán venía presurosa hacia nosotros. Repitió todos los epítetos de las chicas de Epifanía, y ella y Cayo se miraron con lágrimas en los ojos, conmovidos por esa fraternidad en la admiración que por un momento hace tan buenos a los humanos. Yo los contemplaba con asombro, porque no me explicaba del todo un entusiasmo semejante; cierto que no voy todas las noches a los conciertos como ellos, y que a veces me ocurre confundir Brahms con Brückner y viceversa, lo que en su grupo sería considerado como de una ignorancia inapelable. De todas maneras esos rostros rubicundos, esos cuellos transpirados, ese deseo latente de seguir aplaudiendo aunque fuera en el foyer o en el medio de la calle, me

hacían pensar en las influencias atmosféricas, la humedad
o las manchas solares, cosas que suelen afectar los com-
portamientos humanos. Me acuerdo de que en ese momento pensé si algún gracioso no estaría repitiendo el
memorable experimento del doctor Ox para incandescer
al público. Guillermina me arrancó de mis cavilaciones
sacudiéndome del brazo con violencia (apenas nos co-
nocemos).

—Y ahora viene Debussy —murmuró excitadísima—.
Esa puntilla de agua, *La Mer*.

—Será magnífico escucharla —dije, siguiéndole la
corriente marina.

—¿Usted se imagina cómo la va a dirigir el Maestro?

—Impecablemente —estimé, mirándola para ver cómo
juzgaba mi advertencia. Pero era evidente que Guillermina
esperaba más fuego, porque se volvió a Cayo que bebía
soda como un camello sediento y los dos se entregaron
a un cálculo beatífico sobre lo que sería el segundo tiempo
de Debussy, y la fuerza grandiosa que tendría el tercero.
Me fui de ronda por los pasillos, volví al foyer, y en todas
partes era entre conmovedor e irritante ver el entusiasmo
del público por lo que acababa de escuchar. Un enorme
zumbido de colmena alborotada incidía poco a poco en
los nervios, y yo mismo acabé sintiéndome un poco febril
y dupliqué mi ración habitual de soda Belgrano. Me dolía
un poco no estar del todo en el juego, mirar a esa gente
desde fuera, a lo entomólogo. Qué le iba a hacer, es una
cosa que me ocurre siempre en la vida, y casi he llegado
a aprovechar esta aptitud para no comprometerme en nada.
Cuando volví a la platea todo el mundo estaba ya en
su sitio, y molesté a la entera fila para alcanzar mi butaca.
Los músicos entraban desganadamente a escena, y me
pareció curioso cómo la gente se había instalado antes
que ellos, ávida de escuchar. Miré hacia al paraíso y las
galerías altas; una masa negra, como moscas en un tarro
de dulce. En las tertulias, más separadas, los trajes de los
hombres daban la impresión de bandadas de cuervos;
algunas linternas eléctricas se encendían y apagaban, los
melómanos provistos de partituras ensayaban sus métodos
de iluminación. La luz de la gran lucerna central bajó

poco a poco, y en la oscuridad de la sala oí levantarse los aplausos que saludaban la entrada del Maestro. Me pareció curiosa esa sustitución progresiva de la luz por el ruido, y cómo uno de mis sentidos entraba en juego justamente cuando el otro se daba al descanso. A mi izquierda la señora de Jonatán batía palmas con fuerza, toda la fila aplaudía cerradamente; pero a la derecha, dos o tres plateas más allá, vi a un hombre que se estaba inmóvil, con la cabeza gacha. Un ciego, sin duda; adiviné el brillo del bastón blanco, los anteojos inútiles. Sólo él y yo nos negábamos a aplaudir y me atrajo su actitud. Hubiera querido sentarme a su lado, hablarle: alguien que no aplaudía esa noche era un ser digno de interés. Dos filas más adelante, las chicas de Epifanía se rompían las manos, y su padre no se quedaba atrás. El Maestro saludó brevemente, mirando una o dos veces hacia arriba, de donde el ruido bajaba como rolidos para encontrarse con el de la platea y los palcos. Me pareció verle un aire entre interesado y perplejo; su oído debía estarle mostrando la diferencia entre un concierto ordinario y el de unas bodas de plata. Ni qué decir que *La Mer* le valió una ovación apenas algo menor que la obtenida con Strauss, cosa por lo demás comprensible. Yo mismo me dejé atrapar por el último movimiento, con sus fragores y sus inmensos vaivenes sonoros, y aplaudí hasta que me dolieron las manos. La señora de Jonatán lloraba.

—Es tan inefable —murmuró volviendo hacia mí un rostro que parecía salir de la lluvia—. Tan increíblemente inefable...

El Maestro entraba y salía, con su destreza elegante y su manera de subir al podio como quien va a abrir un remate. Hizo levantarse a la orquesta, y los aplausos y los bravos redoblaron. A mi derecha, el ciego aplaudía suavemente, cuidándose las manos, era delicioso ver con qué parsimonia contribuía al homenaje popular, la cabeza gacha, el aire recogido y casi ausente. Los «¡bravo!», que resuenan siempre aisladamente y como expresiones individuales, restallaban desde todas direcciones. Los aplausos habían empezado con menos violencia que en la primera parte del concierto, pero ahora que la música quedaba

olvidada y que no se aplaudía *Don Juan* ni *La Mer* (o, mejor,
sus efectos), sino solamente al Maestro y al sentimiento
colectivo que envolvía la sala, la fuerza de la ovación
empezaba a alimentarse a sí misma, crecía por momentos
y se tornaba casi insoportable. Irritado, miré hacia la izquierda; vi a una mujer vestida de rojo que corría aplaudiendo por el centro de la platea, y que se detenía al pie
del podio, prácticamente a los pies del Maestro. Al inclinarse para saludar otra vez, el Maestro se encontró con
la señora de rojo a tan poca distancia que se enderezó
sorprendido. Pero de las galerías altas venía un fragor
que lo obligó a alzar la cabeza y saludar como raras veces
lo hacía, levantando el brazo izquierdo. Aquello exacerbó
el entusiasmo, y a los aplausos se agregaban truenos de
zapatos batiendo el piso de las tertulias y los palcos.
Realmente era una exageración.

No había intervalo, pero el Maestro se retiró a descansar dos minutos, y yo me levanté para ver mejor la sala.
El calor, la humedad y la excitación habían convertido
a la mayoría de los asistentes en lamentables langostinos
sudorosos. Cientos de pañuelos funcionaban como olas
de un mar que grotescamente prolongaba el que acabábamos de oír. Muchas personas corrían hacia el foyer,
para tragar a toda velocidad una cerveza o una naranjada.
Temerosos de perder algo, retornaban a punto de trope-
zarse con otros que salían, y en la puerta principal de la
platea había una confusión considerable. Pero no se pro-
ducían altercados, la gente se sentía de una bondad infinita, era más bien como un gran reblandecimiento senti-
mental en que todos se encontraban fraternalmente y se
reconocían. La señora de Jonatán, demasiado gorda para
maniobrar en su platea, alzaba hasta mí, siempre de pie,
un rostro extrañamente semejante a un rabanito. «Inefable»
repetía. «Tan inefable.»

Casi me alegré de que volviera el Maestro, porque
aquella multitud de la que yo formaba parte inexcusable-
mente me daba entre lástima y asco. De toda esa gente,
los músicos y el Maestro parecían los únicos dignos. Y además el ciego a pocas plateas de la mía, rígido y sin aplaudir,
con una atención exquisita y sin la menor bajeza.

—La Quinta —me humedeció en la oreja la señora de Jonatán—. El éxtasis de la tragedia.

Pensé que era más bien un título para película, y cerré los ojos. Tal vez buscaba en ese instante asimilarme al ciego, al único ser entre tanta cosa gelatinosa que me rodeaba. Y cuando veía ya pequeñas luces verdes cruzando mis párpados como golondrinas, la primera frase de la Quinta me cayó encima como una pala de excavadora, obligándome a mirar. El Maestro estaba casi hermoso, con su rostro fino y avizor, haciendo despegar la orquesta que zumbaba con todos sus motores. Un gran silencio se había hecho en la sala, sucediendo fulminantemente a los aplausos; hasta creo que el Maestro soltó la máquina antes de que terminaran de saludarlo. El primer movimiento pasó sobre nuestras cabezas con sus fuegos de recuerdo, sus símbolos, su fácil e involuntaria pega-pega. El segundo, magníficamente dirigido, repercutía en una sala donde el aire daba la impresión de estar incendiado pero con un incendio que fuera invisible y frío, que quemara de dentro afuera. Casi nadie oyó el primer grito porque fue ahogado y corto, pero como la muchacha estaba justamente delante de mí, su convulsión me sorprendió y al mismo tiempo la oí gritar, entre un gran acorde de metales y maderas. Un grito seco y breve como de espasmo amoroso o de histeria. Su cabeza se dobló hacia atrás, sobre esa especie de raro unicornio de bronce que tienen las plateas del Corona, y al mismo tiempo sus pies golpearon furiosamente el suelo mientras las personas a su lado la sujetaban por los brazos. Arriba, en la primera fila de tertulia, oí otro grito, otro golpe en el suelo. El Maestro cerró el segundo tiempo y soltó directamente el tercero; me pregunté si un director puede escuchar un grito de la platea, atrapado como está por el primer plano sonoro de la orquesta. La muchacha de la butaca delantera se doblaba ahora poco a poco y alguien (quizá su madre) la sostenía siempre de un brazo. Yo hubiera querido ayudar, pero menudo lío es meterse en las cosas de la fila de adelante, en pleno concierto y con gentes desconocidas. Quise decirle algo a la señora de Jonatán, por aquello de que las mujeres son las indicadas

para atender esa clase de ataques, pero estaba con los ojos
en la espalda del Maestro, perdida en la música; me pareció que algo le brillaba debajo de la boca, en la barbilla.
De golpe dejé de ver al Maestro, porque la rotunda espalda de un señor de smoking se enderezaba en la fila
delantera. Era muy raro que alguien se levantara a mitad
del movimiento, pero también eran raros esos gritos y la
indiferencia de la gente ante la muchacha histérica. Algo
como una mancha roja me obligó a mirar hacia el centro
de la platea, y nuevamente vi a la señora que en el intervalo había corrido a aplaudir al pie del podio. Avanzaba
lentamente, yo hubiera dicho que agazapada aunque su
cuerpo se mantenía erecto, pero era más bien el tono de
su marcha, un avance a pasos lentos, hipnóticos, como
quien se prepara a dar un salto. Miraba fijamente al Maestro, vi por un instante la lumbre emocionada de sus ojos.
Un hombre salió de las filas y se puso a andar tras ella;
ahora estaban a la altura de la quinta fila y otras tres personas se les agregaban. La música concluía, saltaban los
primeros grandes acordes finales desencadenados por el
Maestro con espléndida sequedad, como masas escultóricas
surgiendo de una sola vez, altas columnas blancas y verdes,
un Karnak de sonido por cuya nave avanzaban paso a
paso la mujer roja y sus seguidores.

· Entre dos estallidos de la orquesta oí gritar otra vez,
pero ahora el clamor venía de uno de los palcos de la
derecha. Y con él los primeros aplausos, sobre la música,
incapaces de retenerse por más tiempo, como si en ese
jadeo de amor que venían sosteniendo el cuerpo masculino
de la orquesta con la enorme hembra de la sala entregada,
ésta no hubiera querido esperar el goce y se abandonara
a su placer entre retorcimientos quejumbrosos y gritos
de insoportable voluptuosidad. Incapaz de moverme en
mi butaca, sentía a mis espaldas como un nacimiento de
fuerzas, un avance paralelo al avance de la mujer de rojo
y sus seguidores por el centro de la platea, que llegaban
ya bajo el podio en el preciso momento en que el Maestro,
igual a un matador que envaina su estoque en el toro,
metía la batuta en el último muro de sonido y se doblaba
hacia adelante, agotado, como si el aire vibrante lo hu-

biese corneado con el impulso final. Cuando se enderezó
la sala entera estaba de pie y yo con ella, y el espacio era
un vidrio instantáneamente trizado por un bosque de
lanzas agudísimas, los aplausos y los gritos confundién-
dose en una materia insoportablemente grosera y rezumante pero llena a la vez de una cierta grandeza, como una
manada de búfalos a la carrera o algo por el estilo. De
todas partes confluía el público a la platea y casi sin sorpresa vi a dos hombres saltar de los palcos al suelo.
Gritando como una rata pisoteada, la señora de Jonatán
había podido desencajarse de su asiento, y con la boca
abierta y los brazos tendidos hacia la escena vociferaba
su entusiasmo. Hasta ese instante el Maestro había perma-
necido de espaldas, casi desdeñoso, mirando a sus músicos
con probable aprobación. Ahora se dio vuelta, lentamente,
y bajó la cabeza en su primer saludo. Su cara estaba muy
blanca, como si la fatiga lo venciera, y llegué a pensar
(entre tantas otras sensaciones, trozos de pensamientos,
ráfagas instantáneas de todo lo que me rodeaba en ese
infierno del entusiasmo) que podía desmayarse. Saludó
por segunda vez, y al hacerlo miró a la derecha donde un
hombre de smoking y pelo rubio acababa de saltar al escenario seguido por otros dos. Me pareció que el Maestro
iniciaba un movimiento como para descender del podio,
pero entonces reparé en que ese movimiento tenía algo
de espasmódico, como de querer librarse. Las manos de la
mujer de rojo se cerraban en su tobillo derecho; tenía la
cara alzada hacia el Maestro y gritaba, al menos yo veía
su boca abierta y supongo que gritaba como los demás,
probablemente como yo mismo. El Maestro dejó caer la
batuta y se esforzó por soltarse, mientras decía algo imposible de escuchar. Uno de los seguidores de la mujer
le abrazaba ya la otra pierna, desde la rodilla, y el Maestro
se volvió hacia su orquesta como reclamando auxilio.
Los músicos estaban de pie, en una enorme confusión
de instrumentos, bajo la luz cegadora de las lámparas de
escena. Los atriles caían como espigas a medida que por
los dos lados del escenario subían hombres y mujeres de
de la platea, al punto que ya no podía saber quiénes eran
músicos o no. Por eso el Maestro, al ver que un hombre

trepaba por detrás del podio, se agarró de él para que lo
ayudara a arrancarse de la mujer y sus seguidores que le
cubrían ya las piernas con la manos, y en ese momento
se dio cuenta de que el hombre no era uno de sus músicos
y quiso rechazarlo, pero el otro lo abrazó por la cintura,
vi que la mujer de rojo abría los brazos como reclamando,
y el cuerpo del Maestro se perdió en un vórtice de gentes
que lo envolvían y se lo llevaban amontonadamente.
Hasta ese instante yo había mirado todo con una especie
de espanto lúcido, por encima o por debajo de lo que estaba ocurriendo, pero en el mismo momento me distrajo
un grito agudísimo a mi derecha y vi que el ciego se había
levantado y revolvía los brazos como aspas, clamando,
reclamando, pidiendo algo. Fue demasiado, entonces ya
no pude seguir asistiendo, me sentí partícipe mezclado
en ese desbordar del entusiasmo y corrí a mi vez hacia
el escenario y salté por un costado, justamente cuando
una multitud delirante rodeaba a los violinistas, les quitaba
los instrumentos (se los oía crujir y reventarse como enormes cucarachas marrones) y empezaba a tirarlos del escenario a la platea, donde otros esperaban a los músicos
para abrazarlos y hacerlos desaparecer en confusos remolinos. Es muy curioso pero yo no tenía ningún deseo de
contribuir a esas demostraciones, solamente estar al lado
y ver lo que ocurría, sobrepasado por ese homenaje
inaudito. Me quedaba suficiente lucidez como para preguntarme por qué los músicos no escapaban a toda carrera
por entre bambalinas, y en seguida vi que no era posible
porque legiones de oyentes habían bloqueado las dos alas
del escenario, formando un cordón móvil que avanzaba
pisoteando los instrumentos, haciendo volar los atriles,
aplaudiendo y vociferando al mismo tiempo, en un estrépito tan monstruoso que ya empezaba a asemejarse al
silencio. Vi correr hacia mí un tipo que traía su clarinete
en la mano, y estuve tentado de agarrarlo al pasar o hacerle
una zancadilla para que el público pudiera atraparlo. No
me decidí, y una señora de rostro amarillento y gran
escote donde galopaban montones de perlas me miró
con odio y escándalo al pasar a mi lado y apoderarse del
del clarinetista que chilló débilmente y trató de proteger

su instrumento. Se lo quitaron entre dos hombres, y el
músico tuvo que dejarse llevar del lado de la platea donde
la confusión alcanzaba su pleno.

Los gritos sobrepujaban ahora a los aplausos, la gente
estaba demasiado ocupada abrazando y palmeando a los
músicos para poder aplaudir, de modo que la calidad del
estrépito iba virando a un tono cada vez más agudo, roto
aquí y allá por verdaderos alaridos entre los que me pareció oír algunos con ese color especialísimo que da el
sufrimiento, tanto que me pregunté si en las carreras y en
los saltos no habría tipos quebrándose los brazos y las
piernas, y a mi vez me tiré de vuelta a la platea ahora que
el escenario estaba vacío y los músicos en posesión de sus
admiradores que los llevaban en todas direcciones, parte
hacia los palcos, donde confusamente se adivinaban movimientos y revuelos, parte hacia los estrechos pasillos
que lateralmente conducen al foyer. Era de los palcos de
donde venían los clamores más violentos como si los
músicos, incapaces de resistir la presión y el ahogo de
tantos abrazos, pidieran desesperadamente que los dejaran
respirar. La gente de las plateas se amontonaba frente a las
aberturas de los palcosbalcón, y cuando corrí por entre
las butacas para acercarme a uno de ellos la confusión
parecía mayor, las luces bajaron bruscamente y se redu-
jeron a una lumbre rojiza que apenas permitía ver las
caras, mientras los cuerpos se convertían en sombras
epilépticas, en un amontonamiento de volúmenes informes tratando de rechazarse o confundirse unos con otros.
Me pareció distinguir la cabellera plateada del Maestro
en el segundo palco de mi lado, pero en este instante
mismo desapareció como si lo hubieran hecho caer de
rodillas. A mi lado oí un grito seco y violento, y vi a la
señora de Jonatán y a una de las chicas de Epifanía preci-
pitándose hacia el palco del Maestro, porque ahora yo
estaba seguro de que en ese palco estaba el Maestro rodeado de la mujer vestida de rojo y sus seguidores. Con
una agilidad increíble la señora de Jonatán puso un pie
entre las dos manos de la chica de Epifanía, que cruzaba
los dedos para hacerle un estribo, y se precipitó de cabeza
en el interior del palco. La chica de Epifanía me miró,

reconociéndome, y me gritó algo, probablemente que la ayudara a subir, pero no le hice caso y me quedé a distancia del palco, poco dispuesto a disputarles su derecho a individuos absolutamente enloquecidos de entusiasmo, que se batían entre ellos a empellones. A Cayo Rodríguez, que se había distinguido en el escenario por su encarnizamiento en hacer bajar los músicos a la platea, acababan de partirle la nariz de una trompada, y andaba titubeando de un lado a otro con la cara cubierta de sangre. No me dio la menor lástima, ni tampoco ver al ciego arrastrándose por el suelo, dándose contra las plateas, perdido en ese bosque simétrico sin puntos de referencia. Ya no me importaba nada, solamente saber si los gritos iban a cesar de una vez porque de los palcos seguían saliendo gritos penetrantes que el público de la platea repetía y coreaba incansable, mientras cada uno trataba de desalojar a los demás y meterse por algún lado en los palcos. Era evidente que los pasillos exteriores estaban atiborrados, pues el asalto mayor se daba desde la platea misma, tratando de saltar como lo había hecho la señora de Jonatán. Yo veía todo eso, y me daba cuenta de todo eso, y al mismo tiempo no tenía el menor deseo de agregarme a la confusión, de modo que mi indiferencia me producía un extraño sentimiento de culpa, como si mi conducta fuera el escándalo final y absoluto de aquella noche. Sentándome en una platea solitaria dejé que pasaran los minutos, mientras al margen de mi inercia iba notando el decrecimiento del inmenso clamor desesperado, el debilitamiento de los gritos que al fin cesaron, la retirada confusa y murmurante de parte del público. Cuando me pareció que ya se podía salir, dejé atrás la parte central de la platea y atravesé el pasillo que da al foyer. Uno que otro individuo se desplazaba como borracho, secándose las manos o la boca con el pañuelo, alisándose el traje, componiéndose el cuello. En el foyer vi algunas mujeres que buscaban espejos y revolvían en sus carteras. Una de ellas debía haberse lastimado porque tenía sangre en el pañuelo. Vi salir corriendo a las chicas de Epifanía; parecían furiosas por no haber llegado a los palcos, y me miraron como si yo tuviera la culpa. Cuando consideré que ya estarían afuera, eché a andar hacia la escalinata de salida, y en ese momento asomaron al foyer la mujer vestida de rojo y sus seguidores. Los hombres marchaban detrás de ella como antes, y parecían cubrirse mutuamente para que no se viera el destrozo de sus ropas. Pero la mujer vestida de rojo iba al frente, mirando altaneramente, y cuando estuve a su lado vi que se pasaba la lengua por los labios, lenta y golosamente se pasaba la lengua por los labios que sonreían.

Menos mal que es Ramos y no otro médico, con él siempre hubo un pacto, yo sabía que llegado el momento me lo iba a decir o por lo menos me dejaría comprender sin decírmelo del todo. Le ha costado al pobre, quince años de amistad y noches de póker y fines de semana en el campo, el problema de siempre; pero es así, a la hora de la verdad y entre hombres esto vale más que las mentiras de consultorio coloreadas como las pastillas o el líquido rosa que gota a gota me va entrando en las venas.

Tres o cuatro días, sin que me lo diga sé que él se va a ocupar que no haya eso que llaman agonía, dejar morir despacio al perro, para qué; puedo confiar en él, las últimas pastillas serán siempre verdes o rojas pero adentro habrá otra cosa, el gran sueño que desde ya le agradezco mientras Ramos se me queda mirando a los pies de la cama, un poco perdido porque la verdad lo ha vaciado, pobre viejo. No le digas nada a Liliana, por qué la vamos a hacer llorar antes de lo necesario, no te parece. A Alfredo sí, a Alfredo podés decírselo para que se vaya haciendo un hueco en el trabajo y se ocupe de Liliana y de mamá. Che, y decile a la enfermera que no me joda cuando escribo, es lo único que me hace olvidar el dolor aparte de tu eminente farmacopea, claro. Ah, y que me traigan un café cuando lo pido, esta clínica se toma las cosas tan en serio.

Es cierto que escribir me calma de a ratos, será por eso que hay tanta correspondencia de condenados a muerte, vaya a saber. Incluso me divierte imaginar por escrito cosas que solamente pensadas en una de esas se te atoran en la garganta, sin hablar de los lagrimales; me veo desde las palabras como si fuera otro, puedo pensar cualquier cosa siempre que en seguida lo escriba, deformación profesional o algo que se empieza a ablandar en las meninges. Solamente me interrumpo cuando viene Liliana, con los demás soy menos amable, como no quieren que hable mucho los dejo a ellos que cuenten si hace frío o si Nixon le va a ganar a McGovern, con el lápiz en la mano los dejo hablar y hasta Alfredo se da cuenta y me dice que siga nomás, que haga como si él no estuviera, tiene el diario y se va a quedar todavía un rato. Pero mi mujer no merece eso, a ella la escucho y le sonrío y me duele menos, le acepto ese beso un poquito húmedo que vuelve una y otra vez aunque cada día me canse más que me afeiten y debo lastimarle la boca, pobre querida. Hay que decir que el coraje de Liliana es mi mejor consuelo, verme ya muerto en sus ojos me quitaría este resto de fuerza con que puedo hablarle y devolverle alguno de sus besos, con que sigo escribiendo apenas se ha ido y empieza la rutina de las inyecciones y las palabritas simpáticas. Nadie se atreve a meterse con mi cuaderno, sé que puedo guardarlo bajo la almohada o en la mesa de noche, es mi capricho, hay que dejarlo puesto que el doctor Ramos, claro que hay que dejarlo, pobrecito, así se distrae.

O sea que el lunes o el martes, y el lugarcito en la bóveda el miércoles o el jueves. En pleno verano la Chacarita va a ser un horno y los muchachos la van a pasar mal, lo veo al Pincho con esos sacos cruzados y con hombreras que tanto lo divierten a Acosta, que por su parte se tendrá que trajear aunque le cueste, el rey de la campera poniéndose corbata y saco para acompañarme, eso va a ser grande. Y Fernandito, el trío completo, y también Ramos, claro,

hasta el final, y Alfredo llevando del brazo a Liliana y a
mamá, llorando con ellas. Y será de veras, sé cómo me
quieren, cómo les voy a faltar; no irán como fuimos al
entierro del gordo Tresa, la obligación partidaria y algunas vacaciones compartidas, cumplir rápido con la familia
y mandarse mudar de vuelta a la vida y al olvido. Claro
que tendrán un hambre bárbaro, sobre todo Acosta que
a tragón no le gana nadie; aunque les duela y maldigan
este absurdo de morirse joven y en plena carrera, hay la
reacción que todos hemos conocido, el gusto de volver
a entrar en el subte o en el auto, de pegarse una ducha
y comer con hambre y vergüenza a la vez, cómo negar
el hambre que sigue a las trasnochadas, al olor de las
flores del velorio y los interminables cigarrillos y los
paseos por la vereda, una especie de desquite que siempre
se siente en esos momentos y que yo nunca me negué
porque hubiera sido hipócrita. Me gusta pensar que Fernandito, el Pincho y Acosta se van a ir juntos a una parrilla,
seguro que van a ir juntos porque también lo hicimos
cuando el gordo Tresa, los amigos tienen que seguir un
rato, beberse un litro de vino y acabar con unas achuras;
carajo, como si los estuviera viendo, Fernandito va a ser
el primero en hacer un chiste y tragárselo de costado con
medio chorizo, arrepentido pero ya tarde, y Acosta lo
mirará de reojo pero el Pincho ya habrá soltado la risa,
es una cosa que no sabe aguantar, y entonces Acosta que
es un pan de dios se dirá que no tiene por qué pasar por
un ejemplo delante de los muchachos y se reirá también
antes de prender un cigarrillo. Y hablarán largo de mí,
cada uno se acordará de tantas cosas, la vida que nos fue
juntando a los cuatro aunque como siempre llena de
huecos, de momentos que no todos compartimos y que
asomarán en el recuerdo de Acosta o del Pincho, tantos
años y broncas y amoríos, la barra. Les va a costar sepa-
rarse después del almuerzo porque es entonces que vol-
verá lo otro, la hora de irse a sus casas, el último, definitivo
entierro. Para Alfredo va a ser distinto y no porque no
sea de la barra, al contrario, pero Alfredo va a ocuparse
de Liliana y de mamá y eso ni Acosta ni los demás pueden
hacerlo, la vida va creando contactos especiales entre

los amigos, todos han venido siempre a casa pero Alfredo
es otra cosa, esa cercanía que siempre me hizo bien, su
placer de quedarse largo charlando con mamá de plantas
y remedios, su gusto por llevarlo al Pocho al zoológico
o al circo, el solterón disponible, paquete de masitas y
siete y medio cuando mamá no estaba bien, su confianza
tímida y clara con Liliana, el amigo de los amigos que
ahora tendrá que pasar esos dos días tragándose las lágrimas, a lo mejor llevándolo al Pocho a su quinta y
volviendo en seguida para estar con mamá y Liliana hasta
lo último. Al fin y al cabo le va a tocar ser el hombre de
la casa y aguantarse todas las complicaciones empezando
por la funeraria, esto tenía que pasar justo cuando el viejo
anda por México o Panamá, vaya a saber si llega a tiempo
para aguantarse el sol de las once en Chacarita, pobre
viejo, de manera que será Alfredo el que lleve a Liliana
porque no creo que la dejen ir a mamá, a Liliana del brazo,
sintiéndola temblar contra su propio temblor, murmu-
rándole todo lo que yo le habré murmurado a la mujer
del gordo Tresa, la inútil necesaria retórica que no es
consuelo ni mentira ni siquiera frases coherentes, un simple estar ahí, que es tanto.

   También para ellos lo peor va a ser la vuelta, antes hay
la ceremonia y las flores, hay todavía contacto con esa
cosa inconcebible llena de manijas y dorados, el alto
frente a la bóveda, la operación limpiamente ejecutada
por los del oficio, pero después es el auto de remise y
sobre todo la casa, volver a entrar en casa sabiendo que
el día va a estancarse sin teléfono ni clínica, sin la voz de
Ramos alargando la esperanza para Liniana, Alfredo hará
café y le dirá que el Pocho está contento en la quinta, que
le gustan los petisos y juega con los peoncitos, habrá que
ocuparse de mamá y de Liliana pero Alfredo conoce cada
rincón de la casa y seguro que se quedará velando en el
sofá de mi escritorio, ahí mismo donde una vez lo ten-
dimos a Fernandito víctima de un póker en el que no
había visto una, sin hablar de los cinco coñacs compen-
satorios. Hace tantas semanas que Liliana duerme sola
que tal vez el cansancio pueda más que ella. Alfredo no
se olvidará de darles sedantes a Liliana y a mamá, estará

la tía Zulema repartiendo manzanilla y tilo, Liliana se
dejará ir poco a poco al sueño en ese silencio de la casa que
Alfredo habrá cerrado concienzudamente antes de ir
a tirarse en el sofá y prender otro de los cigarros que no
se atreve a fumar delante de mamá por el humo que la
hace toser.

En fin, hay eso de bueno, Liliana y mamá no estarán
tan solas o en esa soledad todavía peor que es la parentela
lejana invadiendo la casa del duelo; habrá la tía Zulema
que siempre ha vivido en el piso de arriba, y Alfredo que
también ha estado entre nosotros como si no estuviera,
al amigo con llave propia; en las primeras horas tal vez
será menos duro sentir irrevocablemente la ausencia que
soporta un tropel de abrazos y de guirnaldas verbales,
Alfredo se ocupará de poner distancias, Ramos vendrá
un rato para ver a mamá y a Liliana, las ayudará a dormir
y le dejará pastillas a la tía Zulema. En algún momento
será el silencio de la casa a oscuras, apenas el reloj de la
iglesia, una bocina a lo lejos porque el barrio es tranquilo.
Es bueno pensar que va a ser así, que abandonándose de
a poco a un sopor sin imágenes, Liliana va a estirarse con
sus lentos gestos de gata, una mano perdida en la almohada
húmeda de lágrimas y agua colonia, la otra junto a la boca
en una recurrencia pueril antes del sueño. Imaginarla así
hace tanto bien. Liliana durmiendo, Liliana al término
del túnel negro, sintiendo confusamente que el hoy está
cesando para volverse ayer, que esa luz en los visillos no
será ya la misma que golpeaba en pleno pecho mientras
la tía Zulema abría las cajas de donde iba saliendo lo negro
en forma de ropa y de velos mezclándose sobre la cama
con un llanto rabioso, una última, inútil protesta contra
lo que aún tenía que venir. Ahora la luz de la ventana
llegaría antes que nadie, antes que los recuerdos disueltos
en el sueño y que sólo confusamente se abrirían paso en
la última modorra. A solas, sabiéndose realmente a solas
en esa cama y en esa pieza, en ese día que empezaba en
otra dirección, Liliana podría llorar abrazada a la almohada
sin que vinieran a calmarla, dejándola agotar el llanto hasta
el final, y sólo mucho después, con un semisueño de en-
gaño reteniéndola en el ovillo de las sábanas, el hueco

del día empezaría a llenarse de café, de cortinas corridas, de la tía Zulema, de la voz del Pocho telefoneando desde la quinta con noticias sobre los girasoles y los caballos, un bagre pescado después de ruda lucha, una astilla en la mano pero no era grave, le habían puesto el remedio de don Contreras que era lo mejor para esas cosas. Y Alfredo esperando en el líving con el diario en la mano, diciéndole que mamá había dormido bien y que Ramos vendría a las doce, proponiéndole ir por la tarde a verlo al Pocho, con ese sol valía la pena correrse hasta la quinta y en una de esas hasta podían llevarla a mamá, le haría bien el aire del campo, a lo mejor quedarse el fin de semana en la quinta, y por qué no todos, con el Pocho que estaría tan contento teniéndolos allí. Aceptar o no daba lo mismo, todos lo sabían y esperaban las respuestas que las cosas y el paso de la mañana iban dando, entrar pasivamente en el almuerzo o en un comentario sobre las huelgas de los textiles, pedir más café y contestar el teléfono que en algún momento habían tenido que conectar, el telegrama del suegro en el extranjero, un choque estrepitoso en la esquina, gritos y pitadas, la ciudad ahí afuera, las dos y media, irse con mamá y Alfredo a la quinta porque en una de esas la astilla en la mano, nunca se sabe con los chicos, Alfredo tranquilizándolas en el volante, don Contreras era más seguro que un médico para esas cosas, las calles de Ramos Mejía y el sol como un jarabe hirviendo hasta el refugio en las grandes piezas encaladas, el mate de las cinco y el Pocho con su bagre que empezaba a oler pero tan lindo, tan grande, qué pelea sacarlo del arroyo, mamá, casi me corta el hilo, te juro, mira qué dientes. Como estar hojeando un álbum o viendo una película, las imágenes y las palabras una tras otra rellenando el vacío, ahora va a ver lo que es el asado de tira de la Carmen, señora, livianito y tan sabroso, una ensalada de lechuga y ya está, no hace falta más, con este calor más vale comer poco, trae el insecticida porque a esta hora los mosquitos. Y Alfredo ahí callado pero el Pocho, su mano palmeándolo al Pocho, vos viejo sos el campeón de la pesca, mañana vamos juntos tempranito y en una de esas quién te dice, me contaron de un paisano que pescó uno de dos kilos. Aquí bajo el alero se está bien, mamá puede dormir un rato en la mecedora si quiere, don Contreras tenía razón, ya no tenés nada en la mano, mostranos cómo lo montás al petiso tobiano, mirá mamá, mirame cuando galopo, por qué no venís con nosotros a pescar mañana, yo te enseño, vas a ver, el viernes con un sol rojo y los bagrecitos, la carrera entre el Pocho y el chico de don Contreras, el puchero a mediodía y mamá ayudando despacito a pelar los chocles, aconsejando sobre la hija de la Carmen que estaba con esa tos rebelde, la siesta en las piezas desnudas que olían a verano, la oscuridad contra las sábanas un poco ásperas, el atardecer, bajo el alero y la fogata contra los mosquitos, la cercanía nunca manifiesta de Alfredo, esa manera de estar ahí y ocuparse del Pocho, de que todo fuera cómodo, hasta el silencio que su voz rompía siempre a tiempo, su mano ofreciendo un vaso de refresco, un pañuelo, encendiendo la radio para escuchar el noticioso, las huelgas y Nixon, era previsible, qué país.

El fin de semana y en la mano del Pocho apenas una marca de la astilla, volvieron a Buenos Aires el lunes muy temprano para evitar el calor, Alfredo los dejó en la casa para irse a recibir al suegro. Ramos también estaba en Ezeiza y Fernandito, que ayudó en esas horas del encuentro porque era bueno que hubiera otros amigos en la casa. Acosta a las nueve con su hija que podía jugar con el Pocho en el piso de la tía Zulema, todo se iba dando más amortiguado, volver atrás pero de otra manera, con Liliana obligándose a pensar en los viejos más que en ella, controlándose, y Alfredo entre ellos con Acosta y Fernandito desviando los tiros directos, cruzándose para ayudar a Liliana, para convencerlo al viejo de que descansara después de tamaño viaje, yéndose de a uno hasta que solamente Alfredo y la tía Zulema, la casa callada, Liliana aceptando una pastilla, dejándose llevar a la cama sin haber aflojado una sola vez, durmiéndose casi de golpe como después de algo cumplido hasta lo último. Por la mañana eran las carreras del Pocho en el living, arrastrar de las zapatillas del viejo, la primera llamada telefónica, casi siempre Clotilde o Ramos, mamá queján-

dose del calor o la humedad, hablando del almuerzo con
la tía Zulema, a las seis Alfredo, a veces el Pincho con su
hermana o Acosta para que el Pocho jugara con su hija,
los colegas del laboratorio que reclamaban a Liliana,
había que volver a trabajar y no seguir encerrada en la
casa, que lo hiciera por ellos, estaban faltos de químicos
y Liliana era necesaria, que viniera medio día en todo caso
hasta que se sintiera con más ánimo; Alfredo la llevó la
primera vez, Liliana no tenía ganas de manejar, después
no quiso ser molesta y sacó el auto, a veces salía con el
Pocho por la tarde, lo llevaba al zoológico o al cine, en
el laboratorio le agradecían que les diera una mano con
las nuevas vacunas, un brote epidémico en el litoral,
quedarse hasta tarde trabajando, tomándole gusto, una
carrera en equipo contra el reloj, veinte cajones de ampo-
llas a Rosario, lo hicimos, tarea, el Pocho en el colegio
y Alfredo protestando, a estos chicos les enseñan de otra
manera la aritmética, me hace cada pregunta que me deja
tieso, y los viejos con el dominó, en nuestros tiempos
todo era diferente, Alfredo, nos enseñaban caligrafía y
mire la letra que tiene este chico, adónde vamos a parar.
La recompensa silenciosa de mirarla a Liliana perdida en
un sofá, una simple ojeada por encima del diario y verla
sonreír, cómplice sin palabras, dándole la razón a los
viejos, sonriéndole desde lejos casi como una chiquilina.
Pero por primera vez una sonrisa de verdad, desde adentro como cuando fueron al circo con el Pocho que había
mejorado en el colegio y lo llevaron a tomar helados,
a pasear por el puerto. Empezaban los grandes fríos,
Alfredo iba menos seguido a la casa porque había problemas sindicales y tenía que viajar a las provincias, a
veces venía Acosta con su hija y los domingos el Pincho
o Fernandito, ya no importaba, todo el mundo tenía
tanto que hacer y los días eran cortos, Liliana volvía tarde
del laboratorio y le daba una mano al Pocho perdido en
los decimales y la cuenca del Amazonas, al final y siempre
Alfredo, los regalitos para los viejos, esa tranquilidad
nunca dicha de sentarse con él cerca del fuego ya tarde
y hablar en voz baja de los problemas del país, de la salud
de mamá, la mano de Alfredo apoyándose en el brazo de

Liliana, te cansás demasiado, no tenés buena cara, la sonrisa agradecida negando, un día iremos a la quinta, este frío no puede durar toda la vida, nada podía durar toda la vida aunque Liliana lentamente retirara el brazo y buscara los cigarrillos en la mesita, las palabras casi sin sentido, los ojos encontrándose de otra manera hasta que de nuevo la mano resbalando por el brazo, las cabezas juntándose y el largo silencio, el beso en la mejilla.

No había nada que decir, había ocurrido así y no había nada que decir. Inclinándose para encenderle el cigarrillo que le temblaba entre los dedos, simplemente esperando sin hablar, acaso sabiendo que no habría palabras, que Liliana haría un esfuerzo para tragar el humo y lo dejaría salir con un quejido, que empezaría a llorar ahogadamente, desde otro tiempo, sin separar la cara de la cara de Alfredo, sin negarse y llorando callada, ahora solamente para él, desde todo lo otro que él comprendería. Inútil murmurar cosas tan sabidas, Liliana llorando era el término, el borde desde donde iba a empezar otra manera de vivir. Si calmarla, si devolverla a la tranquilidad hubiera sido tan simple como escribirlo con las palabras alineándose en un cuaderno como segundos congelados, pequeños dibujos del tiempo para ayudar el paso interminable de la tarde, si solamente fuera eso pero la noche llega y también Ramos, increíblemente la cara de Ramos mirando los análisis apenas terminados, buscándome el pulso, de golpe otro, incapaz de disimular, arrancándome las sábanas para mirarme desnudo, palpándome el costado, con una orden incomprensible a la enfermera, un lento, incrédulo reconocimiento al que asisto como desde lejos, casi divertido, sabiendo que no puede ser, que Ramos se equivoca y que no es verdad, que sólo era verdad lo otro, el plazo que no me había ocultado, y la risa de Ramos, su manera de palparme como si no pudiera admitirlo, su absurda esperanza, esto no me lo va a creer nadie, viejo, y yo forzándome a reconocer que a lo mejor es así que en una de esas vaya a saber, mirándolo a Ramos que se endereza y se vuelve a reír y suelta órdenes con una voz que nunca le había oído en esa penumbra y esa modorra, teniendo que convencerme poco a poco de que sí,

de que entonces voy a tener que pedírselo, apenas se vaya
la enfermera voy a tener que pedirle que espere un poco,
que espere por lo menos a que sea de día antes de decírselo
a Liliana, antes de arrancarla a ese sueño en el que por
primera vez no está más sola, a esos brazos que la aprietan
mientras duerme.

Puede pasar en La Rioja, en una provincia que se llame La Rioja, en todo caso pasa de tarde, casi al comienzo de la noche aunque ha empezado antes en el patio de una estancia cuando el hombre ha dicho que el viaje es complicado pero que al final descansará, que finalmente va para eso porque se lo han aconsejado, que se va para pasar quince días tranquilos en Mercedes. Su mujer lo acompaña hasta el pueblo donde tiene que comprar los boletos, también le han dicho que le conviene comprar los boletos en la estación del pueblo y asegurarse de paso de que los horarios no han cambiado. Desde la estancia, con esa vida que llevan, se tiene la impresión de que los horarios y tantas otras cosas deben cambiar frecuentemente en el pueblo, y muchas veces es cierto. Más vale sacar el auto y bajar al pueblo aunque el tiempo sea ya un poco justo para alcanzar el primer tren en Chaves.

Son más de las cinco cuando llegan a la estación y dejan el auto en la plaza polvorienta, entre sulkys y carretas cargadas de fardos o de bidones; no han hablado mucho

* Reproducido con autorización de «Siglo XXI, S. A.», México.

en el auto, aunque el hombre ha preguntado por unas camisas y su mujer le ha dicho que la valija está preparada y que no hay más que meter los papeles y algún libro en el portafolios.

—Juárez sabía los horarios —ha dicho el hombre—. Me explicó cómo tengo que viajar a Mercedes, dijo que es mejor sacar los boletos en el pueblo y comprobar la combinación de los trenes.

—Sí, ya me contaste —ha dicho la mujer.

—De la estancia a Chaves debe haber por lo menos sesenta kilómetros en auto. Parece que el tren que va a Peúlco pasa por Chaves a las nueve y minutos.

—El auto se lo dejas al jefe de la estación —ha dicho su mujer, entre preguntando y decidiendo.

—Sí. El tren de Chaves llega pasada medianoche a Peúlco, pero parece que en el hotel hay siempre piezas con baño. Lo malo es que no da mucho tiempo para descansar porque el otro tren sale a eso de las cinco de la mañana, habrá que preguntar ahora. Después hay un buen tirón hasta llegar a Mercedes.

—Queda lejos, sí.

No hay mucha gente en la estación, algunos paisanos que compran cigarrillos en el quiosco o esperan en el andén. La boletería está al final del andén, casi al borde de las playas de desvío. Es un salón con un mostrador sucio, paredes llenas de carteles y de mapas, y hacia el fondo dos escritorios y la caja de hierro. Un hombre en mangas de camisa atiende el mostrador, una muchacha manipula un aparato telegráfico en uno de los escritorios. Ya es casi de noche pero no han encendido la luz, aprovechan hasta lo último la claridad marrón que pasa lentamente por la ventana del fondo.

—Habrá que volver en seguida a la estancia —dice el hombre—. Falta cargar el equipaje y no sé si tengo bastante nafta.

—Saca los boletos y nos vamos —dice la mujer, que se ha quedado un poco atrás.

—Sí. Esperá que piense. Entonces yo voy primero hasta Peúlco. No, quiero decir que hay que sacar boleto desde donde dijo Juárez, no me acuerdo bien.

—No te acordás —dice la mujer, con esa manera de hacer una pregunta que no es nunca del todo una pregunta.

—Siempre es igual con los nombres —dice él con una sonrisa de fastidio—. Se te vuelan justo en el momento de decirlos. Y después otro boleto desde Peúlco hasta Mercedes.

—Pero por qué dos boletos diferentes —dice la mujer.

—Me explicó Juárez que son dos compañías y por eso hacen falta dos boletos, pero en cambio en cualquier estación te venden los dos y da lo mismo. Una de esas cosas de los ingleses.

—Ya no son más ingleses —dice la mujer.

Un muchacho moreno ha entrado en la boletería y está averiguando algo. La mujer se acerca y se apoya con un codo en el mostrador, y es rubia y tiene una cara cansada y hermosa como perdida en un estuche de pelo dorado que alumbra vagamente su contorno. El boletero la mira un momento, pero ella no dice nada como esperando que su marido se acerque para comprar los boletos. Nadie se saluda en la boletería, está tan oscuro que no parece necesario.

—Aquí en este mapa se ha de ver —dice el hombre yendo hacia la pared de la izquierda—. Mirá, tiene que ser así. Nosotros estamos...

Su mujer se acerca y mira el dedo que vacila sobre el mapa vertical, buscando donde posarse.

—Esta es la provincia —dice el hombre— y nosotros estamos por aquí. Esperá, es aquí. No, debe ser más al sur. Yo tengo que ir para allá, ésa es la dirección, ves. Y ahora estamos aquí, me parece.

Da un paso atrás y mira todo el mapa, lo mira largamente.

—Es la provincia, ¿no?

—Parece —dice la mujer—. Y vos decís que estamos aquí.

—Aquí, claro. Este tiene que ser el camino. Sesenta kilómetros hasta esa estación, como dijo Juárez, el tren tiene que salir de ahí. No veo otra cosa.

—Bueno, entonces sacá los boletos —dice la mujer.

El hombre mira un momento más el mapa y se acerca al boletero. Su mujer lo sigue, vuelve a apoyarse con un codo en el mostrador como si se preparara a esperar mucho tiempo. El muchacho termina de hablar con el boletero y va a consultar los horarios en la pared. Se enciende una luz azul en el escritorio de la telegrafista. El hombre ha sacado la cartera y busca dinero, elige algunos billetes.

—Tengo que ir a...

Se vuelve a su mujer que está mirando un dibujo en el mostrador, algo como un antebrazo mal dibujado con tinta roja.

—¿Cómo era la ciudad adonde tengo que ir? Se me escapa el nombre. No la otra, quiero decir la primera. Yo voy con el auto hasta la primera.

La mujer levanta los ojos y mira en dirección del mapa. El hombre hace un gesto de impaciencia porque el mapa está demasiado lejos para que sirva de algo. El boletero se ha acodado en el mostrador y espera sin hablar. Usa anteojos verdes y por el cuello abierto de la camisa le brota un chorro de pelos cobrizos.

—Vos habías dicho Allende, creo —dice la mujer.

—No, qué va a ser Allende.

—Yo no estaba cuando Juárez te explicó el viaje.

—Juárez me explicó los horarios y las combinaciones, pero yo te repetí los nombres en el auto.

—No hay ninguna estación que se llame Allende —dice el boletero.

—Por supuesto que no hay —dice el hombre—. Adonde yo voy es a...

La mujer está mirando otra vez el dibujo del antebrazo rojo, que no es un antebrazo, ahora está segura.

—Mire, quiero boleto de primera para... Yo sé que tengo que ir en auto, es hacia el norte de la estancia. ¿Entonces vos no te acordás?

—Tienen tiempo —dice el boletero—. Piensen tranquilos.

—No tengo tanto tiempo —dice el hombre—. Ya mismo tengo que ir en el auto hasta... Justamente necesito un boleto desde ahí hasta la otra estación donde se combina para seguir a Allende. Ahora usted dice que no es Allende. ¿Cómo no te acordás, vos?

Se acerca a la mujer, le hace la pregunta mirándola con una sorpresa casi escandalizada. Por un momento está a punto de volver al mapa y buscar, pero renuncia y espera, un poco inclinado sobre su mujer que pasa y repasa un dedo sobre el mostrador.

—Tienen tiempo —repite el boletero.

—Entonces... —dice el hombre—. Entonces, vos...

—Era algo como Moragua —dice la mujer como si preguntara.

El hombre mira hacia el mapa, pero ve que el boletero mueve negativamente la cabeza.

—No es eso —dice el hombre—. No puede ser que no nos acordemos, si justamente mientras veníamos...

—Siempre pasa —dice el boletero—. Lo mejor es distraerse hablando de cualquier cosa, y zás el nombre que cae como un pajarito, hoy mismo se lo decía a un señor que viajaba a Ramallo.

—A Ramallo —repite el hombre—. No, no es a Ramallo. Pero a lo mejor mirando una lista de las estaciones...

—Están ahí —dice el boletero mostrando el horario pegado en la pared—. Ahora que eso sí, son como trescientas. Hay muchos apeaderos y estaciones de carga, pero lo mismo tienen su nombre, no le parece.

El hombre se acerca al horario y apoya el dedo al comienzo de la primera columna. El boletero espera, se quita un cigarrillo de la oreja y lame la punta antes de encenderlo, mirando hacia la mujer que sigue apoyada en el mostrador. En la penumbra tiene la impresión de que la mujer sonríe, pero se ve mal.

—Hacé un poco de luz, Juana —dice el boletero, y la telegrafista estira el brazo hasta la llave de la pared y una lámpara se enciende en el cielo raso amarillento. El hombre ha llegado a la mitad de la segunda columna, su dedo se detiene, vuelve hacia arriba, baja otra vez, se aparta. Ahora sí la mujer sonríe francamente, el boletero la ha visto a la luz de la lámpara y está seguro, también él sonríe sin saber por qué, hasta que el hombre gira bruscamente y vuelve al mostrador. El muchacho moreno se ha sentado en un banco al lado de la puerta y es alguien más ahí, otro par de ojos paseándose de una cara a otra.

—Se me va a hacer tarde —dice el hombre—. Si por lo menos vos te acordaras, a mí se me van los nombres, ya sabés cómo estoy.

—Juárez te había explicado todo —dice la mujer.

—Dejalo tranquilo a Juárez, yo te estoy preguntando a vos.

—Había que tomar dos trenes —dice la mujer—. Primero ibas con el auto hasta una estación, me acuerdo que dijiste que le dejarías el auto al jefe.

—Eso no tiene nada que ver.

—Todas las estaciones tienen jefe —dice el boletero.

El hombre lo mira pero tal vez ni siquiera ha oído. Está esperando que su mujer se acuerde, de pronto parecería que todo depende de ella, de que se acuerde. Ya no le queda mucho tiempo, hay que volver a la estancia, cargar el equipaje y salir hacia el norte. De golpe el cansancio es como ese nombre que no recuerda, un vacío que pesa cada vez más. No ha visto sonreír a la mujer, solamente el boletero la ha visto. Todavía espera que ella se acuerde, la ayuda con su propia inmovilidad, apoya las manos en el mostrador, muy cerca del dedo de la mujer que sigue jugando con el dibujo del antebrazo rojo y lo recorre suavemente ahora que sabe que no es un antebrazo.

—Tiene razón —dice mirando al boletero—. Cuando uno piensa demasiado se le van las cosas. Pero vos, a lo mejor...

La mujer redondea los labios como si quisiera sorber algo.

—A lo mejor me acuerdo —dice—. En el auto hablamos de que primero ibas a... ¿No era a Allende, verdad? Entonces era algo como Allende. Fijate de nuevo en la *a* o en la *b*. Si querés me fijo yo.

—No, no era eso. Juárez me explicó la mejor combinación... Porque hay otra manera de ir, pero entonces hay que cambiar tres veces de tren.

—Es demasiado —dice el boletero—. Ya con dos

cambios basta, y toda la tierra que se junta en el vagón, para no hablar del calor.

El hombre hace un gesto de impaciencia y da la espalda al boletero, se interpone entre él y la mujer. Alcanza a ver de costado al muchacho que los mira desde el banco, y gira un poco más para no ver ni al boletero ni al muchacho, para quedarse completamente solo contra la mujer que ha levantado el dedo del dibujo y se mira la uña barnizada.

—Yo no me acuerdo —dice el hombre en voz muy baja—. Yo no me acuerdo de nada, lo sabés. Pero vos sí, pensá un momento. Vas a ver que te acordás, estoy seguro.

La mujer vuelve a redondear los labios. Parpadea dos, tres veces. La mano del hombre le ciñe la muñeca y aprieta. Ella lo mira, ahora sin parpadear.

—Las Lomas —dice—. A lo mejor era Las Lomas.

—No —dice el hombre—. No puede ser que no te acuerdes.

—Ramallo, entonces. No, ya lo dije antes. Si no es Allende tiene que ser Las Lomas. Si querés me fijo en el mapa.

La mano suelta la muñeca, y la mujer se frota la marca en la piel y sopla levemente encima. El hombre ha agachado la cabeza y respira con trabajo.

—Tampoco hay una estación Las Lomas —dice el boletero.

La mujer lo mira por sobre la cabeza del hombre que se ha doblado todavía más contra el mostrador. Sin apurarse, como tanteando, el boletero le sonríe apenas.

—Peúlco —dice bruscamente el hombre—. Ahora me acuerdo. Era Peúlco, ¿verdad?

—Puede ser —dice la mujer—. A lo mejor es Peúlco, pero no me suena mucho.

—Si va a ir en auto hasta Peúlco tiene para un rato —dice el boletero.

—¿Vos no creés que era Peúlco? —insiste el hombre.

—No sé —dice la mujer—. Vos te acordabas hace un rato, yo no presté mucha atención. A lo mejor era Peúlco.

—Juárez dijo Peúlco, estoy seguro. De la estancia a la estación hay como sesenta kilómetros.

—Hay muchos más —dice el boletero—. No le conviene ir en auto hasta Peúlco. Y cuando esté allá, ¿para dónde sigue?

—¿Cómo para dónde sigo?

—Se lo digo porque Peúlco es un empalme y nada más. Tres casas locas y el hotel de la estación. La gente va a Peúlco para cambiar de tren. Ahora, si usted tiene algún negocio que hacer allá, eso es otra cosa.

—No puede quedar tan lejos —dice la mujer—. Juárez te habló de sesenta kilómetros, de manera que no puede ser Peúlco.

El hombre tarda en contestar, una mano apoyada contra la oreja como si estuviera escuchándose por dentro. El boletero no ha desviado los ojos de la mujer y espera. No está seguro de que ella le haya sonreído al hablar.

—Sí, tiene que ser Peúlco —dice el hombre—. Si está tan lejos es que es la segunda estación. Tengo que sacar boleto hasta Peúlco, y esperar el otro tren. Usted dijo que era un emplame y que había un hotel. Entonces es Peúlco.

—Pero no queda a sesenta kilómetros —dice el boletero.

—Claro que no —dice la mujer, enderezándose y alzando un poco la voz—. Peúlco sería la segunda estación, pero lo que mi marido no recuerda es la primera, y ésa sí queda a sesenta kilómetros. Juárez te lo dijo, creo.

—Ah —dice el boletero—. Bueno, en ese caso usted tendría que ir primero a Chaves y tomar el tren para Peúlco.

—Chaves —dice el hombre—. Podría ser Chaves, claro.

—Entonces de Chaves se va a Peúlco —dice la mujer, casi preguntando.

—Es la única manera de ir desde esta zona —dice el boletero.

—Ya ves —dice la mujer—. Si estás seguro de que la segunda estación es Peúlco...

—¿Vos no te acordás? —dice el hombre—. Ahora estoy casi seguro, pero cuando dijiste Las Lomas también pensé que podría ser ésa.

—Yo no dije Las Lomas, dije Allende.

—Allende no es —dice el hombre—. ¿No dijiste Las Lomas, vos?

—Puede ser, me parecía que en el auto habías hablado de Las Lomas.

—No hay ninguna estación Las Lomas —dice el boletero.

—Entonces habré dicho Allende, pero no estoy segura. Será Chaves y Peúlco como le parece a usted. Sacá boleto de Chaves a Peúlco, entonces.

—Claro —dice el boletero, abriendo un cajón—. Pero desde Peúlco... Porque ya le dije que no es más que un empalme.

El hombre ha buscado en la cartera con un movimiento rápido, pero las últimas palabras le detienen la mano en el aire. El boletero se apoya en el borde del cajón abierto y vuelve a esperar.

—Desde Peúlco quiero boleto para Moragua —dice el hombre, con una voz que se va quedando atrás, que se parece a su mano tendida en el aire con el dinero.

—No hay ninguna estación que se llame Moragua —dice el boletero.

—Era algo así —dice el hombre—. ¿Vos no te acordás?

—Sí, era algo así como Moragua —dice la mujer.

—Con eme hay unas cuantas estaciones —dice el boletero—. Quiero decir, desde Peúlco? ¿Se acuerda cuánto duraba el viaje más o menos?

—Toda la mañana —dice el hombre—. Unas seis horas, o quizá menos.

El boletero mira un mapa sujeto por un vidrio en el extremo del mostrador.

—Podría ser Malumbá, o a lo mejor Mercedes —dice—. A esa distancia no veo más que esas dos, tal vez Amorimba. Amorimba tiene dos emes, a lo mejor es ésa.

—No —dice el hombre—. No es ninguna de ésas.

—Amorimba es un pueblo chico, pero Mercedes y Malumbá son ciudades. Con eme no veo ninguna otra en la zona. Tiene que ser una de ésas si usted toma el tren en Peúlco.

El hombre mira a la mujer, arrugando lentamente los

billetes en la mano todavía tendida, y la mujer redondea
los labios y se encoge de hombros.

—Yo no sé, querido —dice—. A lo mejor era Malumbá,
no te parece.

—Malumbá —repite el hombre—. Vos creés entonces
que es Malumbá.

—No es que yo crea. El señor te dice que desde Peúlco
no hay más que ésa y Mercedes. A lo mejor es Mercedes,
pero...

—Yendo desde Peúlco tiene que ser Mercedes o Malumbá —dice el boletero.

—Ya ves —dice la mujer.

—Es Mercedes —dice el hombre—. Malumbá no me
suena, pero en cambio Mercedes... Yo voy al hotel Mundial, a lo mejor usted me puede decir si está en Mercedes.

—Sí que está —dice el muchacho sentado en el banco—.
El Mundial está a dos cuadras de la estación.

La mujer lo mira, y el boletero espera un momento
antes de acercar los dedos al cajón donde se alinean los
boletos. El hombre se ha doblado sobre el mostrador
como para alcanzarle mejor el dinero, y a la vez vuelve
la cabeza y mira hacia el muchacho.

—Gracias —dice—. Muchas gracias, don.

—Es una cadena de hoteles —dice el boletero—. Per-
dóname, pero en Malumbá también hay un Mundial, si
vamos a eso, y seguro que en Amorimba, aunque ahí no
estoy seguro.

—Entonces... —dice el hombre.

—Haga la prueba, total si no es Mercedes siempre
puede tomar otro tren hasta Malumbá.

—A mí me suena más Mercedes —dice el hombre—.
No sé por qué pero me suena más. ¿Y a vos?

—A mí también, sobre todo al principio.

—¿Cómo al principio?

—Cuando el joven te dijo lo del hotel. Pero si en Malumbá también hay un hotel Mundial...

—Es Mercedes —dice el hombre—. Estoy seguro de
que es Mercedes.

—Sacá los boletos, entonces —dice la mujer como des-
entendiéndose.

—De Chaves a Peúlco, y de Peúlco a Mercedes —dice el boletero.

El pelo oculta el perfil de la mujer, que está mirando otra vez el dibujo rojo en el mostrador, y el boletero no puede verle la boca. Con la mano de uñas pintadas se frota lentamente la muñeca.

—Sí —dice el hombre después de una vacilación que dura apenas—. De Chaves a Peúlco, y de ahí a Mercedes.

—Va a tener que apurarse —dice el boletero, eligiendo un cartoncito azul y otro verde—. Son más de sesenta kilómetros hasta Chaves y el tren pasa a las nueve y cinco.

El hombre pone el dinero sobre el mostrador y el boletero empieza a darle el vuelto, mirando cómo la mujer se frota lentamente la muñeca. No puede saber si sonríe y poco le importa, pero lo mismo le hubiera gustado saber si sonríe detrás de todo ese pelo dorado que le cae sobre la boca.

—Anoche llovió tupido del lado de Chaves —dice el muchacho—. Mejor se apura, señor, los caminos estarán barrosos.

El hombre guarda el vuelto y se pone los boletos en el bolsillo del saco. La mujer se echa el pelo hacia atrás con dos dedos y mira al boletero. Tiene los labios juntos como si sorbiera alguna cosa. El boletero le sonríe.

—Vamos —dice el hombre—. Tengo el tiempo justo.

—Si sale en seguida va a llegar bien —dice el muchacho—. Por las dudas llévese las cadenas, debe estar pesado antes de Chaves.

El hombre asiente, y saluda vagamente con la mano en dirección del boletero. Cuando ya ha salido, la mujer empieza a caminar hacia la puerta que se ha cerrado sola.

—Sería una lástima que al final se hubiera equivocado, ¿no? —dice el boletero como hablándole al muchacho.

Casi en la puerta la mujer vuelve la cabeza y lo mira, pero la luz llega apenas hasta ella y ya es difícil saber si todavía se sonríe, si el golpe de la puerta al cerrarse lo ha dado ella o es el viento que se levanta casi siempre con la caída de la noche.

Después del almuerzo yo hubiera querido quedarme en mi cuarto leyendo, pero papá y mamá vinieron casi en seguida a decirme que esa tarde tenía que llevarlo de paseo.

Lo primero que contesté fue que no, que lo llevara otro, que por favor me dejaran estudiar en mi cuarto. Iba a decirles otras cosas, explicarles por qué no me gustaba tener que salir con él, pero papá dio un paso adelante y se puso a mirarme en esa forma que no puedo resistir, me clava los ojos y yo siento que se me van entrando cada vez más hondo en la cara, hasta que estoy a punto de gritar y tengo que darme vuelta y contestar que sí, que claro, en seguida. Mamá en esos casos no dice nada y no me mira, pero se queda un poco atrás con las dos manos juntas, y yo le veo el pelo gris que le cae sobre la frente y tengo que darme vuelta y contestar que sí, que claro, en seguida. Entonces se fueron sin decir nada más y yo empecé a vestirme, con el único consuelo de que iba a estrenar unos zapatos amarillos que brillaban y brillaban. Cuando salí de mi cuarto eran las dos, y tía Encarnación

110

dijo que podía ir a buscarlo a la pieza del fondo, donde siempre le gusta meterse por la tarde. Tía Encarnación debía darse cuenta de que yo estaba desesperado por tener que salir con él, porque me pasó la mano por la cabeza y después se agachó y me dio un beso en la frente. Sentí que me ponía algo en el bolsillo.

—Para que te compres alguna cosa —me dijo al oído—. Y no te olvides de darle un poco, es preferible.

Yo la besé en la mejilla, más contento, y pasé delante de la puerta de la sala donde estaban papá y mamá jugando a las damas. Creo que les dije hasta luego, alguna cosa así, y después saqué el billete de cinco pesos para alisarlo bien y guardarlo en mi cartera donde ya había otro billete de un peso y monedas.

Lo encontré en un rincón del cuarto, lo agarré lo mejor que pude y salimos por el patio hasta la puerta que daba al jardín de adelante. Una o dos veces sentí la tentación de soltarlo, volver adentro y decirles a papá y mamá que él no quería venir conmigo, pero estaba seguro de que acabarían por traerlo y obligarme a ir con él hasta la puerta de calle. Nunca me habían pedido que lo llevara al centro, era injusto que me lo pidieran porque sabían muy bien que la única vez que me habían obligado a pasearlo por la vereda había ocurrido esa cosa horrible con el gato de los Alvarez. Me parecía estar viendo todavía la cara del vigilante hablando con papá en la puerta, y después papá sirviendo dos vasos de caña, y mamá llorando en su cuarto. Era injusto que me lo pidieran.

Por la mañana había llovido y las veredas de Buenos Aires están cada vez más rotas, apenas se puede andar sin meter los pies en algún charco. Yo hacía lo posible para cruzar por las partes más secas y no mojarme los zapatos nuevos, pero en seguida vi que a él le gustaba meterse en el agua, y tuve que tironear con todas mis fuerzas para obligarlo a ir de mi lado. A pesar de eso consiguió acercarse a un sitio donde había una baldosa un poco más hundida que las otras, y cuando me di cuenta ya estaba completamente empapado y tenía hojas secas por todas partes. Tuve que pararme, limpiarlo, y todo el tiempo sentía que los vecinos estaban mirando desde los

jardines, sin decir nada pero mirando. No quiero mentir,
en realidad no me importaba tanto que nos miraran (que
lo miraran a él, y a mí que lo llevaba de paseo); lo peor
era estar ahí parado, con un pañuelo que se iba mojando
y llenando de manchas de barro y pedazos de hojas secas,
y teniendo que sujetarlo al mismo tiempo para que no
volviera a acercarse al charco. Además yo estoy acostumbrado a andar por las calles con las manos en los bolsillos
del pantalón, silbando o mascando chicle, o leyendo las
historietas mientras con la parte de abajo de los ojos voy
adivinando las baldosas de las veredas que conozco perfectamente desde mi casa hasta el tranvía, de modo que sé
cuándo paso delante de la casa de la Tita o cuándo voy
a llegar a la esquina de Carabobo. Y ahora no podía hacer
nada de eso, y el pañuelo me empezaba a mojar el forro
del bolsillo y sentía la humedad en la pierna, era como para
no creer en tanta mala suerte junta.

A esa hora el tranvía viene bastante vacío, y yo rogaba
que pudiéramos sentarnos en el mismo asiento, ponién-
dolo a él del lado de la ventanilla para que molestara
menos. No es que se mueva demasiado, pero a la gente le
molesta lo mismo y yo comprendo. Por eso me afligí al
subir, porque el tranvía estaba casi lleno y no había ningún
asiento doble desocupado. El viaje era demasiado largo
para quedarnos en la plataforma, el guarda me hubiera
mandado que me sentara y lo pusiera en alguna parte;
así que lo hice entrar en seguida y lo llevé hasta un asiento
del medio donde una señora ocupaba el lado de la ventanilla. Lo mejor hubiera sido sentarme detrás de él para
vigilarlo, pero el tranvía estaba lleno y tuve que seguir
adelante y sentarme bastante más lejos. Los pasajeros no
se fijaban mucho, a esa hora la gente va haciendo la digestión y está medio dormida con los barquinazos del
tranvía. Lo malo fue que el guarda se paró al lado del
asiento donde yo lo había instalado, golpeando con una
moneda en el fierro de la máquina de los boletos, y yo
tuve que darme vuelta y hacerle señas de que viniera a
cobrarme a mí, mostrándole la plata para que comprendiera que tenía que darme dos boletos, pero el guarda
era uno de esos chinazos que están viendo las cosas y no

quieren entender, dale con la moneda golpeando contra
la máquina. Me tuve que levantar (y ahora dos o tres pasajeros me miraban) y acercarme al otro asiento. «Dos
boletos», le dije. Cortó uno, me miró un momento, y
después me alcanzó el boleto y miró para abajo, medio
de reojo. «Dos, por favor», repetí, seguro de que todo el
tranvía estaba enterado. El chinazo cortó el otro boleto
y me lo dio, iba a decirme algo pero yo le alcancé la plata
justa y me volví en dos trancos a mi asiento, sin mirar
para atrás. Lo peor era que a cada momento tenía que
darme vuelta para ver si seguía quieto en el asiento de
atrás, y con eso iba llamando la atención de algunos
pasajeros. Primero decidí que sólo me daría vuelta al
pasar cada esquina, pero las cuadras me parecían terriblemente largas y a cada momento tenía miedo de oír alguna
exclamación o un grito, como cuando el gato de los
Alvarez. Entonces me puse a contar hasta diez, igual
que en las peleas, y eso venía a ser más o menos media
cuadra. Al llegar a diez me daba vuelta disimuladamente,
por ejemplo arreglándome el cuello de la camisa o me-
tiendo la mano en el bolsillo del saco, cualquier cosa que
diera la impresión de un tic nervioso o algo así.

Como a las ocho cuadras no sé por qué me pareció que
la señora que iba del lado de la ventanilla se iba a bajar. Eso
era lo peor, porque le iba a decir algo para que la dejara
pasar, y cuando él no se diera cuenta o no quisiera darse
cuenta, a lo mejor la señora, señora, se enojaba y quería
pasar a la fuerza, pero yo sabía lo que iba a ocurrir en ese
caso y estaba con los nervios de punta, de manera que
empecé a mirar para atrás antes de llegar a cada esquina,
y en una de esas me pareció que la señora estaba ya a
punto de levantarse, y hubiera jurado que le decía algo
porque miraba de su lado y yo creo que movía la boca.
Justo en ese momento una vieja gorda se levantó de uno
de los asientos cerca del mío y empezó a andar por el
pasillo, y yo iba detrás queriendo empujarla, darle una
patada en las piernas para que se apurara y me dejara
llegar al asiento donde la señora había agarrado una
canasta o algo que tenía en el suelo y ya se levantaba para
salir. Al final creo que la empujé, la oí que protestaba,

no sé cómo llegué al lado del asiento y conseguí sacarlo
a tiempo para que la señora pudiera bajarse en la esquina.
Entonces lo puse contra la ventanilla y me senté a su lado,
tan feliz aun que cuatro o cinco idiotas me estuvieran mirando desde los asientos de adelante y desde la plataforma donde a lo mejor el chinazo les había dicho alguna cosa.

Ya andábamos por el Once, y afuera se veía un sol
precioso y las calles estaban secas. A esa hora si yo hubiera viajado solo me habría largado del tranvía para
seguir a pie hasta el centro, para mí no es nada ir a pie
desde el Once a Plaza de Mayo, una vez que me tomé el
tiempo le puse justo treinta y dos minutos, claro que
corriendo de a ratos y sobre todo al final. Pero ahora en
cambio tenía que ocuparme de la ventanilla, porque un
día alguien había contado que era capaz de abrir de golpe
la ventanilla y tirarse afuera, nada más que por el gusto
de hacerlo, como tantos otros gustos que nadie se explicaba. Una o dos veces me pareció que estaba a punto de
levantar la ventanilla, y tuve que pasar el brazo por detrás
y sujetarla por el marco. A lo mejor eran cosas mías,
tampoco quiero asegurar que estuviera por levantar la
ventanilla y tirarse. Por ejemplo, cuando lo del inspector
me olvidé completamente del asunto y sin embargo no
se tiró. El inspector era un tipo alto y flaco que apareció
por la plataforma delantera y se puso a marcar los boletos
con ese aire amable que tienen algunos inspectores. Cuando llegó a mi asiento le alcancé los dos boletos y él marcó
uno, miró para abajo, después miró el otro boleto, lo fue
a marcar y se quedó con el boleto metido en la ranura
de la pinza, y todo el tiempo yo rogaba que lo marcara
de una vez y me lo devolviera, me parecía que la gente
del tranvía nos estaba mirando cada vez más. Al final lo
marcó encogiéndose de hombros, me devolvió los dos
boletos, y en la plataforma de atrás oí que alguien soltaba
una carcajada, pero naturalmente no quise darme vuelta,
volví a pasar el brazo y sujeté la ventanilla, haciendo como
que no veía más al inspector y a todos los otros. En Sar-
miento y Libertad se empezó a bajar la gente, y cuando
llegamos a Florida ya no había casi nadie. Esperé hasta
San Martín y lo hice salir por la plataforma delantera,

porque no quería pasar al lado del chinazo que a lo mejor me decía alguna cosa.

A mí me gusta mucho la Plaza de Mayo, cuando me hablan del centro pienso en seguida en la Plaza de Mayo. Me gusta por las palomas, por la Casa de Gobierno y porque trae tantos recuerdos de historia, de las bombas que cayeron cuando hubo revolución, y los caudillos que habían dicho que iban a atar sus caballos en la Pirámide. Hay maniseros y tipos que venden cosas, en seguida se encuentra un banco vacío y si uno quiere puede seguir un poco más y al rato llega al puerto y ve los barcos y los guinches. Por eso pensé que lo mejor era llevarlo a la Plaza de Mayo, lejos de los autos y los colectivos, y sentarnos un rato ahí hasta que fuera hora de ir volviendo a casa. Pero cuando bajamos del tranvía y empezamos a andar por San Martín sentí como un mareo, de golpe me daba cuenta de que me había cansado terriblemente, casi una hora de viaje y todo el tiempo teniendo que mirar hacia atrás, hacerme el que no veía que nos estaban mirando, y después el guarda con los boletos, y la señora que se iba a bajar, y el inspector. Me hubiera gustado tanto poder entrar en una lechería y pedir un helado o un vaso de leche, pero estaba seguro de que no iba a poder, que me iba a arrepentir si lo hacía entrar en un local cualquiera donde la gente estaría sentada y tendría más tiempo para mirarnos. En la calle la gente se cruza y cada uno sigue viaje, sobre todo en San Martín que está lleno de bancos y oficinas y todo el mundo anda apurado con portafolios debajo del brazo. Así que seguimos hasta la esquina de Cangallo, y entonces cuando íbamos pasando delante de las vidrieras de Peuser que estaban llenas de tinteros y cosas preciosas, sentí que él no quería seguir, se hacía cada vez más pesado y por más que yo tiraba (tratando de no llamar la atención) casi no podía caminar y al final tuve que pararme delante de la última vidriera, haciéndome el que miraba los juegos de escritorio repujados en cuero. A lo mejor estaba un poco cansado, a lo mejor no era un capricho. Total, estar ahí parados no tenía nada de malo, pero igual no me gustaba porque la gente que pasaba tenía más tiempo para fijarse, y dos o tres veces me di cuenta de que alguien le hacía algún comentario a otro, o se pegaban con el codo para llamarse la atención. Al final no pude más y lo agarré otra vez, haciéndome el que caminaba con naturalidad, pero cada paso me costaba como en esos sueños en que uno tiene unos zapatos que pesan toneladas y apenas puede despegarse del suelo. A la larga conseguí que se le pasara el capricho de quedarse ahí parado, y seguimos por San Martín hasta la esquina de la Plaza de Mayo. Ahora la cosa era cruzar, porque a él no le gusta cruzar una calle. Es capaz de abrir la ventanilla del tranvía y tirarse, pero no le gusta cruzar la calle. Lo malo es que para llegar a la Plaza de Mayo hay que cruzar siempre alguna calle con mucho tráfico, en Cangallo y Bartolomé Mitre no había sido tan difícil pero ahora yo estaba a punto de renunciar, me pesaba terriblemente en la mano, y dos veces que el tráfico se paró y los que estaban a nuestro lado en el cordón de la vereda empezaron a cruzar la calle, me di cuenta de que no íbamos a poder llegar al otro lado porque se plantaría justo en la mitad, y entonces preferí seguir esperando hasta que se decidiera. Y claro, el del puesto de revistas de la esquina ya estaba mirando cada vez más, y le decía algo a un pibe de mi edad que hacía muecas y le contestaba qué sé yo, y los autos seguían pasando y se paraban y volvían a pasar, y nosotros ahí plantados. En una de esas se iba a acercar el vigilante, eso era lo peor que nos podía suceder porque los vigilantes son muy buenos y por eso meten la pata, se ponen a hacer preguntas, averiguan si uno anda perdido, y de golpe a él le puede dar uno de sus caprichos y yo no sé en lo que termina la cosa. Cuanto más pensaba más me afligía, y al final tuve miedo de veras, casi como ganas de vomitar, lo juro, y en un momento en que paró el tráfico lo agarré bien y cerré los ojos y tiré para adelante doblándome casi en dos, y cuando estuvimos en la Plaza lo solté, seguí dando unos pasos solo, y después volví para atrás y hubiera querido que se muriera, que ya estuviera muerto, o que papá y mamá estuvieran muertos, y yo también al fin y al cabo, que todos estuvieran muertos y enterrados menos tía Encarnación.

Pero esas cosas se pasan en seguida, vimos que había un banco muy lindo completamente vacío, y yo lo sujeté sin tironearlo y fuimos a ponernos en ese banco y a mirar las palomas que por suerte no se dejan agarrar como los gatos. Compré manises y caramelos, le fui dando de las dos cosas y estábamos bastante bien con ese sol que hay por la tarde en la Plaza de Mayo y la gente que va de un lado a otro. Yo no sé en qué momento me vino la idea de abandonarlo ahí, lo único que me acuerdo es que estaba pelándole un maní y pensando al mismo tiempo que si me hacía el que iba a tirarles algo a las palomas que andaban más lejos, sería facilísimo dar la vuelta a la pirámide y perderlo de vista. Me parece que en ese momento no pensaba en volver a casa ni en la cara de papá y mamá, porque si lo hubiera pensado no habría hecho esa pavada. Debe ser muy difícil abarcar todo al mismo tiempo como hacen los sabios y los historiadores, yo pensé solamente que lo podía abandonar ahí y andar solo por el centro con las manos en los bolsillos, y comprarme una revista o entrar a tomar un helado en alguna parte antes de volver a casa. Le seguí dando manises un rato pero ya estaba decidido, y en una de esas me hice el que me levantaba para estirar las piernas y vi que no le importaba si seguía a su lado o me iba a darle manises a las palomas. Les empecé a tirar lo que me quedaba, y las palomas me andaban por todos lados, hasta que se me acabó el maní y se cansaron. Desde la otra punta de la plaza apenas se veía el banco; fue cosa de un momento cruzar a la Casa Rosada donde siempre hay dos granaderos de guardia, y por el costado me largué hasta el Paseo Colón, esa calle donde mamá dice que no deben ir los niños solos. Ya por costumbre me daba vuelta a cada momento, pero era imposible que me siguiera, lo más que podría estar haciendo sería revolcarse alrededor del banco hasta que se acercara alguna señora de la beneficencia o algún vigilante.

No me acuerdo muy bien de lo que pasó en ese rato en que yo andaba por el Paseo Colón que es una avenida como cualquier otra. En una de esas yo estaba sentado en una vidriera baja de una casa de importaciones y exportaciones, y entonces me empezó a doler el estómago,

no como cuando uno tiene que ir en seguida al baño, era
más arriba, en el estómago verdadero, como si se me re-
torciera poco a poco, y yo quería respirar y me costaba,
entonces tenía que quedarme quieto y esperar que se
pasara el calambre, y delante de mí se veía como una
mancha verde y puntitos que bailaban, y la cara de papá,
al final era solamente la cara de papá porque yo había
cerrado los ojos, me parece, y en medio de la mancha
verde estaba la cara de papá. Al rato pude respirar mejor,
y unos muchachos me miraron un momento y uno le
dijo al otro que yo estaba descompuesto, pero yo moví
la cabeza y dije que no era nada, que siempre me daban
calambres pero se me pasaban en seguida. Uno dijo que
si yo quería que fuera a buscar un vaso de agua, y el otro
me aconsejó que me secara la frente porque estaba sudando. Yo me sonreí y dije que ya estaba bien, y me puse
a caminar para que se fueran y me dejaran solo. Era cierto
que estaba sudando porque me caía el agua por las cejas
y una gota salada me entró en un ojo, y entonces saqué el
pañuelo y me lo pasé por la cara y sentí un arañazo en el
labio, y cuando miré era una hoja seca pegada en el pañuelo que me había arañado la boca.

No sé cuánto tardé en llegar otra vez a la Plaza de
Mayo. A la mitad de la subida me caí pero volví a levantarme antes que nadie se diera cuenta, y crucé a la carrera
entre todos los autos que pasaban por delante de la Casa
Rosada. Desde lejos vi que no se había movido del banco,
pero seguí corriendo y corriendo hasta llegar al banco, y
me tiré como muerto mientras las palomas salían volando
asustadas y la gente se daba vuelta con ese aire que toman
para mirar a los chicos que corren, como si fuera un
pecado. Después de un rato lo limpié un poco y dije que
teníamos que volver a casa. Lo dije para oírme yo mismo
y sentirme todavía más contento, porque con él lo único
que servía era agarrarlo bien y llevarlo, las palabras no
las escuchaba o se hacía el que no las escuchaba. Por suerte
esta vez no se encaprichó al cruzar las calles, y el tranvía
estaba casi vacío al comienzo del recorrido, así que lo
puse en el primer asiento y me senté al lado y no me di
vuelta ni una sola vez en todo el viaje, ni siquiera al ba-

jarnos. La última cuadra la hicimos muy despacio, él queriendo meterse en los charcos y yo luchando para que pasara por las baldosas secas. Pero no me importaba, no me importaba nada. Pensaba todo el tiempo: «Lo abandoné», lo miraba y pensaba: «Lo abandoné», y aunque no me había olvidado del Paseo Colón me sentía tan bien, casi orgulloso. A lo mejor otra vez... No era fácil, pero a lo mejor... Quién sabe con qué ojos me mirarían papá y mamá cuando me vieran llegar con él de la mano. Claro que estarían contentos de que yo lo hubiera llevado a pasear al centro, los padres siempre están contentos de esas cosas; pero no sé por qué en ese momento se me daba por pensar que también a veces papá y mamá sacaban el pañuelo para secarse, y que también en el pañuelo había una hoja seca que les lastimaba la cara.

> *And one kiss I had of her mouth, as I took*
> *the apple from her hand. But while I bit it,*
> *my brain whirled and my foot stumbled; and I*
> *felt my crashing fall through the tangled boughs*
> *beneath her feet, and saw the dead white faces*
> *that welcomed me in the pit.*

Dante Gabriel Rossetti
The Orchard-Pit.

Porque ya no ha de importarle, pero esa vez le dolió la coincidencia de los chismes entrecortados, la cara servil de Madre Celeste contándole a tía Bebé, la incrédula desazón en el gesto de su padre. Primero fue la de la casa de altos, su manera vacuna de girar despacio la cabeza, rumiando las palabras con delicia de bolo vegetal. Y también la chica de la farmacia —«no porque yo lo crea, pero si fuese verdad qué horrible»— y hasta don Emilio, siempre discreto como sus lápices y sus libretas de hule. Todos hablaban de Delia Mañara con un resto de pudor, nada seguros de que pudiera ser así, pero en Mario se abría paso a puerta limpia un aire de rabia subiéndole a la cara. Odió de improviso a su familia con un ineficaz estallido de independencia. No los había querido nunca, sólo la sangre y el miedo a estar solo lo ataban a su madre y a los hermanos. Con los vecinos fue directo y brutal, a don Emilio lo puteó de arriba abajo la primera vez que se repitieron los comentarios. A la de la casa de altos le

negó el saludo como si eso pudiera afligirla. Y cuando
volvía del trabajo entraba ostensiblemente para saludar
a los Mañara y acercarse —a veces con caramelos o un
libro— a la muchacha que había matado a sus dos novios.

Yo me acuerdo mal de Delia, pero era fina y rubia,
demasiado lenta en sus gestos (yo tenía doce años, el
tiempo y las cosas son lentas entonces) y usaba vestidos
claros con faldas de vuelo libre. Mario creyó un tiempo
que la gracia de Delia y sus vestidos apoyaban el odio
de la gente. Se lo dijo a Madre Celeste: «La odian porque
no es chusma como ustedes, como yo mismo», y ni par-
padeó cuando su madre hizo ademán de cruzarle la cara
con una toalla. Después de eso fue la ruptura manifiesta;
lo dejaban solo, le lavaban la ropa como por favor, los
domingos se iban a Palermo o de picnic sin siquiera
avisarle. Entonces Mario se acercaba a la ventana de
Delia y le tiraba una piedrita. A veces ella salía, a veces
la escuchaba reírse adentro, un poco malvadamente y
sin darle esperanzas.

Vino la pelea Firpo-Dempsey y en cada casa se lloró
y hubo indignaciones brutales, seguidas de una humillada
melancolía casi colonial. Los Mañara se mudaron a cuatro
cuadras y eso hace mucho en Almagro, de manera que
otros vecinos empezaron a tratar a Delia, las familias
de Vitoria y Castro Barros se olvidaron del caso y Mario
siguió viéndola dos veces por semana cuando volvía
del banco. Era ya verano y Delia quería salir a veces,
iban juntos a las confiterías de Rivadavia o a sentarse en
Plaza Once. Mario cumplió diecinueve años, Delia vio
llegar sin fiestas —todavía estaba de negro— los veintidós.

Los Mañara encontraban injustificado el luto por un
novio, hasta Mario hubiera preferido un dolor sólo por
dentro. Era penoso presentar la sonrisa velada de Delia
cuando se ponía el sombrero ante el espejo, tan rubia
sobre el luto. Se dejaba adorar vagamente por Mario
y los Mañara, se dejaba pasear y comprar cosas, volver
con la última luz y recibir los domingos por la tarde.
A veces salía sola hasta el antiguo barrio, donde Héctor
la había festejado. Madre Celeste la vio pasar una tarde
y cerró con ostensible desprecio las persianas. Un gato

seguía a Delia, todos los animales se mostraban siempre
sometidos a Delia, no se sabía si era cariño o dominación,
le andaban cerca sin que ella los mirara. Mario notó una
vez que un perro se apartaba cuando Delia iba a acari-
ciarlo. Ella lo llamó (era en el Once, de tarde) y el perro
vino manso, tal vez contento, hasta sus dedos. La madre
decía que Delia había jugado con arañas cuando chiquita.
Todos se asombraban, hasta Mario que les tenía poco
miedo. Y las mariposas venían a su pelo —Mario vio
dos en una sola tarde, en San Isidro—, pero Delia las
ahuyentaba con un gesto liviano. Héctor le había regalado un conejo blanco, que murió pronto, antes que
Héctor. Pero Héctor se tiró en Puerto Nuevo, un domingo de madrugada. Fue entonces cuando Mario oyó los
primeros chismes. La muerte de Rolo Médicis no había
interesado a nadie desde que medio mundo se muere de
un síncope. Cuando Héctor se suicidó los vecinos vieron
demasiadas coincidencias, en Mario renacía la cara servil
de Madre Celeste contándole a tía Bebé, la incrédula
desazón en el gesto de su padre. Para colmo fractura del
cráneo, porque Rolo cayó de una pieza al salir del zaguán
de los Mañara, y aunque ya estaba muerto el golpe brutal
contra el escalón fue otro feo detalle. Delia se había quedado dentro, raro que no se despidieran en la misma
puerta, pero de todos modos estaba cerca de él y fue la
primera en gritar. En cambio Héctor murió solo, en una
noche de helada blanca, a las cinco horas de haber salido
de casa de Delia como todos los sábados.

   Yo me acuerdo mal de Mario, pero dicen que hacía
linda pareja con Delia. Aunque ella estaba todavía con
el luto por Héctor (nunca se puso luto por Rolo, vaya
a saber el capricho), aceptaba la compañía de Mario para
pasear por Almagro o ir al cine. Hasta ese entonces Mario
se había sentido fuera de Delia, de su vida, hasta de la
casa. Era siempre una «visita», y entre nosotros la palabra
tiene un sentido exacto y divisorio. Cuando la tomaba
del brazo para cruzar la calle, o al subir la escalera de la
estación Medrano, miraba a veces su mano apretada contra
la seda negra del vestido de Delia. Medía ese blanco
sobre negro, esa distancia. Pero Delia se acercaría cuando

volviera al gris, a los claros sombreros para el domingo
de mañana.

Ahora que los chismes no eran un artificio absoluto,
lo miserable para Mario estaba en que anexaban episodios
indiferentes para darles un sentido. Mucha gente muere
en Buenos Aires de ataques cardíacos o asfixia por in-
mersión. Muchos conejos languidecen y mueren en las
casas, en los patios. Muchos perros rehúyen o aceptan
las caricias. Las pocas líneas que Héctor dejó a su madre,
los sollozos que la de la casa de altos dijo haber oído en
el zaguán de los Mañara la noche en que murió Rolo
(pero antes del golpe), el rostro de Delia los primeros
días... La gente pone tanta inteligencia en esas cosas,
y cómo de tantos nudos agregándose nace al final el trozo
de tapiz —Mario veía a veces el tapiz, con asco, con
terror, cuando el insomnio entraba en su piecita para
ganarle la noche.

«Perdonáme mi muerte, es imposible que entiendas
pero perdonáme, mamá.» Un papelito arrancado al borde
de *Crítica*, apretado con una piedra al lado del saco que
quedó como un mojón para el primer marinero de la
madrugada. Hasta esa noche había sido tan feliz, claro
que lo había visto raro las últimas semanas; no raro,
mejor distraído, mirando el aire como si viera cosas.
Igual que si tratara de escribir algo en el aire, descifrar
un enigma. Todos los muchachos del café *Rubí* estaban
de acuerdo. Mientras que Rolo no, le falló el corazón
de golpe, Rolo era un muchacho solo y tranquilo, con
plata y un Chevrolet doble faetón, de manera que pocos
lo habían confrontado en ese tiempo final. En los za-
guanes las cosas resuenan tanto, la de la casa de altos
sostuvo días y días que el llanto de Rolo había sido como
un alarido sofocado, un grito entre las manos que quieren
ahogarlo y lo van cortando en pedazos. Y casi en seguida
el golpe atroz de la cabeza contra el escalón, la carrera
de Delia clamando, el revuelo ya inútil.

Sin darse cuenta, Mario juntaba pedazos de episodios,
se descubría urdiendo explicaciones paralelas al ataque
de los vecinos. Nunca preguntó a Delia, esperaba vagamente algo de ella. A veces pensaba si Delia sabría exac-

tamente lo que se murmuraba. Hasta los Mañara eran
raros, con su manera de aludir a Rolo y a Héctor sin violencia, como si estuviesen de viaje. Delia callaba pro-
tegida por ese acuerdo precavido e incondicional. Cuando
Mario se agregó, discreto como ellos, los tres cubrieron
a Delia con una sombra fina y constante, casi transparente
los martes o los jueves, más palpable y solícita de sábado
o lunes. Delia recobraba ahora una menuda vivacidad
episódica, un día tocó el piano, otra vez jugó al ludo;
era más dulce con Mario, lo hacía sentarse cerca de la
ventana de la sala y le explicaba proyectos de costura
o de bordado. Nunca le decía nada de los postres o los
bombones, a Mario le extrañaba pero lo atribuía a deli-
cadeza, a miedo de aburrirlo. Los Mañara alababan los
licores de Delia; una noche quisieron servirle una copita,
pero Delia dijo con brusquedad que eran licores para
mujeres y que había volcado casi todas las botellas.
«A Héctor...» empezó plañidera su madre, y no dijo más
por no apenar a Mario. Después se dieron cuenta de que
a Mario no lo molestaba la evocación de los novios.
No volvieron a hablar de licores hasta que Delia recobró
la animación y quiso probar recetas nuevas. Mario se
acordaba de esa tarde porque acababan de ascenderlo,
y lo primero que hizo fue comprarle bombones a Delia.
Los Mañara picoteaban pacientemente la galena del apa-
ratito con teléfonos, y lo hicieron quedarse un rato en el
comedor para que escuchara cantar a Rosita Quiroga.
Luego él les dijo lo del ascenso, y que le traía bombones
a Delia.
    —Hiciste mal en comprar eso, pero andá lleváselos,
está en la sala. —Y lo miraron salir y se miraron hasta
que Mañara se sacó los teléfonos como si se quitara una
corona de laurel, y la señora suspiró desviando los ojos.
De pronto los dos parecían desdichados, perdidos. Con
un gesto turbio Mañara levantó la palanquita de la galena.
    Delia se quedó mirando la caja y no hizo mucho caso
de los bombones, pero cuando estaba comiendo el segundo, de menta con una crestita de nuez, le dijo a Mario
que sabía hacer bombones. Parecía excusarse por no
haberle confiado antes tantas cosas, empezó a describir

con agilidad la manera de hacer los bombones, el relleno
y los baños de chocolate o moka. Su mejor receta eran
unos bombones a la naranja rellenos de licor, con una
aguja perforó uno de los que le traía Mario para mostrarle cómo se los manipulaba; Mario veía sus dedos
demasiado blancos contra el bombón, mirándola explicar
le parecía un cirujano pausando un delicado tiempo
quirúrgico. El bombón como una menuda laucha entre
los dedos de Delia, una cosa diminuta pero viva que la
aguja laceraba. Mario sintió un raro malestar, una dulzura
de abominable repugnancia. «Tire ese bombón», hubiera
querido decirle. «Tírelo lejos, no vaya a llevárselo a la
boca porque está vivo, es un ratón vivo.» Después le
volvió la alegría del ascenso, oyó a Delia repetir la receta
del licor de té, del licor de rosa... Hundió los dedos en
la caja y comió dos, tres bombones seguidos. Delia se
sonreía como burlándose. El se imaginaba cosas, y fue
temerosamente feliz. «El tercer novio», pensó raramente.
«Decirle así: su tercer novio, pero vivo.»

Ahora ya es más difícil hablar de esto, está mezclado
con otras historias que uno agrega a base de olvidos me-
nores, de falsedades mínimas que tejen y tejen por detrás
de los recuerdos; parece que él iba más seguido a lo de
Mañara, la vuelta a la vida de Delia lo ceñía a sus gustos
y a sus caprichos, hasta los Mañara le pidieron con algún
recelo que alentara a Delia, y él compraba las sustancias
para los licores, los filtros y embutidos que ella recibía
con una grave satisfacción en la que Mario sospechaba
un poco de amor, por lo menos algún olvido de los
muertos.

Los domingos se quedaba de sobremesa con los suyos,
y Madre Celeste se lo agradecía sin sonreír, pero dándole
lo mejor del postre y el café muy caliente. Por fin habían
cesado los chismes, al menos no se hablaba de Delia en
su presencia. Quién sabe si los bofetones al más chico
de los Camiletti o el agrio encresparse frente a Madre
Celeste entraban en eso; Mario llegó a creer que habían
recapacitado, que absolvían a Delia y hasta la conside-
raban de nuevo. Nunca habló de su casa en lo de Mañara,
ni mencionó a su amiga en las sobremesas del domingo.

Empezaba a creer posible esa doble vida a cuatro cuadras
una de otra; la esquina de Rivadavia y Castro Barros era
el puente necesario y eficaz. Hasta tuvo esperanza de que
el futuro acercara las casas, las gentes, sordo al paso incomprensible que sentía —a veces, a solas— como ínti-
mamente ajeno y oscuro.

Otras gentes no iban a ver a los Mañara. Asombraba
un poco esa ausencia de parientes o de amigos. Mario
no tenía necesidad de inventarse un toque especial de
timbre, todos sabían que era él. En diciembre, con un
calor húmedo y dulce, Delia logró el licor de naranja
concentrado, lo bebieron felices un atardecer de tormenta.
Los Mañara no quisieron probarlo, seguros de que les
haría mal. Delia no se ofendió, pero estaba como trans-
figurada mientras Mario sorbía apreciativo el dedalito
violáceo lleno de luz naranja, de olor quemante. «Me va
a hacer morir de calor, pero está delicioso», dijo una o
dos veces. Delia, que hablaba poco cuando estaba contenta, observó: «Lo hice para vos.» Los Mañara la miraban
como queriendo leerle la receta, la alquimia minuciosa
de quince días de trabajo.

A Rolo le habían gustado los licores de Delia, Mario
lo supo por unas palabras de Mañara dichas al pasar
cuando Delia no estaba: «Ella le hizo muchas bebidas.
Pero Rolo tenía miedo por el corazón. El alcohol es malo
para el corazón.» Tener un novio tan delicado, Mario
comprendía ahora la liberación que asomaba en los gestos,
en la manera de tocar el piano de Delia. Estuvo por preguntarle a los Mañara qué le gustaba a Héctor, si también
Delia le hacía licores o postres a Héctor. Pensó en los
bombones que Delia volvía a ensayar y que se alineaban
para secarse en una repisa de la antecocina. Algo le decía a
Mario que Delia iba a conseguir cosas maravillosas con
los bombones. Después de pedir muchas veces, obtuvo
que ella le hiciera probar uno. Ya se iba cuando Delia
le trajo una muestra blanca y liviana en un platito de
alpaca. Mientras lo saboreaba —algo apenas amargo,
con un asomo de menta y nuez moscada mezclándose
raramente—, Delia tenía los ojos bajos y el aire modesto.
Se negó a aceptar los elogios, no era más que un ensayo

y aún estaba lejos de lo que se proponía. Pero a la visita siguiente —también de noche, ya en la sombra de la despedida junto al piano— le permitió probar otro ensayo. Había que cerrar los ojos para adivinar el sabor, y Mario obediente cerró los ojos y adivinó un sabor a mandarina, levísimo, viniendo desde lo más hondo del chocolate. Sus dientes desmenuzaban trocitos crocantes, no alcanzó a sentir su sabor y era sólo la sensación agradable de encontrar un apoyo entre esa pulpa dulce y esquiva.

Delia estaba contenta del resultado, dijo a Mario que su descripción del sabor se acercaba a lo que había esperado. Todavía faltaban ensayos, había cosas sutiles por equilibrar. Los Mañara le dijeron a Mario que Delia no había vuelto a sentarse al piano, que se pasaba las horas preparando los licores, los bombones. No lo decían con reproche, pero tampoco estaban contentos; Mario adivinó que los gastos de Delia los afligían. Entonces pidió a Delia en secreto una lista de las esencias y sustancias necesarias. Ella hizo algo que nunca antes, le pasó los brazos por el cuello y lo besó en la mejilla. Su boca olía despacito a menta. Mario cerró los ojos, llevado por la necesidad de sentir el perfume y el sabor desde debajo de los párpados. Y el beso volvió, más duro y quejándose.

No supo si le había devuelto el beso, tal vez se quedó quieto y pasivo, catador de Delia en la penumbra de la sala. Ella tocó el piano, como casi nunca ahora, y le pidió que volviera al otro día. Nunca habían hablado con esa voz, nunca se habían callado así. Los Mañara sospecharon algo porque vinieron agitando los periódicos y con noticias de un aviador perdido en el Atlántico. Eran días en que muchos aviadores se quedaban a mitad del Atlántico. Alguien encendió la luz y Delia se apartó enojada del piano, a Mario le pareció un instante que su gesto ante la luz tenía algo de la fuga enceguecida del ciempiés, una loca carrera por las paredes. Abría y cerraba las manos, en el vano de la puerta, y después volvió como avergonzada, mirando de reojo a los Mañara; los miraba de reojo y se sonreía.

Sin sorpresa, casi como una confirmación, midió Mario esa noche la fragilidad de la paz de Delia, el peso persis-

tente de la doble muerte. Rolo, vaya y pase; Héctor era
ya el desborde, el trizado que desnuda un espejo. De Delia
quedaban las manías delicadas, la manipulación de esencias
y animales, su contacto con cosas simples y oscuras, la
cercanía de las mariposas y los gatos, el aura de su respiración a medias en la muerte. Se prometió una caridad
sin límites, una cura de años en habitaciones claras y par-
ques alejados del recuerdo; tal vez sin casarse con Delia,
simplemente prolongando este amor tranquilo hasta que
ella no viese más una tercera muerte andando a su lado,
otro novio, el que sigue para morir.

Creyó que los Mañara iban a alegrarse cuando él empezara a traerle los extractos a Delia; en cambio se en-
furruñaron y se replegaron hoscos, sin comentarios,
aunque terminaban transando y yéndose, sobre todo
cuando venía la hora de las pruebas, siempre en la sala
y casi de noche, y había que cerrar los ojos y definir —con
cuántas vacilaciones a veces por la sutilidad de la materia— el sabor de un trocito de pulpa nueva, pequeño
milagro en el plato de alpaca.

A cambio de esas atenciones Mario obtenía de Delia
una promesa de ir juntos al cine o pasear por Palermo.
En los Mañara advertía gratitud y complicidad cada vez
que venía a buscarla el sábado de tarde o la mañana del
domingo. Como si prefiriesen quedarse solos en la casa
para oír radio o jugar a las cartas. Pero también sospechó
una repugnancia de Delia a irse de la casa cuando quedaban los viejos. Aunque no estaba triste junto a Mario,
las pocas veces que salieron con los Mañara se alegró
más, entonces se divertía de veras en la Exposición Rural,
quería pastillas y aceptaba juguetes que a la vuelta miraba
con fijeza, estudiándolos hasta cansarse. El aire puro le
hacía bien, Mario le vio una tez más clara y un andar
decidido. Lástima esa vuelta vespertina al laboratorio, el
ensimismamiento interminable con la balanza o las tenacillas. Ahora los bombones la absorbían al punto de
dejar los licores; ahora pocas veces daba a probar sus
hallazgos. A los Mañara nunca; Mario sospechaba sin
razones que los Mañara hubieran rehusado probar sa-
bores nuevos; preferían los caramelos comunes y si Delia

dejaba una caja sobre la mesa, sin invitarlos pero como invitándolos, ellos escogían las formas simples, las de antes, y hasta cortaban los bombones para examinar el relleno. A Mario le divertía el sordo descontento de Delia junto al piano, su aire falsamente distraído. Guardaba para él las novedades, a último momento venía de la cocina con el platito de alpaca; una vez se hizo tarde tocando el piano y Delia dejó que la acompañara hasta la cocina para buscar unos bombones nuevos. Cuando encendió la luz, Mario vio el gato dormido en su rincón, y las cucarachas que huían por las baldosas. Se acordó de la cocina de su casa, Madre Celeste desparramando polvo amarillo en los zócalos. Aquella noche los bombones tenían gusto a moka y un dejo raramente salado (en lo más lejano del sabor) como si al final del gusto se escondiera una lágrima; era idiota pensar en eso, en el resto de las lágrimas caídas la noche de Rolo en el zaguán.

El pez de color está tan triste —dijo Delia mostrándole el bocal con piedritas y falsas vegetaciones. Un pececillo rosa translúcido dormitaba con un acompasado movimiento de la boca. Su ojo frío miraba a Mario como una perla viva. Mario pensó en el ojo salado como una lágrima que resbalaría entre los dientes al mascarlo.

—Hay que renovarle más seguido el agua —propuso.

—Es inútil, está viejo y enfermo. Mañana se va a morir.

A él le sonó el anuncio como un retorno a lo peor, a la Delia atormentada del luto y los primeros tiempos. Todavía tan cerca de aquello, del peldaño y el muelle, con fotos de Héctor apareciendo de golpe entre los pares de medias o las enaguas de verano. Y una flor seca —del velorio de Rolo— sujeta sobre una estampa en la hoja del ropero.

Antes de irse le pidió que se casara con él en el otoño. Delia no dijo nada, se puso a mirar el suelo como si buscara una hormiga en la sala. Nunca habían hablado de eso, Delia parecía querer habituarse y pensar antes de contestarle. Después lo miró brillantemente, irguiéndose de golpe. Estaba hermosa, le temblaba un poco la boca.

Hizo un gesto como abrir una puertecita en el aire, un ademán casi mágico.

—Entonces sos mi novio —dijo—. Qué distinto me parecés, qué cambiado.

Madre Celeste oyó sin hablar la noticia, puso a un lado la plancha y en todo el día no se movió de su cuarto, adonde entraban de a uno los hermanos para salir con caras largas y vasitos de Hesperidina. Mario se fue a ver fútbol y por la noche llevó rosas a Delia. Los Mañara lo esperaban en la sala, lo abrazaron y le dijeron cosas, hubo que destapar una botella de oporto y comer masas. Ahora el tratamiento era íntimo y a la vez más lejano. Perdían la simplicidad de amigos para mirarse con los ojos del pariente, del que lo sabe todo desde la primera infancia. Mario besó a Delia, besó a mamá Mañara, y al abrazar fuerte a su futuro suegro hubiera querido decirle que confiaran en él, nuevo soporte del hogar, pero no le venían las palabras. Se notaba que también los Mañara hubieran querido decirle algo y no se animaban. Agitando los periódicos volvieron a su cuarto, y Mario se quedó con Delia y el piano, con Delia y la llamada de amor indio.

Una o dos veces, durante esas semanas de noviazgo, estuvo a un paso de citar a papá Mañara fuera de la casa para hablarle de los anónimos. Después lo creyó inútilmente cruel porque nada podía hacerse contra esos miserables que lo hostigaban. El peor vino un sábado a mediodía en un sobre azul, Mario se quedó mirando la fotografía de Héctor en *Ultima Hora* y los párrafos subrayados con tinta azul. «Sólo una honda desesperación pudo arrastrarlo al suicidio, según declaraciones de los familiares.» Pensó raramente que los familiares de Héctor no habían aparecido más por lo de Mañara. Quizá fueron alguna vez en los primeros días. Se acordaba ahora del pez de color, los Mañara habían dicho que era regalo de la madre de Héctor. Pez de color muerto el día anunciado por Delia. Sólo una honda desesperación pudo arrastrarlo. Quemó el sobre, el recorte, hizo un recuento de sospechosos y se propuso franquearse con Delia, salvarla en sí mismo de los hilos de baba, del rezumar intolerable de esos rumores. A los cinco días (no había hablado con Delia ni con los Mañara) vino el segundo. En la cartulina celeste había primero una estrellita (no se sabía por qué) y después: «Yo que usted tendría cuidado con el escalón de la cancel.» Del sobre salió un perfume vago a jabón de almendra. Mario pensó si la de la casa de altos usaría jabón de almendra, hasta tuvo el torpe valor de revisar la cómoda de Madre Celeste y de su hermana. También quemó este anónimo, tampoco le dijo nada a Delia. Era en diciembre, con el calor de esos diciembres del veintitantos, ahora iba después de cenar a lo de Delia y hablaban paseándose por el jardincito de atrás o dando vuelta a la manzana. Con el calor comían menos bombones, no que Delia renunciara a sus ensayos pero traía pocas muestras a la sala, prefería guardarlos en cajas antiguas, protegidos en moldecitos, con un fino césped de papel verde claro por encima. Mario la notó inquieta, como alerta. A veces miraba hacia atrás en las esquinas, y la noche que hizo un gesto de rechazo al llegar al buzón de Medrano y Rivadavia, Mario comprendió que también a ella la estaban torturando desde lejos; que compartían sin decirlo un mismo hostigamiento.

Se encontró con papá Mañara en el Munich de Cangallo y Pueyrredón, lo colmó de cerveza y papas fritas sin arrancarlo de una vigilante modorra, como si desconfiara de la cita. Mario le dijo riendo que no iba a pedirle plata, sin rodeos le habló de los anónimos, la nerviosidad de Delia, el buzón de Medrano y Rivadavia.

—Ya sé que apenas nos casemos se acabarán estas infamias. Pero necesito que ustedes me ayuden, que la protejan. Una cosa así puede hacerle daño. Es tan delicada, tan sensible.

—Vos querés decir que se puede volver loca, ¿no es cierto?

—Bueno, no es eso. Pero si recibe anónimos como yo y se los calla, y eso se va juntando...

—Vos no la conocés a Delia. Los anónimos se los pasa... quiero decir que no le hacen mella. Es más dura de lo que te pensás.

—Pero mire que está como sobresaltada, que algo la trabaja —atinó a decir indefenso Mario.

—No es por eso, sabés. —Bebía su cerveza como para que le tapara la voz.— Antes fue igual, yo la conozco bien.

—¿Antes de qué?

—Antes de que se le murieran, zonzo. Pagá que estoy apurado.

Quiso protestar pero papá Mañara estaba ya andando hacia la puerta. Le hizo un gesto vago de despedida y se fue para el Once con la cabeza gacha. Mario no se animó a seguirlo, ni siquiera pensar mucho lo que acababa de oír. Ahora estaba otra vez solo como al principio, frente a Madre Celeste, la de la casa de altos y los Mañara. Hasta los Mañara.

Delia sospechaba algo porque lo recibió distinta, casi parlanchina y sonsacadora. Tal vez los Mañara habían hablado del encuentro en el Munich, Mario esperó que tocara el tema para ayudarla a salir de ese silencio, pero ella prefería *Rose Marie* y un poco de Schumann, los tangos de Pacho con un compás cortado y entrador, hasta que los Mañara llegaron con galletitas y málaga y encendieron todas las luces. Se habló de Pola Negri, de un crimen en Liniers, del eclipse parcial y la descompostura del gato. Delia creía que el gato estaba empachado de pelos y apoyaba un tratamiento de aceite de castor. Los Mañara le daban la razón sin opinar pero no parecían convencidos. Se acordaron de un veterinario amigo, de unas hojas amargas. Optaron por dejarlo solo en el jardicito, que él mismo eligiera los pastos curativos. Pero Delia dijo que el gato se moriría, tal vez el aceite le prolongara la vida un poco más. Oyeron a un diarero en la esquina y los Mañara corrieron juntos a comprar *Ultima Hora*. A una muda consulta de Delia fue Mario a apagar las luces de la sala. Quedó la lámpara en la mesa del rincón, manchando de amarillo viejo la carpeta de bordados futuristas. En torno al piano había una luz velada.

Mario preguntó por la ropa de Delia, si trabajaba en su ajuar, si marzo era mejor que mayo para el casamiento. Esperaba un instante de valor para mencionar los anónimos, un resto de miedo a equivocarse lo detenía cada

vez. Delia estaba junto a él en el sofá verde oscuro, su
ropa celeste la recortaba débilmente en la penumbra.
Una vez que quiso besarla, la sintió contraerse poco
a poco.

—Mamá va a volver a despedirse. Esperá que se vayan
a la cama...

Afuera se oía a los Mañara, el crujir del diario, su diálogo continuo. No tenían sueño esa noche, las once y
media y seguían charlando. Delia volvió al piano, como
obstinándose tocaba largos valses criollos con da capo
al fine una vez y otra, escalas y adornos un poco cursis
pero que a Mario le encantaban, y siguió en el piano
hasta que los Mañara vinieron a decirles buenas noches,
y que no se quedaran mucho rato, ahora que él era de la
familia tenía que velar más que nunca por Delia y cuidar
que no trasnochara. Cuando se fueron, como a disgusto
pero rendidos de sueño, el calor entraba a bocanadas por
la puerta del zaguán y la ventana de la sala. Mario quiso
un vaso de agua fresca y fue a la cocina aunque Delia
quería servírselo y se molestó un poco. Cuando estuvo
de vuelta vio a Delia en la ventana, mirando la calle vacía
por donde antes en noches iguales se iban Rolo y Héctor.
Algo de luna se acostaba ya en el piso cerca de Delia, en
el plato de alpaca que Delia guardaba en la mano como
otra pequeña luna. No había querido pedirle a Mario
que probara delante de los Mañara, él tenía que comprender cómo la cansaban los reproches de los Mañara, siempre
encontraban que era abusar de la bondad de Mario pedirle que probara los nuevos bombones —Claro que si
no tenía ganas, pero nadie le merecía más confianza, los
Mañara eran incapaces de apreciar un sabor distinto.
Le ofrecía el bombón como suplicando, pero Mario comprendió el deseo que poblaba su voz, ahora lo abarcaba
con una claridad que no venía de la luna, ni siquiera de
Delia. Puso el vaso de agua sobre el piano (no había bebido
en la cocina) y sostuvo con dos dedos el bombón, con
Delia a su lado esperando el veredicto, anhelosa la respiración como si todo dependiera de eso, sin hablar pero
urgiéndolo con el gesto, los ojos crecidos —o era la sombra
de la sala—, oscilando apenas el cuerpo al jadear, porque

ahora era casi un jadeo cuando Mario acercó el bombón
a la boca, iba a morder, bajaba la mano y Delia gemía
como si en medio de un placer infinito se sintiera de
pronto frustrada. Con la mano libre apretó apenas los
flancos del bombón pero no lo miraba, tenía los ojos en
Delia y la cara de yeso, un pierrot repugnante en la penumbra. Los dedos se separaban, dividiendo el bombón.
La luna cayó de plano en la masa blanquecina de la cu-
caracha, el cuerpo desnudo de su revestimiento coriáceo,
y alrededor, mezclados con la menta y el mazapán, los
trocitos de patas y alas, el polvillo del caparacho tri-
turado.

Cuando le tiró los pedazos a la cara, Delia se tapó los
ojos y empezó a sollozar, jadeando en un hipo que la
ahogaba, cada vez más agudo el llanto como la noche
de Rolo, entonces los dedos de Mario se cerraron en su
garganta como para protegerla de ese horror que le subía
del pecho, un borborigmo de lloro y quejido, con risas
quebradas por retorcimientos, pero él quería solamente
que se callara y apretaba para que solamente se callara,
la de la casa de altos estaría ya escuchando con miedo y
delicia de modo que había que callarla a toda costa. A su
espalda, desde la cocina donde había encontrado al gato
con las astillas clavadas en los ojos, todavía arrastrándose
para morir dentro de la casa, oía la respiración de los
Mañara levantados, escondiéndose en el comedor para
espiarlos, estaba seguro de que los Mañara habían oído
y estaban ahí, contra la puerta, en la sombra del comedor,
oyendo como él hacía callar a Delia. Aflojó el apretón y la
dejó resbalar hasta el sofá, convulsa y negra pero viva.
Oía jadear a los Mañara, le dieron lástima por tantas
cosas, por Delia misma, por dejársela otra vez y viva.
Igual que Héctor y Rolo se iba y se la dejaba. Tuvo
mucha lástima de los Mañara que habían estado ahí agaza-
pados y esperando que él —por fin alguno— hiciera
callar a Delia que lloraba, hiciera cesar por fin el llanto
de Delia.

Cuando inesperadamente tía Clelia se sintió mal, en la familia hubo un momento de pánico y por varias horas nadie fue capaz de reaccionar y discutir un plan de acción, ni siquiera tío Roque que encontraba siempre la salida más atinada. A Carlos lo llamaron por teléfono a la oficina, Rosa y Pepa despidieron a los alumnos de piano y solfeo, y hasta tía Clelia se preocupó más por mamá que por ella misma. Estaba segura de que lo que sentía no era grave, pero a mamá no se le podían dar noticias inquietantes con su presión y su azúcar, de sobra sabían todos que el doctor Bonifaz había sido el primero en comprender y aprobar que le ocultaran a mamá lo de Alejandro. Si tía Clelia tenía que guardar cama era necesario encontrar alguna manera de que mamá no sospechara que estaba enferma, pero ya lo de Alejandro se había vuelto tan difícil y ahora se agregaba esto; la menor equivocación, y acabaría por saber la verdad. Aunque la casa era grande, había que tener en cuenta el oído tan afinado de mamá y su inquietante capacidad para adivinar dónde estaba cada uno. Pepa, que había llamado al doctor Bonifaz desde el teléfono de arriba, avisó a sus hermanos que el médico vendrá lo antes posible y que dejaran entornada la puerta cancel para que entrase sin llamar. Mientras Rosa y tío Roque atendían a tía Clelia que había tenido dos desmayos y se quejaba de un insoportable dolor de cabeza, Carlos se quedó con mamá para contarle las novedades del conflicto diplomático con el Brasil y leerle las últimas noticias. Mamá estaba de buen humor esa tarde y no le dolía la cintura como casi siempre a la hora de la siesta. A todos les fue preguntado qué les pasaba que parecían tan nerviosos, y en la casa se habló de la baja presión y de los efectos nefastos de los mejoradores en el pan. A la hora del té vino tío Roque a charlar con mamá, y Carlos pudo darse un baño y quedarse a la espera del médico. Tía Clelia seguía mejor, pero le costaba moverse en la cama y ya casi no se interesaba por lo que tanto la había preocupado al salir del primer vahído. Pepa y Rosa se turnaron junto a ella, ofreciéndole té y agua sin que les contestara; la casa se apaciguó con el atardecer y los hermanos se dijeron que tal vez lo de tía Clelia no era grave, y que a la tarde siguiente volvería a entrar en el dormitorio de mamá como si no le hubiese pasado nada.

Con Alejandro las cosas habían sido mucho peores, porque Alejandro se había matado en un accidente de auto a poco de llegar a Montevideo donde lo esperaban en casa de un ingeniero amigo. Ya hacía casi un año de eso, pero siempre seguía siendo el primer día para los hermanos y los tíos, para todos menos para mamá, ya que para mamá Alejandro estaba en el Brasil donde una firma de Recife le había encargado la instalación de una fábrica de cemento. La idea de preparar a mamá, de insinuarle que Alejandro había tenido un accidente y que estaba levemente herido, no se les había ocurrido siquiera después de las prevenciones del doctor Bonifaz. Hasta María Laura, más allá de toda comprensión en esas primeras horas, había admitido que no era posible darle la noticia a mamá. Carlos y el padre de María Laura viajaron al Uruguay para traer el cuerpo de Alejandro, mientras la familia cuidaba como siempre de mamá que ese día estaba dolorida y difícil. El club de ingenieros aceptó que el velorio se hiciera en su sede y Pepa, la más ocupada con mamá, ni siquiera alcanzó a ver el ataúd de Alejandro mientras los otros se turnaban de hora en hora y acompañaban a la pobre María Laura perdida en un horror sin lágrimas. Como casi siempre, a tío Roque le tocó pensar. Habló de madrugada con Carlos, que lloraba silenciosamente a su hermano con la cabeza apoyada en la carpeta verde de la mesa del comedor donde tantas veces habían jugado a las cartas. Después se les agregó tía Clelia, porque mamá dormía toda la noche y no había que preocuparse por ella. Con el acuerdo tácito de Rosa y Pepa, decidieron las primeras medidas, empezando por el secuestro de *La Nación* —a veces mamá se animaba a leer el diario unos minutos— y todos estuvieron de acuerdo con lo que había pensado el tío Roque. Fue así como una empresa brasileña contrató a Alejandro para que pasara un año en Recife, y Alejandro tuvo que renunciar en pocas horas a sus breves vacaciones en casa del ingeniero amigo, hacer su valija y saltar al primer avión. Mamá tenía que comprender que eran nuevos tiempos, que los industriales no entendían de sentimientos, pero Alejandro ya encontraría la manera de tomarse una semana de vacaciones a mitad de año y bajar a Buenos Aires. A mamá le pareció muy bien todo eso, aunque lloró un poco y hubo que darle a respirar sus sales. Carlos, que sabía hacerla reír, le dijo que era una vergüenza que llorara por el primer éxito del benjamín de la familia, y que a Alejandro no le hubiera gustado enterarse de que recibían así la noticia de su contrato. Entonces mamá se tranquilizó y dijo que bebería un dedo de málaga a la salud de Alejandro. Carlos salió bruscamente a buscar el vino, pero fue Rosa quien lo trajo y quien brindó con mamá.

La vida de mamá era bien penosa, y aunque poco se quejaba había que hacer todo lo posible por acompañarla y distraerla. Cuando al día siguiente del entierro de Alejandro se extrañó de que María Laura no hubiese venido a visitarla como todos los jueves, Pepa fue por la tarde a casa de los Novalli para hablar con María Laura. A esa hora tío Roque estaba en el estudio de un abogado amigo, explicándole la situación; el abogado prometió escribir inmediatamente a su hermano que trabajaba en Recife (las ciudades no se elegían al azar en casa de mamá) y orga-

nizar lo de la correspondencia. El doctor Bonifaz ya había
visitado como por casualidad a mamá, y después de exa-
minarle la vista la encontró bastante mejor pero le pidió
que por unos días se abstuviera de leer los diarios. Tía
Clelia se encargó de comentarle las noticias más interesantes;
por suerte a mamá no le gustaban los noticieros radiales
porque eran vulgares y a cada rato había avisos de remedios
nada seguros que la gente tomaba contra viento y marea
y así les iba.

María Laura vino el viernes por la tarde y habló de
lo mucho que tenía que estudiar para los exámenes de
arquitectura.

—Sí, mi hijita —dijo mamá mirándola con afecto—.
Tenés los ojos colorados de leer, y eso es malo. Ponete unas
compresas con hamamelis, que es lo mejor que hay.

Rosa y Pepa estaban ahí para intervenir a cada momento
en la conversación, y María Laura pudo resistir y hasta
sonrió cuando mamá se puso a hablar de este pícaro de
novio que se iba tan lejos y casi sin avisar. La juventud
moderna era así, el mundo se había vuelto loco y todos
andaban apurados y sin tiempo para nada. Después mamá
se perdió en las ya sabidas anécdotas de padres y abuelos,
y vino el café y después entró Carlos con bromas y cuentos,
y en algún momento tío Roque se paró en la puerta del
dormitorio y los miró con su aire bonachón, y todo pasó
como tenía que pasar hasta la hora del descanso de mamá.

La familia se fue habituando, a María Laura le costó
más pero en cambio sólo tenía que ver a mamá los jueves;
un día llegó la primera carta de Alejandro (mamá se había
extrañado ya dos veces de su silencio) y Carlos se la leyó
al pie de la cama. A Alejandro le había encantado Recife,
hablaba del puerto, de los vendedores de papagayos y del
sabor de los refrescos, a la familia se le hacía agua la boca
cuando se enteraba de que los ananás no costaban nada, y
que el café era de verdad y con una fragancia... Mamá
pidió que le mostraran el sobre, y dijo que habría que darle
la estampilla al chico de los Marolda que era filatelista,
aunque a ella no le gustaba nada que los chicos anduvieran
con las estampillas porque después no se lavaban las manos
y las estampillas habían rodado por todo el mundo.

—Les pasan la lengua para pegarlas —decía siempre
mamá— y los microbios quedan ahí y se incuban, es sabido.
Pero dásela lo mismo, total ya tiene tantas que una más...

Al otro día mamá llamó a Rosa y le dictó una carta para
Alejandro, preguntándole cuándo iba a poder tomarse vacaciones y si el viaje no le costaría demasiado. Le explicó
cómo se sentía y le habló del ascenso que acababan de darle
a Carlos y del premio que había sacado uno de los alumnos
de piano de Pepa. También le dijo que María Laura la
visitaba sin faltar ni un solo jueves, pero que estudiaba
demasiado y que eso era malo para la vista. Cuando la
carta estuvo escrita, mamá la firmó al pie con un lápiz,
y besó suavemente el papel. Pepa se levantó con el pretexto
de ir a buscar un sobre, y tía Clelia vino con las pastillas
de las cinco y unas flores para el jarrón de la cómoda.

Nada era fácil, porque en esa época la presión de mamá
subió todavía más y la familia llegó a preguntarse si no
habría alguna influencia inconsciente, algo que desbordaba
del comportamiento de todos ellos, una inquietud y un
desánimo que hacían daño a mamá a pesar de las precauciones y la falsa alegría. Pero no podía ser, porque a fuerza
de fingir las risas, todos habían acabado por reírse de veras
con mamá, y a veces se hacían bromas y se tiraban mano-
tazos aunque no estuvieran con ella, y después se miraban
como si se despertaran bruscamente, y Pepa se ponía muy
colorada y Carlos encendía un cigarrillo con la cabeza
gacha. Lo único importante en el fondo era que pasara el
tiempo y que mamá no se diese cuenta de nada. Tío Roque
había hablado con el doctor Bonifaz, y todos estaban de
acuerdo en que había que continuar indefinidamente la
comedia piadosa, como la calificaba tía Clelia. El único
problema eran las visitas de María Laura porque mamá
insistía naturalmente en hablar de Alejandro, quería saber
si se casarían apenas él volviera de Recife o si ese loco de
hijo iba a aceptar otro contrato lejos y por tanto tiempo.
No quedaba más remedio que entrar a cada momento en
el dormitorio y distraer a mamá, quitarle a María Laura
que se mantenía muy quieta en su silla, con las manos apreta-
das hasta hacerse daño, pero un día mamá le preguntó
a tía Clelia por qué todos se precipitaban en esa forma

cuando María Laura venía a verla, como si fuera la única ocasión que tenían de estar con ella. Tía Clelia se echó a reír y le dijo que todos veían un poco a Alejandro en María Laura, y que por eso les gustaba estar con ella cuando venía.

—Tenés razón, María Laura es tan buena —dijo mamá—. El bandido de mi hijo no se la merece, creeme.

—Mirá quién habla —dijo tía Clelia—. Si se te cae la baba cuando nombras a tu hijo.

Mamá también se puso a reír, y se acordó de que en esos días iba a llegar carta de Alejandro. La carta llegó y tío Roque la trajo junto con el té de las cinco. Esa vez mamá quiso leer la carta y pidió sus anteojos de ver cerca. Leyó aplicadamente, como si cada frase fuera un bocado que había que dar vueltas y vueltas paladeándolo.

—Los muchachos de ahora no tienen respeto —dijo sin darle demasiada importancia—. Está bien que en mi tiempo no se usaban esas máquinas, pero yo no me hubiera atrevido jamás a escribir así a mi padre, ni vos tampoco.

—Claro que no —dijo tío Roque—. Con el genio que tenía el viejo.

—A vos no se te cae nunca eso del viejo, Roque. Sabés que no me gusta oírtelo decir, pero te da igual. Acordate cómo se ponía mamá.

—Bueno, está bien. Lo de viejo es una manera de decir, no tiene nada que ver con el respeto.

—Es muy raro —dijo mamá, quitándose los anteojos y mirando los molduras del cielo raso—. Ya van cinco o seis cartas de Alejandro, y en ninguna me llama... Ah, pero es un secreto entre los dos. Es raro, sabés. ¿Por qué no me ha llamado así ni una sola vez?

—A lo mejor al muchacho le parece tonto escribírtelo. Una cosa es que te diga... ¿cómo te dice?...

—Es un secreto —dijo mamá—. Un secreto entre mi hijito y yo.

Ni Pepa ni Rosa sabían de ese nombre, y Carlos se encogió de hombros cuando le preguntaron.

—¿Qué querés, tío? Lo más que puedo hacer es falsificarle la firma. Yo creo que mamá se va a olvidar de eso, no te lo tomés tan a pecho.

A los cuatro o cinco meses, después de una carta de Alejandro en la que explicaba lo mucho que tenía que hacer (aunque estaba contento porque era una gran oportunidad para un ingeniero joven), mamá insistió en que ya era tiempo de que se tomara unas vacaciones y bajara a Buenos Aires. A Rosa, que escribía la respuesta de mamá, le pareció que dictaba más lentamente, como si hubiera estado pensando mucho cada frase.

—Vaya a saber si el pobre podrá venir —comentó Rosa como al descuido—. Sería una lástima que se malquiste con la empresa justamente ahora que le va tan bien y está tan contento.

Mamá siguió dictando como si no hubiera oído. Su salud dejaba mucho que desear y le hubiera gustado ver a Alejandro, aunque sólo fuese por unos días. Alejandro tenía que pensar también en María Laura, no porque ella creyese que descuidaba a su novia, pero un cariño no vive de palabras bonitas y promesas a la distancia. En fin, esperaba que Alejandro le escribiera pronto con buenas noticias. Rosa se fijó que mamá no besaba el papel después de firmar, pero que miraba fijamente la carta como si quisiera grabársela en la memoria. «Pobre Alejandro», pensó Rosa, y después se santiguó bruscamente sin que mamá la viera.

—Mirá —le dijo tío Roque a Carlos cuando esa noche se quedaron solos para su partida de dominó—, yo creo que esto se va a poner feo. Habrá que inventar alguna cosa plausible, o al final se dará cuenta.

—Qué sé yo, tío. Lo mejor será que Alejandro conteste de una manera que la deje contenta por un tiempo más. La pobre está tan delicada, no se puede ni pensar en...

—Nadie habló de eso, muchacho. Pero yo te digo que tu madre es de las que no aflojan. Está en la familia, che.

Mamá leyó sin hacer comentarios la respuesta evasiva de Alejandro, que trataría de conseguir vacaciones apenas entregara el primer sector instalado de la fábrica. Cuando esa tarde llegó María Laura, le pidió que intercediera para que Alejandro viniese aunque no fuera más que una semana a Buenos Aires. María Laura le dijo después a Rosa que mamá se lo había pedido en el único momento en que nadie más podía escucharla. Tío Roque fue el primero en sugerir lo que todos habían pensado ya tantas veces sin animarse a decirlo por lo claro, y cuando mamá le dictó a Rosa otra carta para Alejandro, insistiendo en que viniera, se decidió que no quedaba más remedio que hacer la tentativa y ver si mamá estaba en condiciones de recibir una primera noticia desagradable. Carlos consultó al doctor Bonifaz, que aconsejó prudencia y unas gotas. Dejaron pasar el tiempo necesario, y una tarde tío Roque vino a sentarse a los pies de la cama de mamá, mientras Rosa cebaba un mate y miraba por la ventana del balcón, al lado de la cómoda de los remedios.

—Fijate que ahora empiezo a entender un poco por qué este diablo de sobrino no se decide a venir a vernos —dijo tío Roque—. Lo que pasa es que no te ha querido afligir, sabiendo que todavía no estás bien.

Mamá lo miró como si no comprendiera.

—Hoy telefonearon los Novalli, parece que María Laura recibió noticias de Alejandro. Está bien, pero no va a poder viajar por unos meses.

—¿Por qué no va a poder viajar? —preguntó mamá.

—Porque tiene algo en un pie, parece. En el tobillo, creo. Hay que preguntarle a María Laura para que diga lo que pasa. El viejo Novalli habló de una fractura o algo así.

—¿Fractura de tobillo? —dijo mamá.

Antes de que tío Roque pudiera contestar, ya Rosa estaba con el frasco de sales. El doctor Bonifaz vino en seguida, y todo pasó en unas horas, pero fueron horas largas y el doctor Bonifaz no se separó de la familia hasta entrada la noche. Recién dos días después mamá se sintió lo bastante repuesta como para pedirle a Pepa que le escribiera a Alejandro. Cuando Pepa, que no había entendido bien, vino como siempre con el block y la lapicera, mamá cerró los ojos y negó con la cabeza.

—Escribile vos, nomás. Decile que se cuide.

Pepa obedeció, sin saber por qué escribía una frase tras otra puesto que mamá no iba a leer la carta. Esa noche le dijo a Carlos que todo el tiempo, mientras escribía al lado de la cama de mamá, había tenido la absoluta seguridad de que mamá no iba a leer ni a firmar esa carta. Seguía con los ojos cerrados y no los abrió hasta la hora de la tisana; parecía haberse olvidado, estar pensando en otras cosas.

Alejandro contestó con el tono más natural del mundo, explicando que no había querido contar lo de la fractura para no afligirla. Al principio se habían equivocado y le habían puesto un yeso que hubo de cambiar, pero ya estaba mejor y en unas semanas podría empezar a caminar. En total tenía para unos dos meses, aunque lo malo era que su trabajo se había retrasado una barbaridad en el peor momento, y...

Carlos, que leía la carta en voz alta, tuvo la impresión de que mamá no lo escuchaba como otras veces. De cuando en cuando miraba el reloj, lo que en ella era signo de impaciencia. A las siete Rosa tenía que traerle el caldo con las gotas del doctor Bonifaz, y eran las siete y cinco.

—Bueno —dijo Carlos, doblando la carta—. Ya ves que todo va bien, al pibe no le ha pasado nada serio.

—Claro —dijo mamá—. Mirá, decile a Rosa que se apure, querés.

A María Laura, mamá le escuchó atentamente las explicaciones sobre la fractura de Alejandro, y hasta le dijo que le recomendara unas fricciones que tanto bien le habían hecho a su padre cuando la caída del caballo en Matanzas. Casi en seguida, como si formara parte de la misma frase, preguntó si no le podían dar unas gotas de agua de azahar, que siempre le aclaraban la cabeza.

La primera en hablar fue María Laura, esa misma tarde. Se lo dijo a Rosa en la sala, antes de irse, y Rosa se quedó mirándola como si no pudiera creer lo que había oído.

—Por favor —dijo Rosa—. ¿Cómo podés imaginarte una cosa así?

—No me la imagino, es la verdad —dijo María Laura—. Y yo no vuelvo más. Rosa, pídanme lo que quieran, pero yo no vuelvo a entrar en esa pieza.

En el fondo a nadie le pareció demasiado absurda la fantasía de María Laura, pero tía Clelia resumió el sentimiento de todos cuando dijo que en una casa como la de ellos un deber era un deber. A Rosa le tocó ir a la de los

Novalli, pero María Laura tuvo un ataque de llanto tan
histérico que no quedó más remedio que acatar su decisión;
Pepa y Rosa empezaron esa misma tarde a hacer comentarios sobre lo mucho que tenía que estudiar la pobre chica
y lo cansada que estaba. Mamá no dijo nada, y cuando llegó
el jueves no preguntó por María Laura. Ese jueves se cum-
plían diez meses de la partida de Alejandro al Brasil. La
empresa estaba tan satisfecha de sus servicios que unas
semanas después le propusieron una renovación del contrato por otro año, siempre que aceptara irse de inmediato
a Belén para instalar otra fábrica. A tío Roque le parecía eso
formidable, un gran triunfo para un muchacho de tan
pocos años.

—Alejandro fue siempre el más inteligente —dijo
mamá—. Así como Carlos es el más tesonero.

—Tenés razón —dijo tío Roque, preguntándose de
pronto qué mosca le habría picado aquel día a María Laura.— La verdad es que te han salido hijos que valen la
pena, hermana.

—Oh, sí, no me puedo quejar. A su padre le hubiera
gustado verlos ya grandes. Las chicas, tan buenas, y el
pobre Carlos, tan de su casa.

—Y Alejandro, con tanto porvenir.

—Ah, sí —dijo mamá.

—Fíjate nomás en ese nuevo contrato que le ofrecen...
En fin, cuando estés con ánimo le contestarás a tu hijo;
debe andar con la cola entre las piernas pensando que la
noticia de la renovación no te va a gustar.

—Ah, sí —repitió mamá, mirando al cielo raso—. Decile
a Pepa que le escriba, ella ya sabe.

Pepa escribió, sin estar muy segura de lo que debía
decirle a Alejandro, pero convencida de que siempre era
mejor tener un texto completo para evitar contradicciones
en las respuestas. Alejandro, por su parte, se alegró mucho
de que mamá comprendiera la oportunidad que se le pre-
sentaba. Lo del tobillo iba muy bien, apenas pudiera pediría vacaciones para venirse a estar con ellos una quincena.
Mamá asintió con un leve gesto, y preguntó si ya había
llegado *La Razón* para que Carlos le leyera los telegramas.
En la casa todo se había ordenado sin esfuerzo, ahora que

parecían haber terminado los sobresaltos y la salud de
mamá se mantenía estacionaria. Los hijos se turnaban para
acompañarla; tío Roque y tía Clelia entraban y salían en
cualquier momento. Carlos le leía el diario a mamá por
la noche, y Pepa por la mañana. Rosa y tía Clelia se ocu-
paban de los medicamentos y los baños; tío Roque tomaba
mate en su cuarto dos o tres veces al día. Mamá no estaba
nunca sola, no preguntaba nunca por María Laura; cada
tres semanas recibía sin comentarios las noticias de Alejandro; le decía a Pepa que contestara y hablaba de otra
cosa, siempre inteligente y atenta y alejada.

Fue en esa época cuando tío Roque empezó a leerle las
noticias de la tensión con el Brasil. Las primeras las había
escrito en los bordes del diario, pero mamá no se preocupaba por la perfección de la lectura y después de unos días
tío Roque se acostumbró a inventar en el momento. Al
principio acompañaba los inquietantes telegramas con algún
comentario sobre los problemas que eso podía traerle a
Alejandro y a los demás argentinos en el Brasil, pero como
mamá no parecía preocuparse dejó de insistir aunque cada
tantos días agravaba un poco la situación. En las cartas de
Alejandro se mencionaba la posibilidad de una ruptura de
relaciones, aunque el muchacho era el optimista de siempre
y estaba convencido de que los cancilleres arreglarían el
litigio.

Mamá no hacía comentarios, tal vez porque aún faltaba
mucho para que Alejandro pudiera pedir licencia, pero una
noche le preguntó bruscamente al doctor Bonifaz si la
situación con el Brasil era tan grave como decían los diarios.

—¿Con el Brasil? Bueno, sí, las cosas no andan muy
bien —dijo el médico—. Esperemos que el buen sentido
de los estadistas...

Mamá lo miraba como sorprendida de que le hubiese res-
pondido sin vacilar. Suspiró levemente, y cambió la conversación. Esa noche estuvo más animada que otras veces,
y el doctor Bonifaz se retiró satisfecho. Al otro día se
enfermó tía Clelia; los desmayos parecían cosa pasajera,
pero el doctor Bonifaz habló con tío Roque y aconsejó
que internaran a tía Clelia en un sanatorio. A mamá, que
en ese momento escuchaba las noticias del Brasil que le

traía Carlos con el diario de la noche, le dijeron que tía Clelia estaba con una jaqueca que no la dejaba moverse de la cama. Tuvieron toda la noche para pensar en lo que harían, pero tío Roque estaba como anonadado después de hablar con el doctor Bonifaz, y a Carlos y a las chicas les tocó decidir. A Rosa se le ocurrió lo de la quinta de Manolita Valle y el aire puro; al segundo día de la jaqueca de tía Clelia, Carlos llevó la conversación con tanta habilidad que fue como si mamá en persona hubiera aconsejado una temporada en la quinta de Manolita que tanto bien le haría a Clelia. Un compañero de oficina de Carlos se ofreció para llevarla en su auto, ya que el tren era fatigoso con esa jaqueca. Tía Clelia fue la primera en querer despedirse de mamá, y entre Carlos y tío Roque la llevaron pasito a paso para que mamá le recomendase que no tomara frío en esos autos de ahora y que se acordara del laxante de frutas cada noche.

—Clelia estaba muy congestionada —le dijo mamá a Pepa por la tarde—. Me hizo mala impresión, sabés.

—Oh, con unos días en la quinta se va a reponer lo más bien. Estaba un poco cansada estos meses; me acuerdo de que Manolita le había dicho que fuera a acompañarla a la quinta.

—¿Sí? Es raro, nunca me lo dijo.

—Por no afligirte, supongo.

—¿Y cuánto tiempo se va a quedar, hijita?

Pepa no sabía, pero ya le preguntarían al doctor Bonifaz que era el que había aconsejado el cambio de aire. Mamá no volvió a hablar del asunto hasta algunos días después (tía Clelia acababa de tener un síncope en el sanatorio, y Rosa se turnaba con tío Roque para acompañarla).

—Me pregunto cuándo va a volver Clelia —dijo mamá.

—Vamos, por una vez que la pobre se decide a dejarte y a cambiar un poco de aire...

—Sí, pero lo que tenía no era nada, dijeron ustedes.

—Claro que no es nada. Ahora se estará quedando por gusto, o por acompañar a Manolita; ya sabés cómo son de amigas.

—Telefoneá a la quinta y averiguá cuándo va a volver —dijo mamá.

Rosa telefoneó a la quinta, y le dijeron que tía Clelia estaba mejor, pero que todavía se sentía un poco débil, de manera que iba a aprovechar para quedarse. El tiempo estaba espléndido en Olavarría.

—No me gusta nada eso —dijo mamá—. Clelia ya tendría que haber vuelto.

—Por favor, mamá, no te preocupés tanto. ¿Por qué no te mejorás vos lo antes posible, y te vas con Clelia y Manolita a tomar sol a la quinta?

—¿Yo? —dijo mamá, mirando a Carlos con algo que se parecía al asombro, al escándalo, al insulto. Carlos se echó a reír para disimular lo que sentía (tía Clelia estaba gravísima, Pepa acababa de telefonear) y la besó en la mejilla como a una niña traviesa.

—Mamita tonta —dijo, tratando de no pensar en nada.

Esa noche mamá durmió mal y desde el amanecer preguntó por Clelia, como si a esa hora se pudieran tener noticias de la quinta (tía Clelia acababa de morir y habían decidido velarla en la funeraria).

A las ocho llamaron a la quinta desde el teléfono de la sala, para que mamá pudiera escuchar la conversación, y por suerte tía Clelia había pasado bastante buena noche aunque el médico de Manolita aconsejaba que se quedase mientras siguiera el buen tiempo. Carlos estaba muy contento con el cierre de la oficina por inventario y balance, y vino en piyama a tomar mate al pie de la cama de mamá y a darle conversación.

—Mirá —dijo mamá—, yo creo que habría que escribirle a Alejandro que venga a ver a su tía. Siempre fue el preferido de Clelia, y es justo que venga.

—Pero si tía Clelia no tiene nada, mamá. Si Alejandro no ha podido venir a verte a vos, imaginate...

—Allá él —dijo mamá—. Vos escribile y decile que Clelia está enferma y que debería venir a verla.

—¿Pero cuántas veces te vamos a repetir que lo de tía Clelia no es grave?

—Si no es grave, mejor. Pero no te cuesta nada escribirle.

Le escribieron en esa misma tarde y le leyeron la carta a mamá. En los días en que debía llegar la respuesta de Alejandro (tía Clelia seguía bien, pero el médico de Mano-

lita insistía en que aprovechara el buen aire de la quinta),
la situación diplomática con el Brasil se agravó todavía
más y Carlos le dijo a mamá que no sería raro que las cartas de Alejandro se demoraran.

—Parecería a propósito —dijo mamá—. Ya vas a ver
que tampoco podrá venir él.

Ninguno de ellos se decidía a leerla la carta de Alejandro.
Reunidos en el comedor, miraban al lugar vacío de tía
Clelia, se miraban entre ellos, vacilando.

—Es absurdo —dijo Carlos—. Ya estamos tan acos-
tumbrados a esta comedia, que una escena más o menos...

—Entonces llevásela vos —dijo Pepa, mientras se le llenaban los ojos de lágrimas y se los secaba con la servilleta.

—Qué querés, hay algo que no anda. Ahora cada vez
que entro en su cuarto estoy como esperando una sorpresa,
una trampa, casi.

—La culpa la tiene María Laura —dijo Rosa—. Ella
nos metió la idea en la cabeza y ya no podemos actuar
con naturalidad. Y para colmo tía Clelia...

—Mira, ahora que lo decís se me ocurre que convendría
hablar con María Laura —dijo tío Roque—. Lo más lógico
sería que viniera después de sus exámenes y le diera a tu
madre la noticia de que Alejandro no va a poder viajar.

—¿Pero a vos no te hiela la sangre que mamá no pre-
gunte más por María Laura, aunque Alejandro la nombre
en todas sus cartas?

—No se trata de la temperatura de mi sangre —dijo tío
Roque—. Las cosas se hacen o no se hacen, y se acabó.

A Rosa le llevó dos horas convencer a María Laura,
pero era su mejor amiga y María Laura los quería mucho,
hasta a mamá aunque le diera miedo. Hubo que preparar
una nueva carta, que María Laura trajo junto con un ramo
de flores y las pastillas de mandarina que le gustaban a
mamá. Sí, por suerte ya habían terminado los exámenes
peores, y podría irse unas semanas a descansar a San Vicente.

—El aire del campo te hará bien —dijo mamá—. En
cambio a Clelia... ¿Hoy llamaste a la quinta, Pepa? Ah, sí,
recuerdo que me dijiste... Bueno, ya hace tres semanas
que se fue Clelia, y mirá vos...

María Laura y Rosa hicieron los comentarios del caso,

vino la bandeja del té, y María Laura le leyó a mamá unos
párrafos de la carta de Alejandro con la noticia de la inter-
nación provisional de todos los técnicos extranjeros, y la
gracia que le hacía estar alojado en un espléndido hotel
por cuenta del gobierno, a la espera de que los cancilleres
arreglaran el conflicto. Mamá no hizo ninguna reflexión,
bebió su taza de tilo y se fue adormeciendo. Las muchachas
siguieron charlando en la sala, más aliviadas. María Laura
estaba por irse cuando se le ocurrió lo del teléfono y se lo
dijo a Rosa. A Rosa le parecía que también Carlos había
pensado en eso, y más tarde le habló a tío Roque, que se
encogió de hombros. Frente a cosas así no quedaba más
remedio que hacer un gesto y seguir leyendo el diario.
Pero Rosa y Pepa se lo dijeron también a Carlos, que
renunció a encontrarle explicación a menos de aceptar lo
que nadie quería aceptar.

—Ya veremos —dijo Carlos—. Todavía puede ser que
se le ocurra y nos lo pida. En ese caso...

Pero mamá no pidió nunca que le llevaran el teléfono
para hablar personalmente con tía Clelia. Cada mañana preguntaba si había noticias de la quinta, y después se volvía
a su silencio donde el tiempo parecía contarse por dosis de
remedios y tazas de tisana. No le desagradaba que tío
Roque viniera con *La Razón* para leerle las últimas noticias
del conflicto con el Brasil, aunque tampoco parecía preocuparse si el diariero llegaba tarde o tío Roque se entretenía
más que de costumbre con un problema de ajedrez. Rosa
y Pepa llegaron a convercerse de que a mamá la tenía sin
cuidado que le leyeran las noticias, o telefonearan a la
quinta, o trajeran una carta de Alejandro. Pero no se podía
estar seguro porque a veces mamá levantaba la cabeza y
las miraba con la mirada profunda de siempre, en la que
no había ningún cambio, ninguna aceptación. La rutina
los abarcaba a todos, y para Rosa telefonear a un agujero
negro en el extremo del hilo era tan simple y cotidiano como
para tío Roque seguir leyendo falsos telegramar sobre un
fondo de anuncios de remates o noticias de fútbol, o para
Carlos entrar con las anécdotas de su visita a la quinta de
Olavarría y los paquetes de frutas que les mandaban Manolita y tía Clelia. Ni siquiera durante los últimos meses de

mamá cambiaron las costumbres, aunque poca importancia
tuviera ya. El doctor Bonifaz les dijo que por suerte mamá
no sufriría nada y que se apagaría sin sentirlo. Pero mamá
se mantuvo lúcida hasta el fin, cuando ya los hijos la rodeaban sin poder fingir lo que sentían.

—Qué buenos fueron conmigo —dijo mamá—. Todo
ese trabajo que se tomaron para que no sufriera.

Tío Roque estaba sentado junto a ella y le acarició
jovialmente la mano, tratándola de tonta. Pepa y Rosa,
fingiendo buscar algo en la cómoda, sabían ya que María
Laura había tenido razón; sabían lo que de alguna manera
habían sabido siempre.

—Tanto cuidarme... —dijo mamá, y Pepa apretó la mano
de Rosa porque al fin y al cabo esas dos palabras volvían
a poner todo en orden, restablecían la larga comedia necesaria. Pero Carlos, a los pies de la cama, miraba a mamá
como si supiera que iba a decir algo más.

—Ahora podrán descansar —dijo mamá—. Ya no les
daremos más trabajo.

Tío Roque iba a protestar, a decir algo, pero Carlos se
le acercó y le apretó violentamente el hombro. Mamá se
perdía poco a poco en una modorra, y era mejor no mo-
lestarla.

Tres días después del entierro llegó la última carta de
Alejandro, donde como siempre preguntaba por la salud
de mamá y de tía Clelia. Rosa, que la había recibido, la
abrió y empezó a leerla sin pensar, y cuando levantó la
vista porque de golpe las lágrimas la cegaban, se dio cuenta
de que mientras la leía había estado pensando en cómo
habría que darle a Alejandro la noticia de la muerte de
mamá.

El sábado tío Carlos llegó a mediodía con la máquina de matar hormigas. El día antes había dicho en la mesa que iba a traerla, y mi hermana y yo esperábamos la máquina imaginando que era enorme, que era terrible. Conocíamos bien las hormigas de Bánfield, las hormigas negras que se van comiendo todo, hacen los hormigueros en la tierra, en los zócalos, o en ese pedazo misterioso donde una casa se hunde en el suelo, allí hacen agujeros disimulados pero no pueden esconder su fila negra que va y viene trayendo pedacitos de hojas, y los pedacitos de hojas eran las plantas del jardín, por eso mamá y tío Carlos se habían decidido a comprar la máquina para acabar con las hormigas.

Me acuerdo que mi hermana vio venir a tío Carlos por la calle Rodríguez Peña, desde lejos le vio venir en el tílbury de la estación, y entró corriendo por el callejón del costado gritando que tío Carlos traía la máquina. Yo estaba en los ligustros que daban a lo de Lila, hablando con Lila por el alambrado, contándole que por la tarde íbamos a probar la máquina, y Lila estaba interesada pero no mucho, porque a las chicas no les importan las máquinas

151

y no les importan las hormigas, solamente le llamaba la
atención que la máquina echaba humo y que eso iba a
matar todas las hormigas de casa.

Al oír a mi hermana le dije a Lila que tenía que ir a
ayudar a bajar la máquina, y corrí por el callejón con el grito
de guerra de Sitting Bull, corriendo de una manera que
había inventado en ese tiempo y que era correr sin doblar
las rodillas, como pateando una pelota. Cansaba poco y
era como un vuelo, aunque nunca como el sueño de volar
que yo siempre tenía entonces, y que era recoger las piernas del suelo, y con apenas un movimiento de cintura
volar a veinte centímetros del suelo, de una manera que
no se puede contar por lo linda, volar por calles largas,
subiendo a veces un poco y otra vez al ras del suelo,
con una sensación tan clara de estar despierto, aparte que
en ese sueño la contra era que yo siempre soñaba que estaba
despierto, que volaba de verdad, que antes lo había soñado
pero esta vez iba de veras, y cuando me despertaba era
como caerme al suelo, tan triste salir andando o corriendo
pero siempre pesado, vuelta abajo a cada salto. Lo único
un poco parecido era esta manera de correr que había
inventado, con las zapatillas de goma Keds Champion con
puntera daba la impresión del sueño, claro que no se podía
comparar.

Mamá y abuelita ya estaban en la puerta hablando con
tío Carlos y el cochero. Me arrimé despacio porque a veces
me gustaba hacerme esperar, y con mi hermana miramos
el bulto envuelto en papel madera y atado con mucho hilo
sisal, que el cochero y tío Carlos bajaban a la vereda. Lo
primero que pensé fue que era una parte de la máquina,
pero en seguida vi que era la máquina completa, y me pareció tan chica que se me vino el alma a los pies. Lo mejor
fue al entrarla, porque ayudando a tío Carlos me di cuenta
que la máquina pesaba mucho, y el peso me devolvió confianza. Yo mismo le saqué los piolines y el papel, porque
mamá y tío Carlos tenían que abrir un paquete chico donde
venía la lata del veneno, y de entrada ya nos anunciaron
que eso no se tocaba y que más de cuatro habían muerto
retorciéndose por tocar la lata. Mi hermana se fue a un rincón porque se le había acabado el interés por todo y un

poco también por miedo, pero yo la miré a mamá y nos
reímos, y todo aquel discurso era por mi hermana, a mí
me iban a dejar manejar la máquina con veneno y todo.

No era linda, quiero decir que no era una máquina
máquina, por lo menos con una rueda que da vueltas o
un pito que echa un chorro de vapor. Parecía una estufa
de fierro negro, con tres patas combadas, una puerta para
el fuego, otra para el veneno y de arriba salía un tubo de
metal flexible (como el cuerpo de los gusanos) donde después se enchufaba otro tubo de goma con un pico. A la
hora del almuerzo mamá nos leyó el manual de instrucciones, y cada vez que llegaba a las partes del veneno todos
la mirábanos a mi hermana, y abuelita le volvió a decir
que en Flores tres niños habían muerto por tocar una lata.
Ya habíamos visto la calavera en la tapa, y tío Carlos buscó
una cuchara vieja y dijo que ésa sería para el veneno y que
las cosas de la máquina las guardarían en el estante de
arriba del cuarto de las herramientas. Afuera hacía calor
porque empezaba enero, y la sandía estaba helada, con las
semillas negras que me hacían pensar en las hormigas.

Después de la siesta, la de los grandes porque mi hermana leía el *Billiken* y yo clasificaba las estampillas en el
patio cerrado, fuimos al jardín y tío Carlos puso la máquina
en la rotonda de las hamacas donde siempre salían hormigueros. Abuelita preparó brasas de carbón para cargar la
hornalla, y yo hice un barro lindísimo en una batea vieja,
revolviendo con la cuchara de albañil. Mamá y mi hermana
se sentaron en las sillas de paja para ver, y Lila miraba
entre el ligustro hasta que le gritamos que viniera y dijo
que la madre no la dejaba pero que lo mismo veía. Del otro
lado del jardín ya se estaban asomando las de Negri, que
eran unos casos y por eso no nos tratábamos. Les decían
la Chola, la Ela y la Cufina, pobres. Eran buenas pero
pavas, y no se podía jugar con ellas. Abuelita les tenía
lástima pero mamá no las invitaba nunca a casa porque
se armaban líos con mi hermana y conmigo. Las tres querían mandar la parada pero no sabían ni rayuela ni bolita
ni vigilante y ladrón ni el barco hundido, y lo único que
sabían era reírse como sonsas y hablar de tanta cosa que
yo no sé a quién le podía interesar. El padre era concejal

y tenían Orpington leonadas. Nosotros criábamos Rhode
Island que es mejor ponedora.

La máquina parecía más grande por lo negra que se la
veía entre el verde del jardín y los frutales. Tío Carlos la
cargó con brasas, y mientras tomaba calor eligió un hormiguero y le puso el pico del tubo; yo eché barro alrededor
y lo apisoné pero no muy fuerte, para impedir el desmo-
ronamiento de las galerías como decía el manual. Entonces
mi tío abrió la puerta para el veneno y trajo la lata y la
cuchara. El veneno era violeta, un color precioso, y había
que echar una cucharada grande y cerrar en seguida la
puerta. Apenas la habíamos echado se oyó como un bufido
y la máquina empezó a trabajar. Era estupendo, todo alrededor del pico salía un humo blanco, y había que echar
más barro y aplastarlo con las manos. «Van a morir todas»,
dijo mi tío que estaba muy contento con el funcionamiento
de la máquina, y yo me puse al lado de él con las manos
llenas de barro hasta los codos, y se veía que era un trabajo para que lo hicieran los hombres.

—¿Cuánto tiempo hay que fumigar cada hormiguero?
—preguntó mamá.

—Por lo menos media hora —dijo tío Carlos—. Algunos
son larguísimos, más de lo que se cree.

Yo entendí que quería decir dos o tres metros, porque
había hormigueros en casa que no podía ser que fueran
demasiado largos. Pero justo en ese momento oímos que la
Cufina empezaba a chillar con esa voz que tenía que la
escuchaban desde la estación, y toda la familia Negri vino
al jardín diciendo que de un cantero de lechuga salía humo.
Al principio yo no lo quería creer pero era cierto, porque
en el mismo momento Lila me avisó desde los ligustros
que en su casa también salía humo al lado de un duraznero,
y tío Carlos se quedó pensando y después fue hasta el
alambrado de los Negri y le pidió a la Chola que era la
menos haragana que echara barro donde salía el humo,
y yo salté a lo de Lila y taponé el hormiguero. Ahora salía
humo en otras partes de casa, en el gallinero, más atrás
de la puerta blanca, y al pie de la pared del costado. Mamá
y mi hermana ayudaban a poner barro, era formidable
pensar que por debajo de la tierra andaba tanto humo

buscando salir, y que entre ese humo las hormigas estaban
rabiando y retorciéndose como los tres niños de Flores.

Esa tarde trabajamos hasta la noche, y a mi hermana la
mandaron a preguntar si en las casas de otros vecinos salía
humo. Cuando apenas quedaba luz la máquina se apagó,
y al sacar el pico del hormiguero yo cavé un poco con
la cuchara de albañil y toda la cueva estaba llena de hormigas muertas y tenía un color violeta que olía a azufre.
Eché barro encima como en los entierros, y calculé que
habrían muerto unas cinco mil hormigas por lo menos.
Ya todos se habían ido adentro porque era hora de bañarse
y tender la mesa, pero tío Carlos y yo nos quedamos a
repasar la máquina y a guardarla. Le pregunté si podía
llevar las cosas al cuarto de las herramientas y dijo que sí.
Por las dudas me enjuagué las manos después de tocar la
lata y la cuchara, y eso que la cuchara la habíamos limpiado antes.

Al otro día fue domingo y vino mi tía Rosa con mis pri-
mos, y fue un día en que jugamos todo el tiempo al vigilante y ladrón con mi hermana y con Lila que tenía permiso
de la madre. A la noche tía Rosa le dijo a mamá si mi primo
Hugo podía quedarse a pasar toda la semana en Bánfield
porque estaba un poco débil de la pleuresía y necesitaba
sol. Mamá dijo que sí, y todos estábamos contentos.
A Hugo le hicieron una cama en mi pieza, y el lunes fue
la sirvienta a traer su ropa para la semana. Nos bañábamos
juntos y Hugo sabía más cuentos que yo, pero no saltaba
tan lejos. Se veía que era de Buenos Aires, con la ropa
venían dos libros de Salgari y uno de botánica, porque
tenía que preparar el ingreso a primer año. Dentro del
libro venía una pluma de pavorreal, la primera que yo
veía, y él la usaba como señalador. Era verde con un ojo
violeta y azul, toda salpicada de oro. Mi hermana se la
pidió pero Hugo le dijo que no porque se la había regalado
la madre. Ni siquiera se la dejó tocar, pero a mí sí porque
me tenía confianza y yo la agarraba del canuto.

Los primeros días, como tío Carlos trabajaba en la oficina no volvimos a encender la máquina, aunque yo le
había dicho a mamá que si ella quería yo la podía hacer
andar. Mamá dijo que mejor esperáramos al sábado, que

total no había muchos almácigos esa semana y que no se veían tantas hormigas como antes.

—Hay unas cinco mil menos —le dije yo, y ella se reía pero me dio la razón. Casi mejor que no me dejara encender la máquina, así Hugo no se metía, porque era de esos que todo lo saben y abren las puertas para mirar adentro. Sobre todo con el veneno mejor que no me ayudara.

A la siesta nos madaban quedarnos quietos, porque tenían miedo a la insolación. Mi hermana desde que Hugo jugaba conmigo venía todo el tiempo con nosotros, y siempre quería jugar de compañera con Hugo. A las bolitas yo les ganaba a los dos, pero al balero Hugo no sé cómo se las sabía todas y me ganaba. Mi hermana lo elogiaba todo el tiempo y yo me daba cuenta que lo buscaba para novio, era cosa de decírselo a mamá para que le plantara un par de bifes, solamente que no se me ocurría cómo decírselo a mamá, total no hacían nada malo. Hugo se reía de ella pero disimulando, y yo en esos momentos lo hubiera abrazado, pero era siempre cuando estábamos jugando y había que ganar o perder pero nada de abrazos.

La siesta duraba de dos a cinco, y era la mejor hora para estar tranquilos y hacer lo que uno quería. Con Hugo revisábamos las estampillas y yo le daba las repetidas, le enseñaba a clasificarlas por países, y él pensaba al otro año tener una colección como la mía pero solamente de América. Se iba a perder las de Camerún que son con animales, pero él decía que así las colecciones son más importantes. Mi hermana le daba la razón y eso que no sabía si una estampilla estaba del derecho o del revés, pero era para llevarme la contra. En cambio Lila que venía a eso de las tres, saltando por los ligustros, estaba de mi parte y le gustaban las estampillas de Europa. Una vez yo le había dado a Lila un sobre con todas estampillas diferentes, y ella siempre me lo recordaba y decía que el padre le iba a ayudar en la colección pero que la madre pensaba que eso no era para chicas y tenía microbios, y el sobre estaba guardado en el aparador.

Para que no se enojaran en casa por el ruido, cuando llegaba Lila nos íbamos al fondo y nos tirábamos debajo de los frutales. Las de Negri también andaban por el jardín de ellas, y yo sabía que las tres estaban locas con Hugo y se hablaban a gritos y siempre por la nariz, y la Cufina sobre todo se la pasaba preguntando: «¿Y dónde está el costurero con los hilos?», y la Ela le contestaba no sé qué, entonces se peleaban pero a propósito para llamar la atención, y menos mal que de ese lado los ligustros eran tupidos y no se veía mucho. Con Lila nos moríamos de risa al oírlas, y Hugo se tapaba la nariz y decía, «¿y dónde está la pavita para el mate?» Entonces la Chola que era la mayor decía: «¿vieron chicas cuántos groseros hay este año?», y nosotros nos metíamos pasto en la boca para no reírnos fuerte, porque lo bueno era dejarlas con las ganas y no seguírselas, así después cuando nos oían jugar a la mancha rabiaban mucho más y al final se peleaban entre ellas hasta que salía la tía y las mechoneaba y las tres se iban adentro llorando.

A mí me gustaba tener de compañera a Lila en los juegos, porque entre hermanos a uno no le gusta jugar si hay otros, y mi hermana lo buscaba en seguida a Hugo de compañero. Lila y yo les ganábamos a las bolitas, pero Hugo le gustaba más el vigilante y ladrón y la escondida, siempre había que hacerle caso y jugar a eso, pero también era formidable, solamente que no podíamos gritar y los juegos así sin gritos no valen tanto. A la escondida casi siempre me tocaba contar a mí, no sé por qué me engañaban vuelta a vuelta, y piedra libre uno detrás de otro. A las cinco salía abuelita y nos retaba porque estábamos sudados y habíamos tomado demasiado sol, pero nosotros la hacíamos reír y le dábamos besos, hasta Hugo y Lila que no eran de casa. Yo me fijé en esos días que abuelita iba siempre a mirar el estante de las herramientas, y me di cuenta que tenía miedo de que anduviéramos hurgando con las cosas de la máquina. Pero a nadie se le iba a ocurrir una pavada así, con lo de los tres niños de Flores y encima la paliza que nos iban a dar.

A ratos me gustaba quedarme solo, y en esos momentos ni siquiera quería que estuviera Lila. Sobre todo al caer la tarde, un rato antes que abuelita saliera con su batón blanco y se pusiera a regar el jardín. A esa hora la tierra ya no estaba tan caliente, pero las madreselvas olían mucho y también los canteros de tomates donde había canaletas

para el agua y bichos distintos que en otras partes. Me
gustaba tirarme boca abajo y oler la tierra, sentirla debajo
de mí, caliente con su olor a verano tan distinto de otras
veces. Pensaba en muchas cosas, pero sobre todo en las
hormigas, ahora que había visto lo que eran los hormigueros me quedaba pensando en las galerías que cruzaban
por todos lados y que nadie veía. Como las venas en mis
piernas, que apenas se distinguían debajo de la piel, pero
llenas de hormigas y misterios que iban y venían. Si uno
comía un poco de veneno, en realidad venía a ser lo mismo
que el humo de la máquina, el veneno andaba por las venas
del cuerpo igual que el humo en la tierra, no había mucha
diferencia.

Después de un rato me cansaba de estar solo y estudiar
los bichos de los tomates. Iba a la puerta blanca, tomaba
impulso y me largaba a la carrera como Buffalo Bill, y al
llegar al cantero de las lechugas lo saltaba limpio y ni tocaba
el borde de gramilla. Con Hugo tirábamos al blanco con
la Diana de aire comprimido, o jugábamos en las hamacas
cuando mi hermana o a veces Lila salían de bañarse y
venían a las hamacas con ropa limpia. También Hugo y
yo nos íbamos a bañar, y a última hora salíamos todos a la
vereda, o mi hermana tocaba el piano en la sala y nosotros
nos sentábamos en la balaustrada y veíamos volver a la
gente del trabajo hasta que llegaba tío Carlos y todos lo
íbamos a saludar y de paso a ver si traía algún paquete
con hilo rosa o el *Billiken*. Justamente una de esas veces
al correr a la puerta fue cuando Lila se tropezó en una laja
y se lastimó la rodilla. Pobre Lila, no quería llorar pero le
saltaban las lágrimas y yo pensaba en la madre que era tan
severa y le diría machona y de todo cuando la viera lasti-
mada. Hugo y yo hicimos la sillita de oro y la llevamos
del lado de la puerta blanca mientras mi hermana iba a
escondidas a buscar un trapo y alcohol. Hugo se hacía
el comedido y quería curarla a Lila, lo mismo mi hermana
para estar con Hugo, pero yo los saqué a empujones y
le dije a Lila que aguantara nada más que un segundo, y
que si quería cerrara los ojos. Pero ella no quiso y mientras yo le pasaba el alcohol ella lo miraba fijo a Hugo como
para mostrarle lo valiente que era. Yo le soplé fuerte en

la lastimadura y con la venda quedó muy bien y no le dolía.

—Mejor andate en seguida a tu casa —le dijo mi hermana—, así tu mamá no se cabrea.

Después que se fue Lila me empecé a aburrir con Hugo y mi hermana que hablaban de orquestas típicas, y Hugo había visto a De Caro en un cine y silbaba tangos para que mi hermana los sacara en el piano. Me fui a mi cuarto a buscar el álbum de las estampillas, y todo el tiempo pensaba que la madre la iba a retar a Lila y que a lo mejor estaba llorando o que se le iba a infectar la matadura como pasa tantas veces. Era increíble lo valiente que había sido Lila con el alcohol, y cómo lo miraba a Hugo sin llorar ni bajar la vista.

En la mesa de luz estaba la botánica de Hugo, y asomaba el canuto de la pluma de pavorreal. Como él me la dejaba mirar la saqué con cuidado y me puse al lado de la lámpara para verla bien. Yo creo que no había ninguna pluma más linda que esa. Parecía las manchas que se hacen en el agua de los charcos, pero no se podía comparar, era muchísimo más linda, de un verde brillante como esos bichos que viven en los damascos y tienen dos antenas largas con una bolita peluda en cada punta. En medio de la parte más ancha y más verde se abría un ojo azul y violeta, todo salpicado de oro, algo como no se ha visto nunca. Yo de golpe me daba cuenta por qué se llamaba pavorreal, y cuanto más la miraba más pensaba en cosas raras, como en las novelas, y al final la tuve que dejar porque se la hubiera robado a Hugo y eso no podía ser. A lo mejor Lila estaba pensando en nosotros, sola en su casa (que era oscura y con sus padres tan severos) cuando yo me divertía con la pluma y las estampillas. Mejor guardar todo y pensar en la pobre Lila tan valiente.

Por la noche me costó dormirme, no sé por qué. Se me había metido en la cabeza que Lila no estaba bien y que tenía fiebre. Me hubiera gustado pedirle a mamá que fuera a preguntarle a la madre pero no se podía, primero con Hugo que se iba a reír, y después que mamá se enojaría si se enteraba de la lastimadura y que no le habíamos avisado. Me quise dormir tantas veces pero no podía, y al final pensé que lo mejor era ir por la mañana a lo de Lila

y ver cómo estaba, o llamar por el ligustro. Al final me
dormí pensando en Lila y Buffalo Bill y también en la
máquina de las hormigas, pero sobre todo en Lila.

Al otro día me levanté antes que nadie y fui a mi jardín,
que estaba cerca de las glicinas. Mi jardín era un cantero
nada más que mío, que abuelita me había dado para que
yo hiciese lo que quisiera. Una vez planté alpiste, después
batatas, pero ahora me gustaban las flores y sobre todo mi
jazmín del Cabo, que es el de olor más fuerte sobre todo
de noche, y mamá siempre decía que mi jazmín era el más
lindo de la casa. Con la pala fui cavando despacio alrededor
del jazmín, que era lo mejor que yo tenía, y al final lo saqué
con toda la tierra pegada a la raíz. Así fui a llamarla a
Lila que también estaba levantada y no tenía casi nada
en la rodilla.

—¿Hugo se va mañana? —me preguntó, y le dije que
sí, porque tenía que seguir estudiando en Buenos Aires
el ingreso a primer año. Le dije a Lila que le traía una
cosa y ella me preguntó qué era, y entonces por entre el
ligustro le mostré mi jazmín y le dije que se lo regalaba
y que si quería la iba ayudar a hacerse un jardín para ella
sola. Lila dijo que el jazmín era muy lindo, y le pidió
permiso a la madre y yo salté el ligustro para ayudarla a
plantarlo. Elegimos un cantero chico, arrancamos unos
crisantemos medio secos que había, y yo me puse a pun-
tear la tierra, a darle otra forma al cantero, y después Lila
me dijo dónde le gustaba que estuviera el jazmín, que era
el mismo medio. Yo lo planté, regamos con la regadera y
el jardín quedó muy bien. Ahora yo tenía que conseguir
un poco de gramilla, pero no había apuro. Lila estaba
muy contenta y no le dolía nada la lastimadura. Quería
que Hugo y mi hermana vieran en seguida lo que habíamos hecho, y yo los fui a buscar justo cuando mamá me
llamaba para el café con leche. Las de Negri andaban
peleándose en el jardín, y la Cufina chillaba como siempre.
No sé cómo podían pelearse con una mañana tan linda.

El sábado por la tarde Hugo se tenía que volver a
Buenos Aires y yo dentro de todo me alegré porque tío
Carlos no quería encender la máquina ese día y lo dejó
para el domingo. Mejor que estuviéramos él y yo sola-

mente, no fuera la mala pata que Hugo se saliera envene-
nando o cualquier cosa. Esa tarde lo extrañé un poco porque ya me había acostumbrado a tenerlo en mi cuarto,
y sabía tantos cuentos y aventuras de memoria. Pero peor
era mi hermana que andaba por toda la casa como sonám-
bula, y cuando mamá le preguntó qué le pasaba dijo que
nada, pero ponía una cara que mamá se quedó mirándola
y al final se fue diciendo que algunas se creían más grandes de lo que eran y eso que ni sonarse solas sabían. Yo
encontraba que mi hermana se portaba como una estúpida,
sobre todo cuando la vi que con tiza de colores escribía en
el pizarrón del patio el nombre de Hugo, lo borraba y lo
escribía de nuevo, siempre con otros colores y otras letras,
mirándome de reojo, y después hizo un corazón con una
flecha y yo me fui para no pegarle un par de bifes o ir a
decírselo a mamá. Para peor esa tarde Lila se había vuelto
a su casa temprano, diciendo que la madre no la dejaba
quedarse por culpa de la lastimadura. Hugo le dijo que a
las cinco venían a buscarlo de Buenos Aires, y que por qué
no se quedaba hasta que él se fuera, pero Lila dijo que no
podía y se fue corriendo y sin saludar. Por eso cuando lo
vinieron a buscar, Hugo tuvo que ir a despedirse de Lila
y la madre, y después se despidió de nosotros y se fue muy
contento diciendo que volvería al otro fin de semana.
Esa noche yo me sentí un poco solo en mi cuarto, pero
por otro lado era una ventaja sentir que todo era de nuevo
mío, y que podía apagar la luz cuando me daba la gana.

El domingo al levantarme oí que mamá hablaba por
el alambrado con el señor Negri. Me acerqué a decir buen
día y el señor Negri estaba diciéndola a mamá que en el
cantero de las lechugas donde salía humo el día que pro-
bamos la máquina, todas las lechugas se estaban marchi-
tando. Mamá le dijo que era muy raro porque en el prospecto de la máquina decía que el humo no era dañino
para las plantas, y el señor Negri le contestó que no hay
que fiarse de los prospectos, que lo mismo es con los remedios que cuando uno lee el prospecto se va a curar de todo
y después a lo mejor acaba entre cuatro velas. Mamá le
dijo que podía ser que alguna de las chicas hubiera echado
agua de jabón en el cantero sin querer (pero yo me di

cuenta que mamá quería decir a propósito, de chusmas que eran y para buscar pelea) y entonces el señor Negri dijo que iba a averiguar pero que en realidad si la máquina mataba las plantas no se veía ventaja de tomarse tanto trabajo. Mamá le dijo que no iba a comparar unas lechugas de mala muerte con el estrago que hacen las hormigas en los jardines, y que por la tarde la íbamos a encender, y si veían humo que avisaran que nosotros iríamos a tapar los hormigueros para que ellos no se molestaran. Abuelita me llamó para tomar el café y no sé qué más se dijeron, pero yo estaba entusiasmado pensando que otra vez íbamos a combatir las hormigas, y me pasé la mañana leyendo Raffles aunque no me gustaba tanto como Buffalo Bill y otras novelas.

A mi hermana se le había pasado la loca y andaba cantando por toda la casa, en una de esas le dio por pintar con los lápices de colores y vino adonde yo estaba, y antes de darme cuenta ya había metido la nariz en lo que yo hacía, y justo por casualidad yo acababa de escribir mi nombre, que me gustaba escribirlo en todas partes, y el de Lila que por pura casualidad había escrito al lado del mío. Cerré el libro pero ella ya había leído y se puso a reír a carcajadas y me miraba como con lástima, y yo me le fui encima pero ella chilló y oí que mamá se acercaba, entonces me fui al jardín con toda la rabia. En el almuerzo ella me estuvo mirando con burla todo el tiempo, y me hubiera encantado pegarle una patada por abajo de la mesa, pero era capaz de ponerse a gritar y a la tarde íbamos a encender la máquina, así que me aguanté y no dije nada. A la hora de la siesta me trepé al sauce a leer y a pensar, y cuando a las cuatro y media salió tío Carlos de dormir, cebamos mate y después preparamos la máquina, y yo hice dos palanganas de barro. Las mujeres estaban adentro y hacía calor, sobre todo al lado de la máquina que era a carbón, pero el mate es bueno para eso si se toma amargo y muy caliente.

Habíamos elegido la parte del fondo del jardín cerca de los gallineros, porque parecía que las hormigas se estaban refugiando en esa parte y hacían mucho estrago en los almácigos. Apenas pusimos el pico en el hormiguero más

grande empezó a salir humo por todas partes, y hasta por
entre los ladrillos del piso del gallinero salía. Yo iba de
un lado a otro taponando la tierra, y me gustaba echar el
barro encima y aplastarlo con las manos hasta que dejaba
de salir humo. Tío Carlos se asomó al alambrado de las
de Negri y le preguntó a la Chola, que era la menos sonsa,
si no salía humo en su jardín, y la Cufina armaba gran
revuelo y andaba por todas partes mirando porque a tío
Carlos le tenían mucho respeto, pero no salía humo del
lado de ellas. En cambio oí que Lila me llamaba y fui
corriendo al ligustro y la vi que estaba con su vestido de
lunares anaranjados que era el que más me gustaba, y la
rodilla vendada. Me gritó que salía humo de su jardín, el
que era solamente suyo, y yo ya estaba saltando el alambrado con una de las palanganas de barro mientras Lila
me decía afligida que al ir a ver a su jardín había oído que
hablábamos con las de Negri y que entonces justo al lado de
donde habíamos plantado el jazmín empezaba a salir humo.
Yo estaba arrodillado echando barro con todas mis fuerzas.
Era muy peligroso para el jazmín recién trasplantado y
ahora con el veneno tan cerca, aunque el manual decía
que no. Pensé si no podría cortar la galería de las hormigas
unos metros antes del cantero, pero antes de nada eché
el barro y taponé la salida lo mejor que pude. Lila se había
sentado a la sombra con un libro y me miraba trabajar
Me gustaba que me estuviera mirando, y puse tanto barro
que seguro que por ahí no iba a salir más humo. Después me
acerqué a preguntarle dónde había una pala para ver de
cortar la galería antes que llegara al jazmín con todo el
veneno. Lila se levantó y fue a buscar la pala, y como tar-
daba yo me puse a mirar el libro que era de cuentos con
figuras, y me quedé asombrado al ver que Lila también
tenía una pluma de pavorreal preciosa en el libro, y que
nunca me había dicho nada. Tío Carlos me estaba llamando
para que taponara otros agujeros, pero yo me quedé
mirando la pluma que no podía ser la de Hugo pero era
tan idéntica que parecía del mismo pavorreal, verde con el
ojo violeta y azul, y las manchitas de oro. Cuando Lila
vino con la pala le pregunté de dónde había sacado la
pluma y pensaba contarle que Hugo tenía una idéntica.

Casi no me di cuenta de lo que me decía cuando se puso muy colorada y contestó que Hugo se la había regalado al ir a despedirse.

—Me dijo que en su casa hay muchas —agregó como disculpándose pero no me miraba, y tío Carlos me llamó más fuerte del otro lado de los ligustros y yo tiré la pala que me había dado Lila y me volví al alambrado, aunque Lila me llamaba y me decía que otra vez estaba saliendo humo en su jardín. Salté el alambrado y desde casa por entre los ligustros la miré a Lila que estaba llorando con el libro en la mano y la pluma que asomaba apenas, y vi que el humo salía ahora al lado mismo del jazmín, todo el veneno mezclándose con las raíces. Fui hasta la máquina aprovechando que tío Carlos hablaba de nuevo con las de Negri, abrí la lata del veneno y eché dos, tres cucharadas llenas en la máquina y la cerré; así el humo invadía bien los hormigueros y mataba todas las hormigas, no dejaba ni una hormiga viva en el jardín de casa.

Las fases de Severo

In memoriam Remedios Varo.

Todo estaba como quieto, como de alguna manera congelado en su propio movimiento, su olor y su forma que seguían y cambiaban con el humo y la conversación en voz baja entre cigarrillos y tragos. El Bebe Pessoa había dado ya tres fijas para San Isidro, la hermana de Severo cosía las cuatro monedas en las puntas del pañuelo para cuando a Severo le tocara el sueño. No éramos tantos pero de golpe una casa resulta chica, entre dos frases se arma el cubo transparente de dos o tres segundos de suspensión, y en momentos así algunos debían sentir como yo que todo eso, por más forzoso que fuera, nos latimaba por Severo, por la mujer de Severo y los amigos de tantos años.

Como a las once de la noche habíamos llegado con Ignacio, el Bebe Pessoa y mi hermano Carlos. Eramos un poco de la familia, sobre todo Ignacio que trabajaba en la misma oficina de Severo, y entramos sin que se fijaran demasiado en nosotros. El hijo mayor de Severo nos pidió que pasáramos al dormitorio, pero Ignacio dijo que nos quedaríamos un rato en el comedor; en la casa había gente por todas

165

partes, amigos o parientes que tampoco querían molestar
y se iban sentando en los rincones o se juntaban al lado de
una mesa o de un aparador para hablar o mirarse. Cada
tanto los hijos o la hermana de Severo traían café y copas
de caña, y casi siempre en esos momentos todo se aquie-
taba como si se congelara en su propio movimiento y en
el recuerdo empezaba a aletear la frase idiota: «Pasa un
ángel», pero aunque después yo comentara un doblete del
negro Acosta en Palermo, o Ignacio acariciara el pelo
crespo del hijo menor de Severo, todos sentíamos que en
el fondo la inmovilidad seguía, que estábamos como esperando cosas ya sucedidas o que todo lo que podía suceder
era quizá otra cosa o nada, como en los sueños, aunque
estábamos despiertos y de a ratos, sin querer escuchar,
oíamos el llanto de la mujer de Severo, casi tímido en un
rincón de la sala donde debían estar acompañándola los
parientes más cercanos.

Uno se va olvidando de la hora en esos casos, o como
dijo riéndose el Bebe Pessoa, es al revés y la hora se olvida
de uno, pero al rato vino el hermano de Severo para decir
que iba a empezar el sudor, y aplastamos los puchos y
fuimos entrando de a uno en el dormitorio donde cabía-
mos casi todos porque la familia había sacado los muebles
y no quedaban más que la cama y una mesa de luz. Severo
estaba sentado en la cama, sostenido por las almohadas,
y a los pies se veía un cobertor de sarga azul y una toalla
celeste. No había ninguna necesidad de estar callado, y
los hermanos de Severo nos invitaban con gestos cordiales
(son tan buenas gentes todos) a acercarnos a la cama, a
rodear a Severo que tenía las manos cruzadas sobre las
rodillas. Hasta el hijo menor, tan chico, estaba ahora al
lado de la cama mirando a su padre con cara de sueño.

La fase del sudor era desagradable porque al final había
que cambiar las sábanas y el piyama, hasta las almohadas
se iban empapando y pesaban como enormes lágrimas.
A diferencia de otros que según Ignacio tendían a impa-
cientarse, Severo se quedaba inmóvil, sin siquiera mirarnos,
y casi en seguida el sudor le había cubierto la cara y las
manos. Sus rodillas se recortaban como dos manchas oscuras, y aunque su hermana le secaba a cada momento el

sudor de las mejillas, la transpiración brotaba de nuevo y caía sobre la sábana.

—Y eso que en realidad está muy bien —insistió Ignacio que se había quedado cerca de la puerta—. Sería peor si se moviera, las sábanas se pegan que da miedo.

—Papá es hombre tranquilo —dijo el hijo mayor de Severo—. No es de los que dan trabajo.

—Ahora se acaba —dijo la mujer de Severo, que había entrado al final y traía un piyama limpio y un juego de sábanas. Pienso que todos sin excepción la admiramos como nunca en ese momento, porque sabíamos que había estado llorando poco antes y ahora era capaz de atender a su marido con una cara tranquila y sosegada, hasta enérgica. Supongo que algunos de los parientes le dijeron frases alentadoras a Severo, yo ya estaba otra vez en el zaguán y la hija menor me ofrecía una taza de café. Me hubiera gustado darle conversación para distraerla, pero entraban otros y Manuelita es un poco tímida, a lo mejor piensa que me intereso por ella y prefiero permanecer neutral. En cambio el Bebe Pessoa es de los que van y vienen por la casa y por la gente como si nada, y entre él, Ignacio y el hermano de Severo ya habían formado una barra con algunas primas y sus amigas, hablando de cebar un mate amargo que a esa hora le vendría bien a más de cuatro porque asienta el asado. Al final no se pudo, en uno de esos momentos en que de golpe nos quedábamos inmóviles (insisto en que nada cambiaba, seguíamos hablando o gesticulando pero era así y de alguna manera hay que decirlo y darle una razón o un nombre) el hermano de Severo vino con una lámpara de acetileno y desde la puerta nos previno que iba a empezar la fase de los saltos. Ignacio se bebió el café de un trago y dijo que esa noche todo parecía andar más rápido; fue de los que se ubicaron cerca de la cama, con la mujer de Severo y el chico menor que se reía porque la mano derecha de Severo oscilaba como un metrónomo. Su mujer le había puesto un piyama blanco y la cama estaba otra vez impecable; olimos el agua colonia y el Bebe le hizo un gesto admirativo a Manuelita, que debía haber pensado en eso. Severo dio el primer salto y quedó sentado al borde de la cama, mirando a su hermana que lo alentaba con una sonrisa un poco estúpida y de circunstancias. Qué necesidad había de eso, pensé yo que prefiero las cosas limpias; y qué podía importarle a Severo que su hermana lo alentara o no. Los saltos se sucedían rítmicamente: sentado al borde de la cama, sentado contra la cabecera, sentado en el borde opuesto, de pie en el medio de la cama, de pie sobre el piso entre Ignacio y el Bebe, en cuclillas sobre el piso entre su mujer y su hermano, sentado en el rincón de la puerta, de pie en el centro del cuarto, siempre entre dos amigos o parientes, cayendo justo en los huecos mientras nadie se movía y solamente los ojos lo iban siguiendo, sentado en el borde de la cama, de pie contra la cabecera, de cuclillas en el medio de la cama, arrodillado en el borde de la cama, parado entre Ignacio y Manuelita, de rodillas entre su hijo menor y yo, sentado al pie de la cama. Cuando la mujer de Severo anunció el fin de la fase, todos empezaron a hablar al mismo tiempo y a felicitar a Severo que estaba como ajeno; ya no me acuerdo quién lo acompañó de vuelta a la cama porque salíamos al mismo tiempo comentando la fase y buscando alguna cosa para calmar la sed, y yo me fui con el Bebe al patio a respirar el aire de la noche y a bebernos dos cervezas del gollete.

En la fase siguiente hubo un cambio, me acuerdo, porque según Ignacio tenía que ser la de los relojes y en cambio oímos llorar otra vez a la mujer de Severo en la sala y casi en seguida vino el hijo mayor a decirnos que ya empezaban a entrar las polillas. Nos miramos un poco extrañados con el Bebe y con Ignacio, pero no estaba excluido que pudiera haber cambios y el Bebe dijo lo acostumbrado sobre el orden de los factores y esas cosas; pienso que a nadie le gustaba el cambio pero disimulábamos al ir entrando otra vez y formando círculo alrededor de la cama de Severo, que la familia había colocado como correspondía en el centro del dormitorio.

El hermano de Severo llegó el último con la lámpara de acetileno, apagó la araña del cielo raso y corrió la mesa de luz hasta los pies de la cama; cuando puso la lámpara en la mesa de luz nos quedamos callados y quietos, mirando a Severo que se había incorporado a medias entre las almohadas y no parecía demasiado cansado por las fases anteriores. Las polillas empezaron a entrar por la puerta, y las que ya estaban en las paredes o el cielo raso se sumaron a las otras y empezaron a revolotear en torno de la lámpara de acetileno. Con los ojos muy abiertos Severo seguía el torbellino ceniciento que aumentaba cada vez más, y parecía concentrar todas sus fuerzas en esa contemplación sin parpadeos. Una de las polillas (era muy grande, yo creo que en realidad era una falena pero en esa fase se hablaba solamente de polillas y nadie hubiera discutido el nombre) se desprendió de las otras y voló a la cara de Severo; vimos que se pegaba a la mejilla derecha y que Severo cerraba por un instante los ojos. Una tras otra las polillas abandonaron la lámpara y volaron en torno de Severo, pegándose en el pelo, la boca y la frente hasta convertirlo en una enorme máscara temblorosa en la que sólo los ojos seguían siendo suyos y miraban empecinados la lámpara de acetileno donde una polilla se obstinaba en girar buscando entrada. Sentí que los dedos de Ignacio se me clavaban en el antebrazo, y sólo entonces me di cuenta de que también yo temblaba y tenía una mano hundida en el hombro del Bebe. Alguien gimió, una mujer, probablemente Manuelita que no sabía dominarse como los demás, y en ese mismo instante la última polilla voló hacia la cara de Severo y se perdió en la masa gris. Todos gritamos a la vez, abrazándonos y palmeándonos mientras el hermano de Severo corría a encender la araña del cielo raso; una nube de polillas buscaba torpemente la salida y Severo, otra vez la cara de Severo, seguía mirando la lámpara ya inútil y movía cautelosamente la boca como si temiera envenenarse con el polvo de plata que le cubría los labios.

No me quedé ahí porque tenían que lavar a Severo y ya alguien estaba hablando de una botella de grapa en la cocina, aparte de que en esos casos siempre sorprende cómo las bruscas recaídas en la normalidad, por decirlo así, distraen y hasta engañan. Seguí a Ignacio que conocía todos los rincones, y le pegamos a la grapa con el Bebe y el hijo mayor de Severo. Mi hermano Carlos se había tirado en un banco y fumaba con la cabeza gacha, respirando fuerte; le llevé una copa y se la bebió de un trago. El Bebe Pessoa se empecinaba en que Manuelita tomara un trago,

y hasta le hablaba de cine y de carreras; yo me mandaba
una grapa tras otra sin querer pensar en nada, hasta que
no pude más y busqué a Ignacio que parecía esperarme
cruzado de brazos.

—Si la última polilla hubiera elegido... —empecé.

Ignacio hizo una lenta señal negativa con la cabeza.
Por supuesto, no había que preguntar; por lo menos en
ese momento no había que preguntar; no sé si comprendí
del todo pero tuve la sensación de un gran hueco, algo
como una cripta vacía que en alguna parte de la memoria
latía lentamente con un gotear de filtraciones. En la nega-
ción de Ignacio (y desde lejos me había parecido que el
Bebe Pessoa también negaba con la cabeza, y que Manuelita nos miraba ansiosamente, demasiado tímida para negar
a su vez) había como una suspensión del juicio, un no
querer ir más adelante; las cosas eran así en su presente
absoluto, como iban ocurriendo. Entonces podíamos seguir,
y cuando la mujer de Severo entró en la cocina para avisar
que Severo iba a decir los números, dejamos las copas
medio llenas y nos apuramos, Manuelita entre el Bebe y
yo, Ignacio atrás con mi hermano Carlos que llega siempre
tarde a todos lados.

Los parientes ya estaban amontonados en el dormitorio
y no quedaba mucho sitio donde ubicarse. Yo acababa
de entrar (ahora la lámpara de acetileno ardía en el suelo,
al lado de la cama, pero la araña seguía encendida) cuando
Severo se levantó, se puso las manos en los bolsillos del
piyama, y mirando a su hijo mayor dijo: «6», mirando a su
mujer dijo: «20», mirando a Ignacio dijo: «23», con una voz
tranquila y desde abajo, sin apurarse. A su hermana le
le dijo 16, a su hijo menor 28, a otros parientes les fue
diciendo números casi siempre altos, hasta que a mí me
dijo 2 y sentí que el Bebe me miraba de reojo y apretaba
los labios, esperando su turno. Pero Severo se puso a
decirles números a otros parientes y amigos, casi siempre
por encima de 5 y sin repetirlos jamás. Casi al final al Bebe
le dijo 14, y el Bebe abrió la boca y se estremeció como si
le pasara una gran viento entre las cejas, se frotó las manos
y después tuvo vergüenza y las escondió en los bolsillos
del pantalón justo cuando Severo le decía 1 a una mujer

de cara muy encendida, probablemente una parienta lejana que había venido sola y que casi no había hablado con nadie esa noche, y de golpe Ignacio y el Bebe se miraron y Manuelita se apoyó en el marco de la puerta y me pareció que temblaba, que se contenía para no gritar. Los demás ya no atendían a sus números, Severo los decía igual pero ellos empezaban a hablar, incluso Manuelita cuando se repuso y dio dos pasos hacia adelante y le tocó el 9, ya nadie se preocupaba y los números terminaron en un hueco 24 y un 12 que les tocaron a un pariente y a mi hermano Carlos; el mismo Severo parecía menos concentrado y con el último se echó hacia atrás y se dejó tapar por su mujer, cerrando los ojos como quien se desinteresa u olvida.

—Por supuesto es una cuestión de tiempo —me dijo Ignacio cuando salimos del dormitorio—. Los números por sí mismos no quieren decir nada, che.

—¿A vos te parece? —le pregunté bebiéndome de un trago la copa que me había traído el Bebe.

—Pero claro, che —dijo Ignacio—. Fijate que del 1 al 2 pueden pasar años, ponele diez o veinte, en una de esas más.

—Seguro —apoyó el Bebe—. Yo que vos no me afligía.

Pensé que me había traído la copa sin que nadie se la pidiera, molestándose en ir hasta la cocina con toda esa gente. Y a él le había tocado el 14 y a Ignacio el 23.

—Sin contar que está el asunto de los relojes —dijo mi hermano Carlos que se había puesto a mi lado y me apoyaba la mano en el hombro—. Eso no se entiende mucho, pero a lo mejor tiene su importancia. Si te toca atrasar...

—Ventaja adicional —dijo el Bebe, sacándome la copa vacía de la mano como si tuviera miedo de que se me cayese al suelo.

Estábamos en el zaguán al lado del dormitorio, y por eso entramos de los primeros cuando el hijo mayor de Severo vino precisamente a decirnos que empezaba la fase de los relojes. Me pareció que la cara de Severo había enflaquecido de golpe, pero su mujer acababa de peinarlo y olía de nuevo a agua colonia que siempre da confianza. A mí me rodeaban mi hermano, Ignacio y el Bebe como para cuidarme el ánimo, y en cambio no había nadie que se ocupara de la parienta que había sacado el 1 y que estaba a los pies de la cama con la cara más roja que nunca, temblándole la boca y los párpados. Sin siquiera mirarla Severo le dijo a su hijo menor que adelantara, y el pibe no entendió y se puso a reír hasta que su madre lo agarró de un brazo y le quitó el reloj pulsera. Sabíamos que era un gesto simbólico, bastaba simplemente adelantar o atrasar las agujas sin fijarse en el número de horas o minutos, puesto que al salir de la habitación volveríamos a poner los relojes en hora. Ya a varios les tocaba adelantar o atrasar, Severo distribuía las indicaciones casi mecánicamente, sin interesarse; cuando a mí me tocó atrasar, mi hermano volvió a clavarme los dedos en el hombro; esta vez se lo agradecí, pensando como el Bebe que podía ser una ventaja adicional aunque nadie pudiera estar seguro; y también a la parienta de la cara colorada le tocaba atrasar, y la pobre se secaba unas lágrimas de gratitud, quizá completamente inútiles al fin y al cabo, y se iba para el patio a tener un buen ataque de nervios entre las macetas; algo oímos después desde la cocina, entre nuevas copas de grapa y las felicitaciones de Ignacio y de mi hermano.

—Pronto será el sueño —nos dijo Manuelita—, mamá manda decir que se preparen.

No había mucho que preparar, volvimos despacio al dormitorio, arrastrando el cansancio de la noche; pronto amanecería y era día hábil, a casi todos nos esperaban los empleos a las nueve o a las nueve y media; de golpe empezaba a hacer más frío, la brisa helada en el patio metiéndose por el zaguán, pero en el dormitorio las luces y la gente calentando el aire, casi no se hablaba y bastaba mirarse para ir haciendo sitio, ubicándose alrededor de la cama después de apagar los cigarrillos. La mujer de Severo estaba sentada en la cama, arreglando las almohadas, pero se levantó y se puso en la cabecera; Severo miraba hacia arriba, ignorándonos miraba la araña encendida, sin parpadear, con las manos apoyadas sobre el vientre, inmóvil e indiferente miraba sin parpadear la araña encendida y entonces Manuelita se acercó al borde de la cama y todos le vimos en la mano el pañuelo con las monedas atadas en las cuatro puntas. No quedaba más que esperar, sudando casi en ese aire encerrado y caliente, oliendo agradecidos el agua colonia y pensando en el momento en que por fin podríamos irnos de la casa y fumar hablando en la calle, discutiendo o no lo de esa noche, probablemente no pero fumando hasta perdernos por las esquinas. Cuando los párpados de Severo empezaron a bajar lentamente, borrándole de a poco la imagen de la araña encendida, sentí cerca de mi oreja la respiración ahogada del Bebe Pessoa. Bruscamente había un cambio, un aflojamiento, se lo sentía como si no fuéramos más que un solo cuerpo de incontables piernas y manos y cabezas aflojándose de golpe, comprendiendo que era el fin, el sueño de Severo que empezaba, y el gesto de Manuelita al inclinarse sobre su padre y cubrirle la cara con el pañuelo, disponiendo las cuatro puntas de manera que lo sostuvieran naturalmente, sin arrugas ni espacios descubiertos, era lo mismo que ese suspiro contenido que nos envolvía a todos, nos tapaba a todos con el mismo pañuelo.

—Y ahora va a dormir —dijo la mujer de Severo—. Ya está durmiendo, fíjense.

Los hermanos de Severo se habían puesto un dedo en los labios pero no hacía falta, nadie hubiera dicho nada, empezábamos a movernos en puntas de pie, apoyándonos unos en otros para salir sin ruido. Algunos miraban todavía hacia atrás, el pañuelo sobre la cara de Severo, como si quisieran asegurarse de que Severo estaba dormido. Sentí contra mi mano derecha un pelo crespo y duro, era el hijo menor de Severo que un pariente había tenido cerca de él para que no hablara ni se moviera, y que ahora había venido a pegarse a mí, jugando a caminar en puntas de pie y mirándome desde abajo con unos ojos interrogantes y cansados. Le acaricié el mentón, las mejillas, llevándolo contra mí fui saliendo al zaguán y al patio, entre Ignacio y el Bebe que ya sacaban los atados de cigarrillos; el gris del amanecer con un gallo allá en lo hondo nos iba devolviendo a nuestra vida de cada uno, al futuro ya instalado en ese gris y ese frío, horriblemente hermoso. Pensé que la mujer de Severo y Manuelita (tal vez los hermanos y el hijo mayor) se quedaban adentro velando el sueño de Severo, pero nosotros íbamos ya camino de la calle, dejábamos atrás la cocina y el patio.

—¿No juegan más? —me preguntó el hijo de Severo, cayéndose de sueño pero con la obstinación de todos los pibes.

—No, ahora hay que ir a dormir —le dije—. Tu mamá te va a acostar, andate adentro que hace frío

—Era un juego, ¿verdad, Julio?

—Sí, viejo, era un juego. Andá a dormir, ahora.

Con Ignacio, el Bebe y mi hermano llegamos a la primera esquina, encendimos otro cigarrillo sin hablar mucho. Otros ya andaban lejos, algunos seguían parados en la puerta de la casa, consultándose sobre tranvías o taxis, nosotros conocíamos bien el barrio, podíamos seguir juntos las primeras cuadras, después el Bebe y mi hermano doblarían a la izquierda, Ignacio seguiría unas cuadras más, y yo subiría a mi pieza y pondría a calentar la pava del mate, total no valía la pena acostarse por tan poco tiempo, mejor ponerse las zapatillas y fumar y tomar mate, esas cosas que ayudan.

We'll send your love to college, all for a year or two,
And then perhaps in time the boy will do for you.

The trees that grow so high.
(Canción folklórica inglesa.)

No entiendo por qué no me dejan pasar la noche en la clínica con el nene, al fin y al cabo soy su madre y el doctor De Luisi nos recomendó personalmente al director. Podrían traer un sofá cama y yo lo acompañaría para que se vaya acostumbrando, entró tan pálido el pobrecito como si fueran a operarlo en seguida, yo creo que es ese olor de las clínicas, su padre también estaba nervioso y no veía la hora de irse, pero yo estaba segura de que me dejarían con el nene. Después de todo tiene apenas quince años y nadie se los daría, siempre pegado a mí aunque ahora con los pantalones largos quiere disimular y hacerse el hombre grande. La impresión que le habrá hecho cuando se dio cuenta de que no me dejaban quedarme, menos mal que su padre le dio charla, le hizo poner el piyama y meterse en la cama. Y todo por esa mocosa de enfermera, yo me pregunto si verdaderamente tiene órdenes de los médicos o si lo hace por pura maldad. Pero bien que se lo dije, bien que le pregunté si estaba segura de que tenía que irme. No hay más que mirarla para darse cuenta de quién es, con esos aires de vampiresa y ese delantal ajustado, una chiquilina de porquería que se cree la directora de la clínica. Pero eso sí, no se la llevó de arriba, le dije lo que pensaba y eso que el nene no sabía dónde meterse de vergüenza y su padre se hacía el desentendido y de paso seguro que le miraba las piernas como de costumbre. Lo único que me consuela es que el ambiente es bueno, se nota que es una clínica para personas pudientes; el nene tiene un velador de lo más lindo para leer sus revistas, y por suerte su padre se acordó de traerle caramelos de menta que son los que más le gustan. Pero mañana por la mañana, eso sí, lo primero que hago es hablar con el doctor De Luisi para que la ponga en su lugar a esa mocosa presumida. Habrá que ver si la frazada lo abriga bien al nene, voy a pedir que por las dudas le dejen otra a mano. Pero sí, claro que me abriga, menos mal que se fueron de una vez, mamá cree que soy un chico y me hace hacer cada papelón. Seguro que la enfermera va a pensar que no soy capaz de pedir lo que necesito, me miró de una manera cuando mamá le estaba protestando... Está bien, si no la dejaban quedarse qué le vamos a hacer, ya soy bastante grande para dormir solo de noche, me parece. Y en esta cama se dormirá bien, a esta hora ya no se oye ningún ruido, a veces de lejos el zumbido del ascensor que me hace acordar a esa película de miedo que también pasaba en una clínica, cuando a medianoche se abría poco a poco la puerta y la mujer paralítica en la cama veía al hombre de la máscara blanca...

La enfermera es bastante simpática, volvió a las seis y media con unos papeles y me empezó a preguntar mi nombre completo, la edad y esas cosas. Yo guardé la revista en seguida porque hubiera quedado mejor estar leyendo un libro de veras y no una fotonovela, y creo que ella se dio cuenta pero no dijo nada, seguro que todavía estaba enojada por lo que le había dicho mamá y pensaba que yo era igual que ella y que le iba a dar órdenes o algo así. Me preguntó si me dolía el apéndice y le dije que no, que esa noche estaba muy bien. «A ver el pulso», me dijo, y después de tomármelo anotó algo más en la planilla y la colgó a los pies de la cama. «¿Tenés hambre?», me preguntó, y yo creo que me puse colorado porque me tomó de sorpresa que me tuteara, es tan joven que me hizo impresión. Le dije que no, aunque era mentira porque a esa hora siempre tengo hambre. «Esta noche vas a cenar muy liviano», dijo ella, y cuando quise darme cuenta ya me había quitado el paquete de caramelos de menta y se iba. No sé si empecé a decirle algo, creo que no. Me daba una rabia que me hiciera eso como a un chico, bien podía haberme dicho que no tenía que comer caramelos, pero llevárselos... Seguro que estaba furiosa por lo de mamá y se desquitaba conmigo, de puro resentida; qué sé yo, después que se fue se me pasó de golpe el fastidio, quería seguir enojado con ella pero no podía. Qué joven es, clavado que no tiene ni diecinueve años, debe haberse recibido de enfermera hace muy poco. A lo mejor viene para traerme la cena; le voy a preguntar cómo se llama, si va a ser mi enfermera tengo que darle un nombre. Pero en cambio vino otra, una señora muy amable vestida de azul que me trajo un caldo y bizcochos y me hizo tomar unas pastillas verdes. También ella me preguntó cómo me llamaba y si me sentía bien, y me dijo que en esta pieza dormiría tranquilo porque era una de las mejores de la clínica, y es verdad porque dormí hasta casi las ocho en que me despertó una enfermera chiquita y arrugada como un mono pero muy amable, que me dijo que podía levantarme y lavarme pero antes me dio un termómetro y me dijo que me lo pusiera como se hace en estas clínicas, y yo no entendí porque en casa se pone debajo del brazo, y entonces me explicó y se fue. Al rato vino mamá y qué alegría verlo tan bien, yo que me temía que hubiera pasado la noche en blanco el pobre querido, pero los chicos son así, en la casa tanto trabajo y después duermen a pierna suelta aunque estén lejos de su mamá que no ha cerrado los ojos la pobre. El doctor De Luisi entró para revisar al nene y yo me fui un momento afuera porque ya está grandecito, y me hubiera gustado encontrármela a la enfermera de ayer para verle bien la cara y ponerla en su sitio nada más que mirándola de arriba abajo, pero no había nadie en el pasillo. Casi en seguida salió el doctor De Luisi y me dijo que al nene iban a operarlo a la mañana siguiente, que estaba muy bien y en las mejores condiciones para la operación, a su edad una apendicitis es una tontería. Le agradecí mucho y aproveché para decirle que me había llamado la atención la impertinencia de la enfermera de la tarde, se lo decía porque no era cosa de que a mi hijo fuera a faltarle la atención necesaria. Después entré en la pieza para acompañar al nene que estaba leyendo sus revistas y ya sabía que lo iban a operar al otro día. Como si fuera el fin del mundo, me mira de un modo la pobre, pero si no me voy a morir, mamá, haceme un poco el favor. Al Cacho le sacaron el apéndice en el hospital y a los seis días ya estaba queriendo jugar al fútbol. Andate tranquila que estoy muy bien y no me falta nada. Sí, mamá, sí, diez minutos queriendo saber si me duele aquí o más allá, menos mal que se tiene que ocupar de mi hermana en casa, al final se fue y yo pude terminar la fotonovela que había empezado anoche.

La enfermera de la tarde se llama la señorita Cora, se lo pregunté a la enfermera chiquita cuando me trajo el almuerzo; me dieron muy poco de comer y de nuevo pastillas verdes y unas gotas con gusto a menta; me parece que esas gotas hacen dormir porque se me caían las revistas de la mano y de golpe estaba soñando con el colegio y que íbamos a un picnic con las chicas del normal como el año pasado y bailábamos a la orilla de la pileta, era muy divertido. Me desperté a eso de las cuatro y media y empecé a pensar en la operación, no que tenga miedo, el doctor De Luisi dijo que no es nada, pero debe ser raro la anestesia y que te corten cuando estás dormido, el Cacho decía que lo peor es despertarse, que duele mucho y por ahí vomitás y tenés fiebre. El nene de mamá ya no está tan garifo como ayer, se le nota en la cara que tiene un poco de miedo, es tan chico que casi me da lástima. Se sentó de golpe en la cama cuando me vio entrar y escondió la revista debajo de la almohada. La pieza estaba un poco fría y fui a subir la calefacción, después traje el termómetro y se lo di. «¿Te lo sabés poner?», le pregunté, y las mejillas parecían que iban a reventársele de rojo que se puso. Dijo que sí con la cabeza y se estiró en la cama mientras yo bajaba las persianas y encendía el velador. Cuando me acerqué para que me diera el termómetro seguía tan ruborizado que

estuve a punto de reírme, pero con los chicos de esa edad
pasa siempre lo mismo, les cuesta acostumbrarse a esas
cosas. Y para peor me mira en los ojos, por qué no le
puedo aguantar esa mirada si al final no es más que una
mujer, cuando saqué el termómetro de debajo de las frazadas y se lo alcancé, ella me miraba y yo creo que se sonreía un poco, se me debe notar tanto que me pongo colorado, es algo que no puedo evitar, es más fuerte que yo.
Después anotó la temperatura en la hoja que está a los pies
de la cama y se fue sin decir nada. Ya casi no me acuerdo
de lo que hablé con papá y mamá cuando vinieron a verme
a las seis. Se quedaron poco porque la señorita Cora les
dijo que había que prepararme y que era mejor que estuviese tranquilo la noche antes. Pensé que mamá iba a sol-
tarle alguna de las suyas pero la miró no más de arriba
abajo, y papá también pero yo al viejo le conozco las miradas, es algo muy diferente. Justo cuando se estaba yendo
la oí a mamá que le decía a la señorita Cora: «Le agradeceré
que lo atienda bien, es un niño que ha estado siempre muy
rodeado por su familia», o alguna idiotez por el estilo, y
me hubiera querido morir de rabia, ni siquiera escuché lo
que le contestó la señorita Cora, pero estoy seguro de
que no le gustó, a lo mejor piensa que me estuve quejando
de ella o algo así.

Volvió a eso de las seis y media con una mesita de esas de
ruedas llena de frascos y algodones, y no sé por qué de
golpe me dio un poco de miedo, en realidad no era miedo
pero empecé a mirar los que había en la mesita, toda clase
de frascos azules o rojos, tambores de gasa y también
pinzas y tubos de goma, el pobre debía estar empezando a
asustarse sin la mamá que parece un papagayo endomin-
gado, le agradeceré que atienda bien al nene, mire que he
hablado con el doctor De Luisi, pero sí, señora, se lo vamos
a atender como a un príncipe. Es bonito su nene, señora,
con esas mejillas que se le arrebolan apenas me ve entrar.
Cuando le retiré las frazadas hizo un gesto como para
volver a taparse, y creo que se dio cuenta de que me
hacía gracia verlo tan pudoroso. «A ver, bajate el pantalón
del piyama», le dije sin mirarlo en la cara. «¿El pantalón?»,
preguntó con una voz que se le quebró en un gallo. «Sí,

claro, el pantalón», repetí, y empezó a soltar el cordón y a desabotonarse con unos dedos que no le obedecían. Le tuve que bajar yo misma el pantalón hasta la mitad de los muslos, y era como me lo había imaginado. «Ya sos un chico crecidito», le dije, preparando la brocha y el jabón aunque la verdad es que poco tenía para afeitar. «¿Cómo te llaman en tu casa?», le pregunté mientras lo enjabonaba. «Me llamo Pablo», me contestó con una voz que me dio lástima, tanta era la vergüenza. «Pero te darán algún sobrenombre», insistí, y fue todavía peor porque me pareció que se iba a poner a llorar mientras yo le afeitaba los pocos pelitos que andaban por ahí. «¿Así que no tenés ningún sobrenombre? Sos el nene solamente, claro.» Terminé de afeitarlo y le hice una seña para que se tapara, pero él se adelantó y en un segundo estuvo cubierto hasta el pescuezo. «Pablo es un bonito nombre», le dije para consolarlo un poco; casi me daba pena verlo tan avergonzado, era la primera vez que me tocaba atender a un muchachito tan joven y tan tímido, pero me seguía fastidiando algo en él que a lo mejor le venía de la madre, algo más fuerte que su edad y que no me gustaba, y hasta me molestaba que fuera tan bonito y tan bien hecho para sus años, un mocoso que ya debía creerse un hombre y que a la primera de cambio sería capaz de soltarme un piropo.

Me quedé con los ojos cerrados, era la única manera de escapar un poco de todo eso, pero no servía de nada porque justamente en ese momento agregó: «¿Así que no tenés ningún sobrenombre? Sos el nene solamente, claro», y yo hubiera querido morirme, o agarrarla por la garganta y ahogarla, y cuando abrí los ojos le vi el pelo castaño pegado a mi cara porque se había agachado para sacarme un resto de jabón, y olía a shampoo de almendra como el que se pone la profesora de dibujo, o algún perfume de esos, y no supe qué decir y lo único que se me ocurrió fue preguntarle: «¿Usted se llama Cora, verdad?» Me miró con aire burlón, con esos ojos que ya me conocían y que me habían visto por todos lados, y dijo: «La señorita Cora.» Lo dijo para castigarme, lo sé, igual que antes había dicho: «Ya sos un chico crecidito», nada más que para burlarse. Aunque me daba rabia tener la cara colorada, eso no lo puedo disimular nunca y es lo peor que me puede ocurrir, lo mismo me animé a decirle: «Usted es tan joven que... Bueno, Cora es un nombre muy lindo.» No era eso, lo que yo había querido decirle era otra cosa y me parece que se dio cuenta y le molestó, ahora estoy seguro de que está resentida por culpa de mamá, yo solamente quería decirle que era tan joven que me hubiera gustado poder llamarla Cora a secas, pero cómo se lo iba a decir en ese momento cuando se había enojado y ya se iba con la mesita de ruedas y yo tenía ganas de llorar, esa es otra cosa que no puedo impedir, de golpe se me quiebra la voz y veo todo nublado, justo cuando necesitaría estar más tranquilo para decir lo que pienso. Ella iba a salir pero al llegar a la puerta se quedó un momento como para ver si se olvidaba de alguna cosa, y yo quería decirle lo que estaba pensando pero no encontraba las palabras y lo único que se me ocurrió fue mostrarle la taza con el jabón, se había sentado en la cama y después de aclararse la voz dijo: «Se le olvida la taza con el jabón», muy seriamente y con un tono de hombre grande. Volví a buscar la taza y un poco para que se calmara le pasé la mano por la mejilla. «No te aflijas, Pablito», le dije. «Todo irá bien, es una operación de nada.» Cuando lo toqué echó la cabeza como ofendido, y después resbaló hasta esconder la boca en el borde de las frazadas. Desde ahí, ahogadamente, dijo: «Puedo llamarla Cora, ¿verdad?» Soy demasiado buena, casi me dio lástima tanta vergüenza que buscaba desquitarse por otro lado, pero sabía que no era el caso de ceder porque después me resultaría difícil dominarlo, y a un enfermo hay que dominarlo o es lo de siempre, los líos de María Luisa en la pieza catorce o los retos del doctor De Luisi que tiene un olfato de perro para esas cosas. «Señorita Cora», me dijo tomando la taza y yéndose. Me dio una rabia, unas ganas de pegarle, de saltar de la cama y echarla a empujones, o de... Ni siquiera comprendo cómo pude decirle: «Si yo estuviera sano a lo mejor me trataría de otra manera.» Se hizo la que no oía, ni siquiera dio vuelta la cabeza, y me quedé solo y sin ganas de leer, sin ganas de nada, en el fondo hubiera querido que me contestara enojada para poder pedirle disculpas porque en realidad no era lo que yo había pensado decirle, tenía la garganta tan cerrada que no sé cómo me habían salido las palabras, se lo había dicho de pura rabia pero no era eso, o a lo mejor sí pero de otra manera.

Y sí, son siempre lo mismo, una los acaricia, les dice una frase amable, y ahí nomás asoma el machito, no quieren convencerse de que todavía son unos mocosos. Esto tengo que contárselo a Marcial, se va a divertir y cuando mañana lo vea en la mesa de operaciones le va a hacer todavía más gracia, tan tiernito el pobre con esa carucha arrebolada, maldito calor que me sube por la piel, cómo podría hacer para que no me pase eso, a lo mejor respirando antes de hablar, qué sé yo. Se debe haber ido furiosa, seguro de que escuchó perfectamente, no sé cómo le dije eso, yo creo que cuando le pregunté si podía llamarla Cora se enojó, me dijo lo de señorita porque es su obligación pero no estaba enojada, la prueba es que vino y me acarició la cara; pero no, eso fue antes, primero me acarició y entonces yo le dije lo de Cora y lo eché todo a perder. Ahora estamos peor que antes y no voy a poder dormir aunque me den un tubo de pastillas. La barriga me duele de a ratos, es raro pasarse la mano y sentirse tan liso, lo malo es que me vuelvo a acordar de todo y del perfume de almendras, la voz de Cora, tiene una voz muy grave para una chica tan joven y linda, una voz como de cantante de boleros, algo que acaricia aunque esté enojada. Cuando oí pasos en el corredor me acosté del todo y cerré los ojos, no quería verla, no me importaba verla, mejor que me dejara en paz, sentí que entraba y que encendía la luz del cielo raso, se hacía el dormido como un angelito, con una mano tapándose la cara, y no abrió los ojos hasta que llegué al lado de la cama. Cuando vio lo que traía se puso tan colorado que me volvió a dar lástima y un poco de risa, era demasiado idiota realmente. «A ver, m'hijito, bájese el pantalón y dese vuelta para el otro lado», y el pobre a punto de patalear como haría con la mamá cuando tenía cinco años, me imagino, a decir que no y llorar y a meterse debajo de las cobijas y a chillar, pero el pobre no podía hacer nada de eso ahora, solamente se había quedado mirando el irrigador y después a mí que esperaba, y de golpe se dio vuelta y empezó a mover las manos debajo de las frazadas pero no atinaba a nada mientras yo colgaba el irrigador en la cabecera, tuve que bajarle las frazadas y ordenarle que levantara un poco el trasero para correrle mejor el pantalón y deslizarle una toalla. «A ver, subí un poco la piernas, así está bien, echate más de boca, te digo que te eches más de boca, así.» Tan callado que era casi como si gritara, por una parte me hacía gracia estarle viendo el culito a mi joven admirador, pero de nuevo me daba un poco de lástima por él, era realmente como si lo estuviera castigando por lo que me había dicho. «Avisá si está muy caliente», le previne, pero no contestó nada, debía estar mordiéndose un puño y yo no quería verle la cara y por eso me senté al borde de la cama y esperé a que dijera algo, pero aunque era mucho líquido lo aguantó sin una palabra hasta el final, y cuando terminó le dije, y eso sí se lo dije para cobrarme lo de antes: «Así me gusta, todo un hombrecito», y lo tapé mientras le recomendaba que aguantase lo más posible antes de ir al baño. «¿Querés que te apague la luz o te la dejo hasta que te levantes?», me preguntó desde la puerta. No sé cómo alcancé a decirle que era lo mismo, algo así, y escuché el ruido de la puerta al cerrarse y entonces me tapé la cabeza con las frazadas y qué le iba a hacer, a pesar de los cólicos me mordí las dos manos y lloré tanto que nadie, nadie puede imaginarse lo que lloré mientras la maldecía y la insultaba y le clavaba un cuchillo en el pecho cinco, diez, veinte veces, maldiciéndola cada vez y gozando de lo que sufría y de cómo me suplicaba que la perdonase por lo que me había hecho.

Es lo de siempre, che Suárez, uno corta y abre, y en una de ésas la gran sorpresa. Claro que a la edad del pibe tiene todas las chances a su favor pero lo mismo le voy hablar claro al padre, no sea cosa que en una de ésas tengamos un lío. Lo más probable es que haya una buena reacción, pero hay algo que falla, pensá en lo que pasó al comienzo de la anestesia: parece mentira en un pibe de esa edad. Lo fui a ver a las dos horas y lo encontré bastante bien si pensás en lo que duró la cosa. Cuando entró el doctor De Luisi yo estaba secándole la boca al pobre, no terminaba de vomitar y todavía le duraba la anestesia pero el doctor lo auscultó

lo mismo y me pidió que no me moviera de su lado hasta
que estuviera bien despierto. Los padres siguen en la otra
pieza, la buena señora se ve que no está acostumbrada a
estas cosas, de golpe se le acabaron las paradas, y el viejo
parece un trapo. Vamos, Pablito, vomitá si tenés ganas y
quejate todo lo' que quieras, yo estoy aquí, sí, claro que
estoy aquí, el pobre sigue dormido pero me agarra la mano
como si se estuviera ahogando. Debe creer que soy la
mamá, todos creen eso, es monótono. Vamos, Pablo, no
te muevas así, quieto que te va a doler más, no, dejá las
manos tranquilas, ahí no te podés tocar. Al pobre le cuesta
salir de la anestesia, Marcial me dijo que la operación había
sido muy larga. Es raro, habrán encontrado alguna com-
plicación: a veces el apéndice no está tan a la vista, le voy
a preguntar a Marcial esta noche. Pero sí, m'hijito, estoy
aquí, quéjese todo lo que quiera pero no se mueva tanto,
yo le voy a mojar los labios con este pedacito de hielo
en una gasa, así se le va pasando la sed. Sí, querido, vomitá
más, aliviate todo lo que quieras. Qué fuerza tenés en las
manos, me vas a llenar de moretones, sí, sí, llorá si tenés
ganas, llorá, Pablito, eso alivia, llorá y quejate, total estás
tan dormido y creés que soy tu mamá. Sos bien bonito,
sabés, con esa nariz un poco respingada y esas pestañas
como cortinas, parecés mayor ahora que estás tan pálido.
Ya no te pondrías colorado por nada, verdad, mi pobrecito.
Me duele, mamá, me duele aquí, dejame que me saque ese
peso que me han puesto, tengo algo en la barriga que pesa
tanto y me duele, mamá, decile a la enfermera que me saque
eso. Sí, m'hijito, ya se le va a pasar, quédese un poco
quieto, por qué tendrás tanta fuerza, voy a tener que llamar
a María Luisa para que me ayude. Vamos, Pablo, me enojo
si no te estás quieto, ta va a doler mucho más si seguís
moviéndote tanto. Ah, parece que empezás a darte cuenta,
me duele aquí, señorita Cora, me duele tanto aquí, hágame
algo por favor, me duele tanto aquí, suélteme las manos,
no puedo más, señorita Cora, no puedo más.

Menos mal que se ha dormido el pobre querido, la enfermera me vino a buscar a las dos y media y me dijo que me
quedara un rato con él que ya estaba mejor, pero lo veo
tan pálido, ha debido perder tanta sangre, menos mal que

el doctor De Luisi dijo que todo había salido bien. La enfermera estaba cansada de luchar con él, yo no entiendo por qué no me hizo entrar antes, en esta clínica son demasiado severos. Ya es casi de noche y el nene ha dormido todo el tiempo, se ve que está agotado, pero me parece que tiene mejor cara, un poco de color. Todavía se queja de a ratos pero ya no quiere tocarse el vendaje y respira tranquilo, creo que pasará bastante buena noche. Como si yo no supiera lo que tengo que hacer, pero era inevitable; apenas se le pasó el primer susto a la buena señora le salieron otra vez los desplantes de patrona, por favor que al nene no le vaya a faltar nada por la noche, señorita. Decí que te tengo lástima, vieja estúpida, si no ya ibas a ver cómo te trataba. Las conozco a éstas, creen que con una buena propina el último día lo arreglan todo. Y a veces la propina ni siquiera es buena, pero para qué seguir pensando, ya se mandó mudar y todo está tranquilo. Marcial quedate un poco, no ves que el chico duerme, contame lo que pasó esta mañana. Bueno, si estás apurado lo dejamos para después. No, mirá que puede entrar María Luisa, aquí no, Marcial. Claro, el señor se sale con la suya, ya te he dicho que no quiero que me beses cuando estoy trabajando, no está bien. Parecería que no tenemos toda la noche para besarnos, tonto. Andate. Váyase le digo, o me enojo. Bobo, pajarraco. Sí, querido, hasta luego. Claro que sí. Muchísimo.

Está muy oscuro pero es mejor, no tengo ni ganas de abrir los ojos. Casi no me duele, qué bueno estar así respirando despacio, sin esas náuseas. Todo está tan callado, ahora me acuerdo que vi a mamá, me dijo no sé qué, yo me sentía tan mal. Al viejo lo miré apenas, estaba a los pies de la cama y me guiñaba un ojo, el pobre siempre el mismo. Tengo un poco de frío, me gustaría otra frazada. Señorita Cora, me gustaría otra frazada. Pero si estaba ahí, apenas abrí los ojos la vi sentada al lado de la ventana leyendo una revista. Vino en seguida y me arropó, casi no tuve que decirle nada porque se dio cuenta en seguida. Ahora me acuerdo, yo creo que esta tarde la confundía con mamá y que ella me calmaba, o a lo mejor estuve soñando. ¿Estuve soñando, señorita Clara? Usted me sujetaba las manos, ¿verdad? Yo decía tantas pavadas, pero es que me dolía mucho, y las náuseas... Discúlpeme, no debe ser nada lindo ser enfermera. Sí, usted se ríe pero yo sé, a lo mejor la manché y todo. Bueno, no hablaré más. Estoy tan bien así, ya no tengo frío. No, no me duele mucho, un poquito solamente. ¿Es tarde, señorita Cora? Sh, usted se queda calladito ahora, ya le he dicho que no puede hablar mucho, alégrese de que no le duela y quédese bien quieto. No, no es tarde, apenas las siete. Cierre los ojos y duerma. Así. Duérmase ahora.

Sí, yo querría pero no es tan fácil. Por momentos me parece que me voy a dormir, pero de golpe la herida me pega un tirón o todo me da vueltas en la cabeza, y tengo que abrir los ojos y mirarla, está sentada al lado de la ventana y ha puesto la pantalla para leer sin que me moleste la luz. ¿Por qué se quedará aquí todo el tiempo? Tiene un pelo precioso, le brilla cuando mueve la cabeza. Y es tan joven, pensar que hoy la confundí con mamá, es increíble. Vaya a saber qué cosas le dije, se debe haber reído otra vez de mí. Pero me pasaba hielo por la boca, eso me aliviaba tanto, ahora me acuerdo, me puso agua colonia en la frente y en el pelo, y me sujetaba las manos para que no me arrancara el vendaje. Ya no está enojada conmigo, a lo mejor mamá le pidió disculpas o algo así, me miraba de otra manera cuando me dijo: «Cierre los ojos y duérmase.» Me gusta que me mire así, parece mentira lo del primer día cuando me quitó los caramelos. Me gustaría decirle que es tan linda, que no tengo nada contra ella, al contario, que me gusta que sea ella la que me cuida de noche y no la enfermera chiquita. Me gustaría que me pusiera otra vez agua colonia en el pelo. Me gustaría que me pidiera perdón, que me dijera que la puedo llamar Cora.

Se quedó dormido un buen rato, a los ocho calculé que el doctor De Luisi no tardaría y lo desperté para tomarle la temperatura. Tenía mejor cara y le había hecho bien dormir. Apenas vio el termómetro sacó mano fuera de las cobijas, pero le dije que estuviera quieto. No quería mirarlo en los ojos para que no sufriera pero lo mismo se puso colorado y empezó a decir que él podía muy bien solo. No le hice caso, claro, pero estaba tan tenso el pobre que no me quedó más remedio que decirle: «Vamos, Pablo, ya sos un hombrecito, no te vas a poner así cada vez, ¿verdad?» Es lo de siempre, con esa debilidad no pudo contener las lágrimas, haciéndome la que no me daba cuenta anoté la temperatura y me fui a prepararle la inyección. Cuando volvió yo me había secado los ojos con la sábana y tenía tanta rabia contra mí mismo que hubiera dado cualquier cosa por poder hablar, decirle que no me importaba, que en realidad no me importaba pero que no lo podía impedir. «Esto no duele nada», me dijo con la jeringa en la mano. «Es para que duermas bien toda la noche.» Me destapó y otra vez sentí que me subía la sangre a la cara, pero ella se sonrió un poco y empezó a frotarme el muslo con un algodón, mojado. «No duele nada», le dije porque algo tenía que decirle, no podía ser que me quedara así mientras ella me estaba mirando. «Ya ves», me dijo sacando la aguja y frotándome con el algodón. «Ya ves que no duele nada. Nada te tiene que doler, Pablito.» Me tapó y me pasó la mano por la cara. Yo cerré los ojos y hubiera querido estar muerto, estar muerto y que ella me pasara la mano por la cara, llorando.

Nunca entendí mucho a Cora pero esta vez se fue a la otra banda. La verdad que no me importa si no entiendo a las mujeres, lo único que vale la pena es que lo quieran a uno. Si están nerviosas, si se hacen problemas por cualquier macana, bueno nena, ya está, deme un beso y se acabó. Se ve que todavía es tiernita, va a pasar un buen rato antes de que aprenda a vivir en este oficio maldito, la pobre apareció esta noche con una cara rara y me costó media hora hacerle olvidar esas tonterías. Todavía no ha encontrado la manera de buscarle la vuelta a algunos enfermos, ya le pasó con la vieja del veintidós pero yo creía que desde entonces habría aprendido un poco, y ahora este pibe le vuelve a dar dolores de cabeza. Estuvimos tomando mate en mi cuarto a eso de las dos de la mañana, después fue a darle la inyección y cuando volvió estaba de mal humor, no quería saber nada conmigo. Le queda bien esa carucha de enojada, de tristona, de a poco se la fui cambiando, y al final se puso a reír y me contó, a esa hora me gusta tanto desvestirla y sentir que tiembla como si tuviera frío. Debe ser muy tarde, Marcial. Ah, entonces puedo quedarme un rato todavía, la otra inyección le toca a las cinco y media, la galleguita no llega hasta la seis. Perdoname, Marcial, soy una boba, mirá que preocuparme tanto por ese mocoso, al fin y al cabo lo tengo dominado pero de a ratos me da lástima, a esa edad son tan tontos, tan orgullosos, si pudiera le pediría al doctor Suárez que me cambiara, hay dos operados en el segundo piso, gente grande, uno les pregunta tranquilamente si han ido de cuerpo, les alcanza la chata, los limpia si hace falta, todo eso charlando del tiempo o de la política, es un ir y venir de cosas naturales, cada uno está en lo suyo, Marcial, no como aquí, comprendés. Sí, claro que hay que hacerse a todo, cuántas veces me van a tocar chicos de esa edad, es una cuestión de técnica como decís vos. Sí, querido, claro. Pero es que todo empezó mal por culpa de la madre, eso no se ha borrado, sabés, desde el primer minuto hubo como un malentendido, y el chico tiene su orgullo y le duele, sobre todo que al principio no se daba cuenta de todo lo que iba a venir y quiso hacerse el grande, mirarme como si fueras vos, como un hombre. Ahora ya ni le puedo preguntar si quiere hacer pis, lo malo es que sería capaz de aguantarse toda la noche si yo me quedara en la pieza. Me da risa cuando me acuerdo, quería decir que sí y no se animaba, entonces me fastidió tanta tontería y lo obligué para que aprendiera a hacer pis sin moverse, bien tendido de espaldas. Siempre cierra los ojos en esos momentos pero es casi peor, está a punto de llorar o de insultarme, está entre las dos cosas y no puede, es tan chico, Marcial, y esa buena señora que lo ha de haber criado como un tilinguito, el nene de aquí y el nene de allá, mucho sombrero y saco entallado pero en el fondo el bebé de siempre, el tesorito de mamá. Ah, y justamente le vengo a tocar yo, el alto voltaje como decís vos, cuando hubiera estado tan bien con María Luisa que es idéntica a su tía y que lo hubiera limpiado por todos lados sin que se le subieran los colores a la cara. No, la verdad, no tengo suerte, Marcial.

Estaba soñando con la clase de francés cuando encendió

la luz del velador, lo primero que le veo es siempre el pelo, será porque se tiene que agachar para las inyecciones o lo que sea, el pelo cerca de mi cara, una vez me hizo cosquillas, en la boca y huele tan bien, y siempre se sonríe un poco cuando me está frotando con el algodón, me frotó un rato largo antes de pincharme y yo le miraba la mano tan segura que iba apretando de poco a poco la jeringa, el líquido amarillo que entraba despacio, haciéndome dolor. «No, no me duele nada.» Nunca le podré decir: «No me duele nada, Cora.» Y no le voy a decir señorita Cora, no se lo voy a decir nunca. Le hablaré lo menos que pueda y no la pienso llamar señorita Cora aunque me lo pida de rodillas. No, no me duele nada. No, gracias, me siento bien, voy a seguir durmiendo. Gracias.

Por suerte ya tiene de nuevo sus colores pero todavía está muy decaído, apenas si pudo darme un beso, y a tía Esther casi no la miró y eso que le había traído las revistas y una corbata preciosa para el día en que lo llevemos a casa. La enfermera de la mañana es un amor de mujer, tan humilde, con ella sí da gusto hablar, dice que el nene durmió hasta las ocho y que bebió un poco de leche, parece que ahora van a empezar a alimentarlo, tengo que decirle al doctor Suárez que el cacao le hace mal, o a lo mejor su padre ya se lo dijo porque estuvieron hablando un rato. Si quiere salir un momento, señora, vamos a ver cómo anda este hombre. Usted quédese, señor Morán, es que a la mamá le puede hacer impresión tanto vendaje. Vamos a ver un poco, compañero. ¿Ahí duele? Claro, es natural. Y ahí, decime si ahí te duele o solamente está sensible. Bueno, vamos muy bien, amiguito. Y así cinco minutos, si me duele aquí, si estoy sensible más acá, y el viejo mirándome la barriga como si me la viera por primera vez. Es raro pero no me siento tranquilo hasta que se van, pobres viejos tan afligidos pero qué le voy a hacer, me molestan, dicen siempre lo que no hay que decir, sobre todo mamá, y menos mal que la enfermera chiquita parece sorda y le aguanta todo con esa cara de esperar propina que tiene la pobre. Mirá que venir a jorobar con lo del cacao, ni que yo fuese un niño de pecho. Me dan unas ganas de dormir cinco días seguidos sin ver a nadie, sobre todo sin ver a

Cora, y despertarme justo cuando me vengan a buscar para ir a casa. A lo mejor habrá que esperar unos días más, señor Morán, ya sabrá por De Luisi que la operación fue más complicada de lo previsto, a veces hay pequeñas sorpresas. Claro que con la constitución de ese chico yo creo que no habrá problema, pero mejor dígale a su señora que no va a ser cosa de una semana como se pensó al principio. Ah, claro, bueno, de eso usted hablará con el administrador, son cosas internas. Ahora vos fíjate si no es mala suerte, Marcial, anoche te lo anuncié, esto va a durar mucho más de lo que pensábamos. Sí, ya sé que no importa pero podrías ser un poco más comprensivo, sabés muy bien que no me hace feliz atender a ese pobre chico, y a él todavía menos, pobrecito. No me mirés así, por qué no le voy a tener lástima. No me mirés así.

Nadie me prohibió que leyera pero se me caen las revistas de la mano, y eso que tengo dos episodios por terminar y todo lo que me trajo tía Esther. Me arde la cara, debo tener fiebre o es que hace mucho calor en esta pieza, le voy a pedir a Cora que entorne un poco la ventana o que me saque una frazada. Quisiera dormir, es lo que más me gustaría, que ella estuviese allí sentada leyendo una revista y yo durmiendo sin verla, sin saber que está allí, pero ahora no se va a quedar más de noche, ya pasó lo peor y me dejarán solo. De tres a cuatro creo que dormí un rato, a las cinco justas vino con un remedio nuevo, unas gotas muy amargas. Siempre parece que se acaba de bañar y cambiar, está tan fresca y huele a talco perfumado, a lavanda. «Este remedio es muy feo, ya sé», me dijo, y se sonreía para animarme. «No, es un poco amargo, nada más», le dije. «¿Cómo pasaste el día?», me preguntó, sacudiendo el termómetro. Le dije que bien, que durmiendo, que el doctor Suárez me había encontrado mejor, que no me dolía mucho. «Bueno, entonces podés trabajar un poco», me dijo dándome el termómetro. Yo no supe qué contestarle y ella se fue a cerrar las persianas y arregló los frascos en la mesita mientras que yo me tomaba la temperatura. Hasta tuve tiempo de echarle un vistazo al termómetro antes de que viniera a buscarlo. «Pero tengo muchísima fiebre», me dijo como asustado. Era fatal, siempre seré la misma estúpida, por evitarle el mal momento le doy el termómetro y naturalmente el muy chiquilín, no pierde tiempo en enterarse de que está volando de fiebre. «Siempre es así los primeros cuatro días, y además nadie te mandó que miraras», le dije, más furiosa contra mí que contra él. Le pregunté si había movido el vientre y me dijo que no. Le sudaba la cara, se la sequé y le puse un poco de agua colonia; había cerrado los ojos antes de contestarme y no los abrió mientras yo le peinaba un poco para que no le molestara el pelo en la frente. Treinta y nueve era mucha fiebre, realmente. «Tratá de dormir un rato», le dije, calculando a qué hora podría avisarle al doctor Suárez. Sin abrir los ojos hizo un gesto como de fastidio, y articulando cada palabra me dijo: «Usted es mala conmigo, Cora.» No atiné a contestarle nada, me quedé a su lado hasta que abrió los ojos y me miró con toda su fiebre y toda su tristeza. Casi sin darme cuenta estiré la mano y quise hacerle una caricia en la frente, pero me rechazó de un manotón y algo debió tironearle en la herida porque se crispó de dolor. Antes de que pudiera reaccionar me dijo en voz muy baja: «Usted no sería así conmigo si me hubiera conocido en otra parte.» Estuve al borde de soltar una carcajada, pero era tan ridículo que me dijera eso mientras se le llenaban los ojos de lágrimas que me pasó lo de siempre, me dio rabia y casi miedo, me sentí de golpe como desamparada delante de ese chiquilín pretencioso. Conseguí dominarme (eso se lo debo a Marcial, me ha enseñado a controlarme y cada vez lo hago mejor), y me enderecé como si no hubiera sucedido nada, puse la toalla en la percha y tapé el frasco de agua colonia. En fin, ahora sabíamos a qué atenernos, en el fondo era mucho mejor así. Enfermera, enfermo, y pare de contar. Que el agua colonia se la pusiera la madre, yo tenía otras cosas que hacerle y se las haría sin más contemplaciones. No sé por qué me quedé más de lo necesario. Marcial me dijo cuando se lo conté que había querido darle la oportunidad de disculparse, de pedir perdón. No sé, a lo mejor fue eso o algo distinto, a lo mejor me quedé para que siguiera insultándome, para ver hasta dónde era capaz de llegar. Pero seguía con los ojos cerrados y el sudor le empapaba la frente y las mejillas, era como si me hubieran metido en agua hirviendo, veía manchas violeta y rojas cuando apretaba los ojos para no mirarla sabiendo que todavía estaba allí, y hubiera dado cualquier cosa para que se agachara y volviera a secarme la frente como si yo no le hubiera dicho eso, pero ya era imposible, se iba a ir sin hacer nada, sin decirme nada, y yo abriría los ojos y encontraría la noche, el velador, la pieza vacía, un poco de perfume todavía, y me repetiría diez veces, que había hecho bien en decirle lo que le había dicho, para que aprendiera, para que no me tratara como a un chico, para que me dejara en paz, para que no se fuera.

Empiezan siempre a la misma hora, entre seis y siete de la mañana, debe ser una pareja que anida en las cornisas del patio, un palomo que arrulla y la paloma que le contesta, al rato se cansan, se lo dije a la enfermera chiquita que viene a lavarme y a darme el desayuno, se encogió de hombros y dijo que ya otros enfermos se habían quejado de las palomas pero que el director no quería que las echaran. Ya ni sé cuánto hace que las oigo, las primeras mañanas estaba demasiado dormido o dolorido para fijarme, pero desde hace tres días escucho a las palomas y me entristecen, quisiera estar en casa oyendo ladrar a Milord, oyendo a tía Esther que a esta hora se levanta para ir a misa. Maldita fiebre que no quiere bajar, me van a tener aquí hasta quién sabe cuándo, se lo voy a preguntar al doctor Suárez esta misma mañana, al fin y al cabo podría estar lo más bien en casa. Mire, señor Morán, quiero ser franco con usted, el cuadro no es nada sencillo. No, señorita Cora, prefiero que usted siga atendiendo a ese enfermo, y le voy a decir por qué. Pero entonces, Marcial... Vení, te voy a hacer un café bien fuerte, mirá que sos potrilla todavía, parece mentira. Escuchá, vieja, he estado hablando con el doctor Suárez, y parece que el pibe...

Por suerte después se callan, a lo mejor se van volando por ahí, por toda la ciudad, tienen suerte las palomas. Qué mañana interminable, me alegré cuando se fueron los viejos, ahora les da por venir más seguido desde que tengo tanta fiebre. Bueno, si me tengo que quedar cuatro o cinco días más aquí, qué importa. En casa sería mejor, claro, pero lo mismo tendría fiebre y me sentiría tan mal de a ratos. Pensar que no puedo ni mirar una revista, es una debilidad como si no me quedara sangre. Pero todo es por la fiebre, me lo dijo anoche el doctor De Luisi y el doctor Suárez me lo repitió esta mañana, ellos saben. Duermo mucho pero lo mismo es como si no pasara el tiempo, siempre es antes de las tres como si a mí me importaran las tres o las cinco. Al contrario, a las tres se va la enfermera chiquita y es una lástima porque con ella estoy tan bien. Si me pudiera dormir de un tirón hasta la medianoche sería mucho mejor. Pablo, soy yo, la señorita Cora. Tu enfermera de la noche que te hace doler con las inyecciones. Ya sé que no te duele, tonto, es una broma. Seguí durmiendo si querés, ya está. Me dijo: «Gracias» sin abrir los ojos, pero hubiera podido abrirlos, sé que con la galleguita estuvo charlando a mediodía, aunque le han prohibido que hable mucho. Antes de salir me di vuelta de golpe y me estaba mirando, sentí que todo el tiempo me había estado mirando de espaldas. Volví y me senté al lado de la cama, le tomé el pulso, le arreglé las sábanas que arrugaba con sus manos de fiebre. Me miraba el pelo, después bajaba la vista y evitaba mis ojos. Fui a buscar lo necesario para prepararlo y me dejó sin una palabra, con los ojos fijos en la ventana, ignorándome. Vendrían a buscarlo a las cinco y media en punto, todavía le quedaba un rato para dormir, los padres esperaban en la planta baja porque le hubiera hecho impresión verlos a esa hora. El doctor Suárez iba a venir un rato antes para explicarle que tenían que completar la operación, cualquier cosa que no lo inquietara demasiado. Pero en cambio mandaron a Marcial, me tomó de sorpresa verlo entrar así pero me hizo una seña para que no me moviera y se quedó a los pies de la cama leyendo la hoja de temperatura hasta que Pablo se acostumbrara a su presencia. Le empezó a hablar un poco en broma, armó la conversación como él sabe hacerlo, el frío en la calle, lo bien que se estaba en ese cuarto, y él lo miraba sin decir nada, como esperando, mientras yo me sentía tan rara, hubiera querido que Marcial se fuera y me dejara sola con él, yo hubiera podido

mejor que nadie, aunque quizá no, probablemente no.
Pero si ya lo sé, doctor, me van a operar de nuevo, usted
es el que me dio la anestesia la otra vez, y bueno, mejor
eso que seguir en esta cama y con esta fiebre. Yo sabía
que al final tendrían que hacer algo, por qué me duele
tanto desde ayer, un dolor diferente, desde más adentro.
Y usted, ahí sentada, no ponga esa cara, no se sonría como
si me viniera a invitar al cine. Váyase con él y bésalo en
el pasillo, tan dormido no estaba la otra tarde cuando usted
se enojó con él porque la había besado aquí. Váyanse los
dos, déjenme dormir, durmiendo no me duele tanto.

Y bueno, pibe, ahora vamos a liquidar este asunto de
una vez por todas, hasta cuándo nos vas a estar ocupando
una cama, che. Contá despacio, uno, dos, tres. Así va bien,
vos seguí contando y dentro de una semana estás comiendo
un bife jugoso en casa. Un cuarto de hora a gatas, nena,
y vuelta a coser. Había que verle la cara a De Luisi, uno
no se acostumbra nunca del todo a estas cosas. Mirá,
aproveché para pedirle a Suárez que te relevaran como
vos querías, le dije que estás muy cansada con un caso tan
grave; a lo mejor te pasan al segundo piso si vos también
le hablás. Está bien, hacé como quieras, tanto quejarte la
otra noche y ahora te sale la samaritana. No te enojés
conmigo, lo hice por vos. Sí, claro que lo hizo por mí pero
perdió el tiempo, me voy a quedar con él esta noche y
todas las noches. Empezó a despertarse a las ocho y media,
los padres se fueron en seguida porque era mejor que no
los viera con la cara que tenían los pobres, y cuando llegó
el doctor Suárez me preguntó en voz baja si quería que
me relevara María Luisa, pero le hice una seña de que me
quedaba y se fue. María Luisa me acompañó un rato
porque tuvimos que sujetarlo y calmarlo, después se tranquilizó de golpe y casi no tuvo vómitos; está tan débil
que se volvió a dormir sin quejarse mucho hasta las diez.
Son las palomas, vas a ver, mamá, ya están arrullando como
todas las mañanas, no sé por qué no las echan, que se
vuelen a otro árbol. Dame la mano, mamá, tengo tanto
frío. Ah, entonces estuve soñando, me parecía que ya era
de mañana y que estaban las palomas. Perdóneme, la con-

fundí con mamá. Otra vez desviaba la mirada, se volvía a su encono, otra vez me echaba a mí toda la culpa. Lo atendí como si no me diera cuenta de que seguía enojado, me senté junto a él y le mojé los labios con hielo. Cuando me miró, después que le puse agua colonia en las manos y la frente, me acerqué más y le sonreí. «Llamame Cora», le dije. «Yo sé que no nos entendimos al principio, pero vamos a ser tan buenos amigos, Pablo.» Me miraba callado. «Decime: Sí, Cora.» Me miraba, siempre. «Señorita Cora», dijo después, y cerró los ojos. «No, Pablo, no», le pedí, besándolo en la mejilla, muy cerca de la boca. «Yo voy a ser Cora para vos, solamente para vos.» Tuve que echarme atrás, pero lo mismo me salpicó la cara. Lo sequé, le sostuve la cabeza para que se enjuagara la boca, lo volví a besar hablándole al oído. «Discúlpeme», dijo con un hilo de voz, «no lo pude contener». Le dije que no fuera tonto, que para eso estaba yo cuidándolo, que vomitara todo lo que quisiera para aliviarse. «Me gustaría que viniera mamá», me dijo, mirando a otro lado, con los ojos vacíos. Todavía le acaricié un poco el pelo, le arreglé las frazadas esperando que me dijera algo, pero estaba muy lejos y sentí que lo hacía sufrir todavía más si me quedaba. En la puerta me volví y esperé; tenía los ojos muy abiertos, fijos en el cielo raso. «Pablito», le dije. «Por favor, Pablito. Por favor, querido.» Volví hasta la cama, me agaché para besarlo; olía a río, detrás del agua colonia estaba el vómito, la anestesia. Si me quedo un segundo más me pongo a llorar delante de él. Lo besé otra vez y salí corriendo, bajé a buscar a la madre y a María Luisa; no quería volver mientras la madre estuviera allí, por lo menos esa noche no quería volver y después sabía demasiado bien que no tendría ninguna necesidad de volver a ese cuarto, que Marcial y María Luisa se ocuparían de todo hasta que el cuarto quedara otra vez libre.

*A Marta Mosquera, que me habló en París de
madame Francinet.*

Desde hace un tiempo me cuesta encender el fuego. Los
fósforos no son como los de antes, ahora hay que ponerlos
cabeza abajo y esperar a que la llama tome fuerza; la leña
viene húmeda, y por más que le recomiendo a Frédéric
que me traiga troncos secos, siempre huelen a mojado y
prenden mal. Desde que me empezaron a temblar las manos
todo me cuesta mucho más. Antes yo tendía una cama en
en dos segundos, y las sábanas quedaban como recién
planchadas. Ahora tengo que dar vueltas y más vueltas
alrededor de la cama, y madame Beauchamp se enoja y
dice que si me paga por hora es para que no pierda tiempo
alisando un pliegue aquí y otro allá. Todo porque me tiemblan las manos, y porque las sábanas de ahora no son como
las de antes, tan firmes y gruesas. El doctor Lebrun ha
dicho que no tengo nada, solamente hay que cuidarse
mucho, no tomar frío y acostarse temprano. «¿Y ese vaso
de vino cada tanto, eh, madame Francinet? Sería mejor
que lo suprimiéramos, y también el pernod a mediodía.»
El doctor Lebrun es un médico joven, con ideas muy buenas para los jóvenes. En mi tiempo nadie hubiera creído

que el vino era malo. Y después que yo nunca bebo lo que
se llama beber, como la Germaine, la del tercero, o ese
bruto de Félix, el carpintero. No sé por qué ahora me
acuerdo del pobre monsieur Bébé, la noche en que me
hizo beber una copa de whisky. ¡Monsieur Bébé! ¡Monsieur Bébé! En la cocina del departamento de madame
Rosay, la noche de la fiesta. Yo salía mucho, entonces,
todavía andaba de casa en casa, trabajando por horas. En
lo de monsieur Renfeld, en lo de las hermanas que enseñaban piano y violín, en tantas casas, todas muy bien.
Ahora apenas puedo ir tres veces por semana a lo de
madame Beauchamp, y me parece que no durará mucho.
Me tiemblan tanto las manos, y madame Beauchamp se
enoja conmigo. Ahora ya no me recomendaría a madame
Rosay, y madame Rosay no vendría a buscarme, ahora
monsieur Bébé no se encontraría conmigo en la cocina.
No, sobre todo monsieur Bébé.

Cuando madame Rosay vino a casa ya era tarde, y no se
quedó más que un momento. En realidad mi casa es una
sola pieza, pero como dentro tengo la cocina y lo que
sobró de los muebles cuando murió Georges y hubo que
vender todo, me parece que tengo derecho a llamarla mi
casa. De todos modos hay tres sillas, y madame Rosay
se quitó los guantes, se sentó y dijo que la pieza era pequeña
pero simpática. Yo no me sentía impresionada por madame
Rosay, aunque me hubiera gustado estar mejor vestida.
Me tomó de sorpresa, y tenía puesta la falda verde que me
habían regalado en lo de las hermanas. Madame Rosay
no miraba nada, quiero decir que miraba y desviaba la
vista en seguida, como para despegarse de lo que había
mirado. Tenía la nariz un poco fruncida; a lo mejor le
molestaba el olor a cebollas (me gustan mucho las cebollas)
o el pis del pobre Minouche. Pero yo estaba contenta de
que madame Rosay hubiera venido, y se lo dije.

—Ah, sí, madame Francinet. También yo me alegro de
haberla encontrado, porque estoy tan ocupada... —Fruncía
la nariz como si las ocupaciones olieran mal—. Quiero
pedirle que... Es decir, madame Beauchamp pensó que
quizá usted dispondría de la noche del domingo.

—Pues naturalmente —dije yo—. ¿Qué puedo hacer el domingo, después de ir a misa? Entro un rato en lo de Gustave, y...

—Sí, claro —dijo madame Rosay—. Si usted está libre el domingo, quisiera que me ayudara en casa. Daremos una fiesta.

—¿Una fiesta? Mis felicitaciones, madame Rosay.

Pero a madame Rosay no pareció gustarle esto, y se levantó de golpe.

—Usted ayudaría en la cocina, habrá tanto que hacer. Si puede ir a las siete, mi mayordomo la explicará lo necesario.

—Naturalmente, madame Rosay.

—Esta es mi dirección —dijo madame Rosay, y me dio una tarjeta color crema—. ¿Estará bien con quinientos francos?

—Digamos seiscientos. A medianoche quedará libre, y tendrá tiempo de alcanzar el último *métro*. Madame Beauchamp me ha dicho que usted es de confianza.

—¡Oh, madame Rosay!

Cuando se fue estuve por reírme al pensar que casi le había ofrecido una taza de té (hubiera tenido que buscar alguna que no estuviera desportillada). A veces no me doy cuenta con quién estoy hablando. Sólo cuando voy a casa de una señora me contengo y hablo como una criada. Debe ser porque en mi casa no soy criada de nadie, o porque me parece que todavía vivo en nuestro pabelloncito de tres piezas, cuando Georges y yo trabajábamos en la fábrica y no pasábamos necesidad. A lo mejor es porque a fuerza de retar al pobre Minouche, que hace pis debajo de la cocina, me parece que yo también soy una señora como madame Rosay.

Cuando iba a entrar en la casa, por poco se me sale el tacón de un zapato. Dije en seguida: «Buena suerte quiero verte y quererte, diablo aléjate.» Y toqué el timbre.

Salió un señor de patillas grises como en el teatro, y me dijo que pasara. Era un departamento grandísimo que olía a cera de pisos. El señor de patillas era el mayordomo y olía a benjuí.

—En fin —dijo, y se apuró a hacerme seguir por un corredor que llevaba a las habitaciones de servicio—. Para otra vez llamará a la puerta de la izquierda.

—Madame Rosay no me había dicho nada.

—La señora no está para pensar en esas cosas. Alice, esta es madame Francinet. Le dará usted uno de sus delantales.

Alice me llevó a su cuarto, más allá de la cocina (y qué cocina) y me dio un delantal demasiado grande. Parece que madame Rosay le había encargado que me explicara todo, pero al principio lo de los perros me pareció un error y me quedé mirando a Alice, la verruga que tenía Alice debajo de la nariz. Al pasar por la cocina todo lo que había podido ver era tan lujoso y reluciente que la sola idea de estar ahí esa noche, limpiando cosas de cristal y preparando las bandejas con las golosinas que se comen en esas casas, me pareció mejor que ir a cualquier teatro o al campo. A lo mejor fue por eso que al principio no entendí lo de los perros, y me quedé mirando a Alice.

—Eh, sí —dijo Alice, que era bretona y bien que se le notaba—. La señora ha dicho.

—¿Pero cómo? Y ese señor de las patillas, ¿no se puede ocupar él de los perros?

—El señor Rodolos es el mayordomo —dijo Alice, con santo respeto.

—Bueno, si no es él, cualquiera. No entiendo por qué yo.

Alice se puso insolente de golpe.

—¿Y por qué no, madame...?

—Francinet, para servirla.

—... madame Francinet? No es un trabajo difícil. Fido es el peor, la señorita Lucienne lo ha malcriado mucho...

Me explicaba, de nuevo amable como una gelatina.

—Azúcar a cada momento, y tenerlo en la falda. Monsieur Bébé también lo echa a perder en cuanto viene, lo mima tanto, sabe usted... Pero Médor es muy bueno, y Fifine no se moverá de un rincón.

—Entonces —dije yo, que no volvía de mi asombro—, hay muchísimos perros.

—Eh, sí, muchísimos.

—¡En un departamento! —dije, indignada y sin poder disimular—. No sé lo que pensará usted, señora...

—Señorita.

—Perdone usted. Pero en mis tiempos, señorita, los perros vivían en las perreras, y bien puedo decirlo pues mi difunto esposo y yo teníamos una casa al lado de la villa de monsieur... —Pero Alice no me dejó explicarle. No es que dijera nada, pero se veía que estaba impaciente y eso yo lo noto en seguida en la gente. Me callé, y empezó a decirme que madame Rosay adoraba a los perros, y que el señor respetaba todos sus gustos. Y también estaba su hija, que había heredado el mismo gusto.

—La señorita anda loca con Fido, y seguramente comprará una perra de la misma raza, para que tengan cachorros. No hay nada más que seis: Médor, Fifine, Fido, la Petite, Chow y Hannibal. El peor es Fido, la señorita Lucienne lo ha malcriado mucho. ¿No lo oye? Seguramente está ladrando en el recibimiento.

—¿Y dónde tendré que quedarme a cuidarlos? —pregunté con aire despreocupado, no fuera que Alice creyera que me sentía ofendida.

—Monsieur Rodolos la llevará al cuarto de los perros.

—¿Así que tienen un cuarto, los perros? —dije, siempre con mucha naturalidad. Alice no tenía la culpa, en el fondo, pero debo decir la verdad y es que le hubiera dado de bofetadas ahí mismo.

—Claro que tienen su cuarto —dijo Alice—. La señora quiere que los perros duerman cada uno en su colchón, y les ha hecho arreglar un cuarto para ellos solos. Ya llevaremos una silla para que usted pueda sentarse y vigilarlos.

Me ajusté lo mejor posible el delantal y volvimos a la cocina. Justamente en ese momento se abrió otra puerta y entró madame Rosay. Tenía una *robe de chambre* azul, con pieles blancas, y la cara llena de crema. Parecía un pastel, con perdón sea dicho. Pero estuvo muy amable y se veía que mi llegada le quitaba un peso de encima.

—Ah, madame Francinet. Ya Alice le habrá explicado de qué se trata. Quizá más tarde pueda ayudar en alguna otra cosa liviana, secar copas o algo así, pero lo principal es tener quietos a mis tesoros. Son deliciosos, pero no saben estar juntos, y sobre todo solos; en seguida se pelean, y no puedo *tolerar* la idea de que Fido muerda a Chow, pobrecito, o que Médor... —bajó la voz y se acercó un poco—. Además, tendrá que vigilar mucho a la Petite, es una pomerania de ojos preciosos. Me parece que... el momento se acerca... y no quisiera que Médor, o que Fido... ¿comprende usted? Mañana la haré llevar a nuestra finca, pero hasta entonces quiero que esté vigilada. Y no sabría dónde tenerla si no es con los otros en su cuarto. ¡Pobre tesoro, tan mimosa! No podría quitármela de al lado en toda la noche. Ya verá usted que no le darán trabajo. Al contrario, se va a divertir viendo lo inteligentes que son. Yo iré una que otra vez a ver cómo anda todo.

Me di cuenta de que no era una frase amable sino una advertencia, pero madame Rosay seguía sonriendo debajo de la crema que olía a flores.

—Lucienne, mi hija, irá también, naturalmente... No puede estar sin su Fido. Hasta duerme con él, figúrese usted... —Pero esto último lo estaba diciendo a alguien que le pasaba por la cabeza, porque al mismo tiempo se volvió para salir y no la vi más. Alice, apoyada en la mesa, me miraba con aire idiota. No es que yo desprecie a la gente, pero me miraba con aire idiota.

—¿A qué hora es la fiesta? —dije yo, dándome cuenta de que sin querer seguía hablando con el tono de madame Rosay, esa manera de hacer las preguntas un poco al costado de la persona, como preguntándole a un perchero o a una puerta.

—Ya va a empezar —dijo Alice, y monsieur Rodolos que entraba en ese momento quitándose una mota de polvo de su traje negro, asintió con aire importante.

—Sí, no tardarán —dijo, haciendo una seña a Alice para que se ocupara de unas preciosas bandejas de plata—. Ya están ahí monsieur Fréjus y monsieur Bébé, y quieren cocktails.

—Esos vienen siempre temprano —dijo Alice—. Así beben, también... Ya le he explicado todo a madame Francinet, y madame Rosay le habló de lo que tiene que hacer.

—Ah, perfectamente. Entonces lo mejor será que la

lleve a la habitación donde tendrá que quedarse. Yo iré
luego a traer a los perros; el señor y monsieur Bébé están
jugando con ellos en la sala.

—La señorita Lucienne tenía a Fido en su dormitorio
—dijo Alice.

—Sí, ella misma se lo traerá a madame Francinet. Por
ahora, si quiere usted venir conmigo...

Así fue como me vi sentada en una vieja silla de viena,
exactamente en el medio de un grandísimo cuarto lleno
de colchones por el suelo, y donde había una casilla con
techo de paja, igual a las chozas de los negros, que según
me explicó el señor Rodolos era un capricho de la señorita Lucienne para su Fido. Los seis colchones estaban
tirados por todas partes, y había escudillas con agua y
comida. La única lámpara eléctrica colgaba justamente
encima de mi cabeza, y daba una luz muy pobre. Se lo
dije al señor Rodolos, y que tenía miedo de quedarme
dormida cuando no estuvieran más que los perros.

—Oh, no se quedará dormida, madame Francinet —me
contestó—. Los perros son muy cariñosos pero están mal-
criados, y habrá que ocuparse de ellos todo el tiempo.
Espere aquí un momento.

Cuando cerró la puerta y me dejó sola, sentada en medio
de ese cuarto tan raro, con el olor a perro (un olor limpio,
eso sí) y todos los colchones por el suelo, me sentí un poco
rara porque era casi como estar soñando, sobre todo con
esa luz amarilla encima de la cabeza, y el silencio. Claro que
el tiempo pasaría pronto y no sería tan desagradable, pero
a cada momento sentía como si algo no estuviera bien.
No precisamente que me hubieran llamado para eso sin
prevenirme, pero tal vez lo raro de tener que hacer ese
trabajo, o a lo mejor yo realmente pensaba que eso no
estaba bien. El suelo brillaba de bien lustrado, y los perros
se veía que hacían sus necesidades en otra parte porque
no había nada de olor, salvo el de ellos mismos, que no es
tan feo cuando pasa un rato. Pero lo peor era estar sola
y esperando, y casi me alegré cuando la señorita Lucienne
entró trayendo en brazos a Fido, un pekinés horrible (no
puedo aguantar a los pekineses), y el señor Rodolos vino
gritando y llamando a los otros cinco perros hasta que estu-

vieron todos en la pieza. La señorita Lucienne estaba preciosa, toda de blanco, y tenía un pelo platinado que le llegaba a los hombros. Besó y acarició mucho rato a Fido, sin ocuparse de los otros que bebían y jugaban, y después me lo trajo y me miró por primera vez.

—¿Usted es la que los va a cuidar? —dijo. Tenía una voz un poco chillona, pero no se puede negar que era muy hermosa.

—Soy madame Francinet, para servirla —dije, saludando.

—Fido es muy delicado. Tómelo. Sí, en los brazos. No la va a ensuciar, lo baño yo misma todas las mañanas. Como le digo, es muy delicado. No le permita que se mezcle con *ésos*. Cada tanto ofrézcale agua.

El perro se quedó quieto en mi falda, pero lo mismo me daba un poco de asco. Una danés grandísimo lleno de manchas negras se acercó y se puso a olerlo, como hacen los perros, y la señorita Lucienne soltó un chillido y le dio de puntapiés. El señor Rodolos no se movía de la puerta, y se veía que estaba acostumbrado.

—Ya ve, ya ve —gritaba la señorita Lucienne—. Es lo que no quiero que suceda, y usted no debe permitirlo. Ya le explicó mamá, ¿verdad? No se moverá de aquí hasta que termine el *party*. Y si Fido se siente mal y se pone a llorar, golpee la puerta para que *ése* me avise.

Se fue sin mirarme, después de tomar otra vez en brazos al pekinés y besarlo hasta que el perro lloriqueó. Monsieur Rodolos se quedó todavía un momento.

—Los perros no son malos, madame Francinet —me dijo—. De todos modos, si tiene algún inconveniente, golpee a la puerta y vendré. Tómelo con calma —agregó como si se le hubiera ocurrido a último momento, y se fue cerrando con todo cuidado la puerta. Me pregunto si no le puso el cerrojo por fuera, pero resistí a la tentación de ir a ver, porque creo que me hubiera sentido mucho peor.

En realidad cuidar a los perros no fue difícil. No se peleaban, y lo que madame Rosay había dicho de la Petite no era cierto, por lo menos no había empezado todavía. Naturalmente apenas la puerta estuvo cerrada yo solté al asqueroso pekinés y lo dejé que se revolcara tranquilamente con los otros. Era el peor, les buscaba camorra todo el tiempo, pero ellos no le hacían nada y hasta se veía que lo invitaban a jugar. De cuando en cuando bebían, o comían la rica carne de las escudillas. Con perdón sea dicho, casi me daba hambre ver esa carne tan rica en las escudillas.

A veces, desde muy lejos, se oía reír a alguien y no sé si era porque estaba enterada de que iban a hacer música (Alice lo había dicho en la cocina), pero me pareció oír un piano, aunque a lo mejor era en otro departamento. El tiempo se hacía muy largo, sobre todo por culpa de la única luz que colgaba del techo, tan amarilla. Cuatro de los perros se durmieron pronto, y Fido y Fifine (no sé si era Fifine, pero me pareció que debía ser ella) jugaron un rato a mordisquearse las orejas, y terminaron bebiendo mucha agua y acostándose uno contra otro en un colchón. A veces me parecía oír pasos afuera, y corría a tomar en brazos a Fido, no fuera que entrara la señorita Lucienne. Pero no vino nadie y pasó mucho tiempo, hasta que empecé a dormitar en la silla, y casi hubiera querido apagar la luz y dormirme de veras en uno de los colchones vacíos.

No diré que no estuve contenta cuando Alice vino a buscarme. Alice tenía la cara muy colorada, y se veía que aún le duraba la excitación de la fiesta y todo lo que habrían comentado en la cocina con las otras mucamas y monsieur Rodolos.

—Madame Francinet, usted es una maravilla —dijo—. Seguramente la señora va a estar encantada y la llamará cada vez que haya una fiesta. La última que vino no consiguió que se quedaran tranquilos, y hasta la señorita Lucienne tuvo que dejar de bailar y venir a atenderlos. ¡Vea cómo duermen!

—¿Ya se fueron los invitados? —pregunté, un poco avergonzada de sus elogios.

—Los invitados sí, pero hay otros que son como de la casa y siempre se quedan un rato. Todos han bebido mucho, puedo asegurárselo. Hasta el señor, que en casa nunca bebe, vino muy contento a la cocina y nos hizo bromas a la Ginette y a mí sobre lo bien que había estado servida la cena, y nos regaló cien francos a cada una. Me

parece que también a usted le darán alguna propina.
Todavía están bailando la señorita Lucienne con su novio,
y monsieur Bébé y sus amigos juegan a disfrazarse.

—¿Entonces tendré que quedarme?

—No, la señora ha dicho que cuando se fueran el dipu-
tado y los otros, había que soltar a los perros. Les encanta
jugar con ellos en el salón. Yo voy a llevar a Fido, y usted
no tiene más que venir conmigo a la cocina.

La seguí, cansadísima y muerta de sueño, pero llena de
curiosidad por ver algo de la fiesta, aunque fuera las copas
y los platos en la cocina. Y los vi, porque había montones
apilados en todas partes, y botellas de champaña y de
whisky, algunas todavía con un fondo de bebida. En la
cocina usaban tubos de luz azul, y me quedé deslumbrada
al ver tantos armarios blancos, tantos estantes donde brillaban los cubiertos y las cacerolas. La Ginette era una
pelirroja pequeñita, que también estaba muy excitada y
recibió a Alice con risitas y gestos. Parecía bastante des-
vergonzada, como tantas en estos tiempos.

—¿Siguen igual? —preguntó Alice, mirando hacia la
puerta.

—Sí —dijo la Ginette, retorciéndose—. ¿La señora es
la que estuvo cuidando a los perros?

Yo tenía sed y sueño, pero no me ofrecían nada, ni
siquiera donde sentarme. Estaban demasiado entusiasmadas
por la fiesta, por todo lo que habían visto mientras servían
la mesa o recibían los abrigos a la entrada. Sonó un timbre
y Alice, que seguía con el pekinés en brazos, salió corriendo.
Vino monsieur Rodolos y pasó sin mirarme, volviendo
en seguida con los cinco perros que saltaban y le hacían
fiestas. Vi que tenía la mano llena de terrones de azúcar,
y que los iba repartiendo para que los perros lo siguieran
al salón. Yo me apoyé en la gran mesa del centro, tratando
de no mirar mucho a la Ginette, que apenas volvió Alice
siguió charlando de monsieur Bébé y los disfraces, de
monsieur Fréjus, de la pianista que parecía tuberculosa,
y de cómo la señorita Lucienne había tenido un altercado
con su padre. Alice tomó una de las botellas a medio
vaciar, y se la llevó a la boca con una grosería que me dejó
tan desconcertada que no sabía adónde mirar; pero lo

peor fue que luego se la pasó a la pelirroja, que terminó de vaciarla. Las dos se reían como si también hubieran bebido mucho durante la fiesta. Tal vez por eso no pensaban que no tenía hambre, y sobre todo sed. Con seguridad si hubieran estado en sus cabales se hubieran dado cuenta. La gente no es mala, y muchas desatenciones se cometen porque no se está en lo que se hace; igual ocurre en el autobús, en los almacenes y en las oficinas.

El timbre sonó otra vez, y las dos muchachas salieron corriendo. Se oían grandes carcajadas, y de cuando en cuando el piano. Yo no comprendía por qué me hacían esperar; no tenían más que pagarme y dejar que me fuera. Me senté en una silla y puse los codos sobre la mesa. Se me caían los ojos de sueño, y por eso no me di cuenta de que alguien acababa de entrar en la cocina. Primero oí un ruido de vasos que chocaban, y un silbido muy suave. Pensé que era la Ginette y me volví para preguntarle qué iban a hacer conmigo.

—Oh, perdón, señor —dije, levantándome—. No sabía que usted estaba aquí.

—No estoy, no estoy —dijo el señor, que era muy joven—. ¡Loulou, ven a ver!

Se tambaleaba un poco, apoyándose en uno de los estantes. Había llenado un vaso con una bebida blanca, y lo miraba al trasluz como si desconfiara. La llamada Loulou no aparecía, de modo que el joven señor se me acercó y me dijo que me sentara. Era rubio, muy pálido, y estaba vestido de blanco. Cuando me di cuenta de que estaba vestido de blanco en pleno invierno me pregunté si soñaba. Esto no es un modo de decir, cuando veo algo raro siempre me pregunto con todas las letras si estoy soñando. Podría ser, porque a veces sueño cosas raras. Pero el señor estaba ahí, sonriendo con un aire de fatiga y casi de aburrimiento. Me daba lástima ver lo pálido que era.

—Usted debe ser la que cuida los perros —dijo, y se puso a beber.

—Soy madame Francinet, para servirlo —dije. Era tan simpático, y no me producía ningún temor. Más bien el deseo de serle útil, de tener alguna atención con él. Ahora estaba mirando otra vez la puerta entornada.

—¡Loulou! ¿Vas a venir? Aquí hay vodka. ¿Por qué ha estado llorando, madame Francinet?

—Oh, no, señor. Debo haber bostezado, un momento antes de que usted entrara. Estoy un poco cansada, y la luz en el cuarto de... en el otro cuarto, no era muy buena. Cuando una bosteza...

—... le lloran los ojos —dijo él. Tenía unos dientes perfectos, y las manos más blancas que he visto en un hombre. Enderezándose de golpe, fue al encuentro de un joven que entraba tambaleándose.

—Esta señora —le explicó— es la que nos ha librado de esas bestias asquerosas. Loulou, di buenas noches.

Me levanté otra vez e hice un saludo. Pero el señor llamado Loulou ni siquiera me miraba. Había encontrado una botella de champaña en la heladera, y trataba de hacer saltar el corcho. El joven de blanco se acercó a ayudarlo, y los dos se pusieron a reír y a forcejear con la botella. Cuando uno se ríe pierde la fuerza, y ninguno de los dos podía descorchar la botella. Entonces quisieron hacerlo juntos, y tiraban de cada lado, hasta que terminaron apoyándose uno en el otro, cada vez más contentos pero sin poder abrir la botella. Monsieur Loulou decía: «Bébé, Bébé, por favor, vámonos ahora...», y monsieur Bébé se reía cada vez más y lo rechazaba jugando, hasta que al final descorchó la botella y dejó que un gran chorro de espuma cayera por la cara de monsieur Loulou, que soltó una palabrota y se frotó los ojos, yendo de un lado para otro.

—Pobre querido, está demasiado borracho —decía monsieur Bébé, poniéndole las manos en la espalda y empujándolo para que saliera—. Vaya a hacerle compañía a la pobre Nina que está muy triste... —Y se reía, pero ya sin ganas.

Después volvió, y lo encontré más simpático que nunca. Tenía un tic nervioso que le hacía levantar una ceja. Lo repitió dos o tres veces, mirándome.

—Pobre madame Francinet —dijo, tocándome la cabeza muy suavemente—. La han dejado sola, y seguramente no le han dado nada de beber.

—Ya vendrán a decirme que puedo volver a casa, señor

—contesté. No me molestaba que se hubiera tomado la
libertad de tocarme la cabeza.

—Que puede volver, que puede volver... ¿Qué necesidad tiene nadie de que le den permiso para hacer algo?
—dijo monsieur Bébé, sentándose frente a mí. Había
levantado otra vez su vaso, pero lo dejó en la mesa, fue
a buscar uno limpio y lo llenó de una bebida color té.

—Madame Francinet, vamos a beber juntos —dijo alcanzándome el vaso—. A usted le gusta el whisky, claro.

—Dios mío, señor —dije, asustada—. Fuera del vino, y
los sábados un pequeño perod en lo de Gustave, no sé lo
que es beber.

—¿No ha tomado nunca whisky, de verdad? —dijo
monsieur Bébé, maravillado—. Un trago, nada más. Verá
qué bueno es. Vamos, madame Francinet, anímese. El primer trago es el que cuesta... —Y se puso a declamar una
poesía que no recuerdo, donde hablaba de unos navegantes
de algún sitio raro. Yo tomé un trago de whisky y lo encontré tan perfumado que tomé otro, y después otro más.
Monsieur Bébé saboreaba su vodka, y me miraba encantado.

—Con usted es un placer, madame Francinet —decía—
Por suerte no es joven, con usted se puede ser amigo...
No hay más que mirarla para ver que es buena, como una
tía de provincia, alguien que uno puede mimar, y que lo
puede mimar a uno, pero sin peligro, sin peligro... Vea,
por ejemplo Nina tiene una tía en el Poitou que le manda
pollos, canastas de legumbres y hasta miel... ¿No es admirable?

—Claro que sí, señor —dije, dejando que me sirviera
otro poco, ya que le daba tanto placer—. Siempre es agradable tener a alguien que vele por uno, sobre todo cuando
se es tan joven. En la vejez no queda más remedio que pensar en uno mismo, porque los demás... Aquí me tiene
a mí, por ejemplo. Cuando murió mi Georges...

—Beba otro poco, madame Francinet. La tía de Nina
vive lejos, y no hace más que mandar pollos... No hay
peligro de historias de familia...

Yo estaba tan mareada que ni siquiera tenía miedo de lo
que iba a ocurrir si entraba monsieur Rodolos y me sor-

prendía sentada en la cocina, hablando con uno de los invitados. Me encantaba mirar a monsieur Bébé, oír su risa
tan aguda, probablemente por efecto de la bebida. Y a él
le gustaba que yo lo mirara, aunque primero me pareció
un poco desconfiado pero después no hacía más que sonreír y beber, mirándome todo el tiempo. Yo sé que estaba
terriblemente borracho porque Alice me había dicho todo
lo que habían bebido y además por la forma en que le
brillaban los ojos a monsieur Bébé. Si no hubiera estado
borracho, ¿qué tenía que hacer en la cocina con una vieja
como yo? Pero los otros también estaban borrachos, y sin
embargo monsieur Bébé era el único que me estaba acom-
pañando, el único que me había dado una bebida y me
había acariciado la cabeza, aunque no estaba bien que lo
hubiera hecho. Por eso me sentía tan contenta con monsieur Bébé, y lo miraba más y más, y a él le gustaba que lo
mirasen, porque una o dos veces se puso un poco de perfil,
y tenía una nariz hermosísima, como una estatua. Todo él
era como una estatua, sobre todo con su traje blanco.
Hasta lo que bebía era blanco, y estaba tan pálido que me
daba un poco de miedo por él. Se veía que se pasaba la
vida encerrado, como tantos jóvenes de ahora. Me hubiera
gustado decírselo, pero yo no era nadie para darle consejos
a un señor como él, y además no me quedó tiempo porque
se oyó un golpe en la puerta y monsieur Loulou entró
arrastrando al danés, atado con una cortina que había
retorcido para formar una especie de soga. Estaba mucho
más bebido que monsieur Bébé, y casi se cae cuando el
danés dio una vuelta y le enredó las piernas con la cortina.
Se oían voces en el pasillo, y apareció un señor de cabellos
grises, que debía ser monsieur Rosay, y en seguida madame
Rosay muy roja y excitada, y un joven delgado y de pelo
tan negro como no he visto nunca. Todos trataban de
socorrer a monsieur Loulou, cada vez más enredado con
el danés y la cortina, mientras se reían y bromeaban a
gritos. Nadie se fijó en mí, hasta que madame Rosay me
vio y se puso seria. No pude oír lo que le decía al señor
de cabellos grises, que miró mi vaso (estaba vacío, pero
con la botella al lado), y monsieur Rosay miró a monsieur
Bébé y le hizo un gesto de indignación, mientras monsieur

Bébé le guiñaba un ojo, y echándose atrás en su silla se
reía a carcajadas. Yo estaba muy confundida, de modo que
me pareció que lo mejor era levantarme y saludar a todos
con una inclinación, y luego irme a un lado y esperar.
Madame Rosay había salido de la cocina, y un instante
después entraron Alice y monsieur Rodolos que se acercaron a mí y me indicaron que los acompañara. Saludé
a todos los presentes con una inclinación, pero no creo
que nadie me viera porque estaban calmando a monsieur
Loulou que de pronto se había echado a llorar y decía
cosas incomprensibles señalando a monsieur Bébé. Lo
último que recuerdo fue la risa de monsieur Bébé, echado
hacia atrás en su silla.

Alice esperó a que me quitara el delantal, y monsieur
Rodolos me entregó seiscientos francos. En la calle estaba
nevando, y el último *métro* había pasado hacía rato. Tuve
que caminar más de una hora hasta llegar a mi casa, pero
el calor del whisky me protegía, y el recuerdo de tantas
cosas, y lo mucho que me había divertido en la cocina al
final de la fiesta.

El tiempo vuela, como dice Gustave. Uno cree que es
lunes y ya estamos a jueves. El otoño se termina, y de
golpe es pleno verano. Cada vez que Robert aparece para
preguntarme si no hay que limpiar la chimenea (es muy
bueno, Robert, y me cobra la mitad que a los otros inqui-
linos), me doy cuenta de que el invierno está como quien
dice en la puerta. Por eso no me acuerdo de cuánto tiempo
había pasado hasta que vi otra vez a monsieur Rosay.
Vino al caer la noche, casi a la misma hora que madame
Rosay la primera vez. También él empezó diciendo que
venía porque madame Beauchamp me había recomendado,
y se sentó en la silla con aire confuso. Nadie se siente
cómodo en mi casa, ni siquiera yo cuando hay visitas que
no son de confianza. Empiezo a frotarme las manos como
si las tuviera sucias, y después pienso que los otros van
a creer que las tengo realmente sucias, y ya no sé dónde
meterme. Menos mal que monsieur Rosay estaba tan con-
fundido como yo, aunque lo disimulaba más. Con el bastón golpeaba despacio el piso, asustando muchísimo a

Minouche, y miraba para todos lados con tal de no encontrarse con mis ojos. Yo no sabía a qué santo encomendarme, porque era la primera vez que un señor se turbaba tanto de mí, y no sabía qué hay que hacer en esos casos salvo ofrecerle una taza de té.

—No, no, gracias —dijo él, impaciente—. Vine a pedido de mi esposa... Usted me recuerda ciertamente.

—Vaya, monsieur Rosay. Aquella fiesta en su casa, tan concurrida...

—Sí. Aquella fiesta. Justamente... Quiero decir, esto no tiene nada que ver con la fiesta, pero aquella vez usted nos fue muy útil, madame...

—Francinet, para servirlo.

—Madame Francinet, es cierto. Mi mujer ha pensado... Verá usted, es algo delicado. Pero ante todo deseo tranquilizarla. Lo que voy a proponerle no es... cómo decir... ilegal.

—¿Ilegal, monsieur Rosay?

—Oh, usted sabe, en estos tiempos... Pero le repito: se trata de algo muy delicado, pero perfectamente correcto en el fondo. Mi esposa está enterada de todo, y ha dado su consentimiento. Esto se lo digo para tranquilizarla.

—Si madame Rosay está de acuerdo, para mí es como pan bendito —dije yo para que se sintiera cómodo, aunque no sabía gran cosa de madame Rosay y más bien me caía antipática.

—En fin, la situación es ésta, madame... Francinet, eso es, madame Francinet. Uno de nuestros amigos... quizá sería mejor decir uno de nuestros conocidos, acaba de fallecer en circunstancias muy especiales.

—¡Oh, monsieur Rosay! Mi más sentido pésame.

—Gracias —dijo monsieur Rosay, e hizo una mueca muy rara, casi como si fuera a gritar de rabia o a ponerse a llorar. Una mueca de verdadero loco, que me dio miedo. Por suerte la puerta estaba entornada, y el taller de Fresnay queda al lado.

—Este señor... se trata de un modisto muy conocido... vivía solo, es decir alejado de su familia, ¿comprende usted? No tenía a nadie, fuera de sus amigos, pues los clientes, usted sabe, eso no cuenta en estos casos. Ahora bien, por una serie de razones que sería largo explicarle, sus amigos hemos pensado que a los efectos del sepelio...

¡Qué bien hablaba! Elegía cada palabra, golpeando despacio el suelo con el bastón, y sin mirarme. Era como oír los comentarios por la radio, sólo que monsieur Rosay hablaba más lentamente, aparte de que se veía muy bien que no estaba leyendo. El mérito era entonces mucho mayor. Me sentí tan admirada que perdí la desconfianza, y acerqué un poco más mi silla. Sentía como un calor en el estómago, pensando que un señor tan importante venía a pedirme un servicio, cualquiera que fuese. Y estaba muerta de miedo, y me frotaba las manos sin saber qué hacer.

—Nos ha parecido —decía monsieur Rosay— que una ceremonia a la que sólo concurrieran sus amigos, unos pocos... en fin, no tendría ni la importancia necesaria en el caso de este señor... ni traduciría la consternación —así dijo— que ha producido su pérdida... ¿Comprende usted? Nos ha parecido que si usted hiciera acto de presencia en el velatorio, y naturalmente en el entierro... pongamos en calidad de parienta cercana del muerto... ¿ve lo que quiero decirle? Una parienta muy cercana... digamos una tía... y hasta me atrevería a sugerir...

—¿Sí, monsieur Rosay? —dije yo, en el colmo de la maravilla.

—Bueno, todo depende de usted, claro está... Pero si recibiera una recompensa adecuada... pues no se trata, naturalmente, de que se moleste para nada... En ese caso, ¿no es verdad, madame Francinet?... si la retribución le conviniera, como veremos ahora mismo... hemos creído que usted podría estar presente como si fuera... usted me comprende... digamos la madre del difunto... Déjeme explicarle bien... La madre que acaba de llegar de Normandía, enterada del fallecimiento, y que acompañará a su hijo hasta la tumba... No, no, antes de decir nada... Mi esposa ha pensado que quizá usted aceptaría ayudarnos por amistad... y por mi parte mis amigos y yo hemos convenido ofrecerle diez mil... ¿estaría bien así, madame Francinet?, diez mil francos por su ayuda... Tres mil en este mismo momento, y el resto cuando salgamos del cementario, una vez que...

Yo abrí la boca, solamente porque se me había abierto sola, pero monsieur Rosay no me dejó decir nada. Estaba muy rojo y hablaba rápidamente, como si quisiera terminar lo antes posible.

—Si usted acepta, madame Francinet... como todo nos hace esperar, dado que confiamos en su ayuda y no le pedimos nada... irregular, por decirlo así... en ese caso dentro de media hora estarán aquí mi esposa y su mucana, con las ropas adecuadas... y el auto, claro está, para llevarla a la casa... Por supuesto, será necesario que usted... ¿cómo decirlo?, que usted se haga a la idea de que es... la madre del difunto... Mi esposa le dará los informes necesarios y usted, naturalmente, deberá dar la impresión, una vez en la casa... Usted comprende... El dolor, la desesperación... Se trata sobre todo de los clientes —agregó—. Delante de nosotros, bastará con que guarde silencio.

No sé cómo le había aparecido en la mano un fajo de billetes muy nuevos, y que me caiga muerta ahora mismo si sé cómo de repente los sentí dentro de mi mano, y monsieur Rosay se levantaba y se iba murmurando y olvidándose de cerrar la puerta como todos los que salen de mi casa.

Dios me perdonará esto y tantas otras cosas, lo sé. No estaba bien, pero monsieur Rosay me había asegurado que no era ilegal, y que en esa forma prestaría una ayuda muy valiosa (creo que habían sido sus mismas palabras). No estaba bien que me hiciera pasar por la madre del señor que había muerto, y que era modisto, porque no son cosas que deben hacerse, ni engañar a nadie. Pero había que pensar en los clientes, y si en el entierro faltaba la madre, o por lo menos una tía o hermana, la ceremonia no tendría la importancia necesaria ni daría la sensación de dolor producida por la pérdida. Con esas mismas palabras acababa de decirlo monsieur Rosay, y él sabía más que yo. No estaba bien que yo hiciera eso, pero Dios sabe que apenas gano tres mil francos por mes, deslomándome en casa de madame Beauchamp y en otras partes, y ahora iba a tener diez mil nada más que por llorar un poco, por lamentar la muerte de ese señor que iba a ser mi hijo hasta que lo enterraran.

La casa quedaba cerca de Saint-Cloud, y me llevaron en un auto como nunca había visto salvo por fuera. Madame Rosay y la mucama me habían vestido, y yo sabía que el difunto se llamaba monsieur Linard, de nombre Octave, y que era único hijo de su anciana madre que vivía en Normandía y acababa de llegar en el tren de las cinco. La anciana madre era yo, pero estaba tan excitada y confundida que oí muy poco de todo lo que me decía y recomendaba madame Rosay. Recuerdo que me rogó muchas veces en el auto (me rogaba, no me desdigo, había cambiado muchísimo desde la noche de la fiesta) que no exagerara en mi dolor, y que más bien diera la impresión de estar terriblemente fatigada y al borde de un ataque.

—Desgraciadamente no podré estar junto a usted —dijo cuando ya llegábamos—. Pero haga lo que le he indicado, y además mi esposo se ocupará de todo lo necesario. Por favor, *por favor*, madame Francinet, sobre todo cuando vea periodistas, y señoras... en especial los periodistas...

—¿No estará usted, madame Rosay? —pregunté asombradísima.

—No. Usted no puede comprender, sería largo de explicar. Estará mi esposo, que tiene intereses en el comercio de monsieur Linard... Naturalmente, estará ahí por decoro... una cuestión comercial y humana... Pero yo no entraré, no corresponde que yo... No se preocupe por eso.

En la puerta vi a monsieur Rosay y a varios otros señores. Se acercaron, y madame Rosay me hizo una última recomendación y se echó atrás en el asiento para que no la vieran. Yo dejé que monsieur Rosay abriera la portezuela, y llorando a gritos bajé a la calle mientras monsieur Rosay me abrazaba y me llevaba adentro, seguido por algunos de los otros señores. No podía ver mucho de la casa, pues tenía una pañoleta que me tapaba casi los ojos, y además lloraba tanto que no alcanzaba a ver nada, pero por el olor se notaba el lujo, y también por las alfombras tan mullidas. Monsieur Rosay murmuraba frases de consuelo, y tenía una voz como si también él estuviera llorando. En un grandísimo salón con arañas de caireles, había algunos señores que me miraban con mucha compasión y simpatía, y estoy segura de que hubieran venido a consolarme si monsieur Rosay no me hubiera hecho seguir adelante, sosteniéndome por los hombros. En un sofá alcancé a ver un señor muy joven, que tenía los ojos cerrados y un vaso en la mano. Ni siquiera se movió al oírme entrar, y eso que yo lloraba muy fuerte en ese momento. Abrieron una puerta, y dos señores salieron de adentro con el pañuelo en la mano. Monsieur Rosay me empujó un poco, y yo pasé a una habitación y tambaleándome me dejé llevar hasta donde estaba el muerto, y vi al muerto que era mi hijo, vi el perfil de monsieur Bébé más rubio y más pálido que nunca ahora que estaba muerto.

Me parece que me tomé del borde de la cama, porque monsieur Rosay se sobresaltó, y otros señores me rodearon y me sostuvieron, mientras yo miraba la cara tan hermosa de monsieur Bébé muerto, sus largas pestañas negras y su nariz como de cera, y no podía creer que fuera monsieur Linard, el señor que era modisto y acababa de morir, no podía convencerme de que ese muerto ahí delante fuera monsieur Bébé. Sin darme cuenta, lo juro, me había puesto a llorar de veras, tomada del borde de la cama de gran lujo y de roble macizo, acordándome de cómo monsieur Bébé me había acariciado la cabeza la noche de la fiesta, y me había llenado el vaso de whisky, hablando conmigo y ocupándose de mí mientras los otros se divertían. Cuando monsieur Rosay murmuró algo como: «Dígale hijo, hijo...», no me costó nada mentir, y creo que llorar por él me hacía tanto bien como si fuera una recompensa por todo el miedo que había tenido hasta ese momento. Nada me parecía extraño, y cuando levanté los ojos y a un lado de la cama vi a monsieur Loulou con los ojos enrojecidos y los labios que le temblaban, me puse a llorar a gritos mirándolo en la cara, y él lloraba también a pesar de su sorpresa, lloraba porque yo estaba llorando, y lleno de sorpresa al comprender que yo lloraba como él, de verdad, porque los dos queríamos a monsieur Bébé, y casi nos desafiábamos a cada lado de la cama, sin que monsieur Bébé pudiera reír y burlarse como cuando estaba vivo, sentado en la mesa de la cocina y riéndose de todos nosotros.

Me llevaron hasta un sofá del gran salón con arañas, y una señora que había allí sacó del bolso un frasco con

sales, y un mucamo puso a mi lado una mesita de ruedas
con una bandeja donde había café hirviendo y un vaso
de agua. Monsieur Rosay estaba mucho más tranquilo
ahora que se daba cuenta de que yo era capaz de hacer
lo que me habían pedido. Lo vi cuando se alejaba para
hablar con otros señores, y pasó un largo rato sin que
nadie entrara o saliera de la sala. En el sofá de enfrente
seguía sentado el joven que había visto al entrar, y que
lloraba con la cara entre las manos. Cada tanto sacaba
el pañuelo y se sonaba. Monsieur Loulou apareció en la
puerta y lo miró un momento, antes de venir a sentarse
a su lado. Yo les tenía tanta lástima a los dos, se veía que
habían sido muy amigos de monsieur Bébé, y eran tan
jóvenes y sufrían tanto. Monsieur Rosay también los miraba
desde un rincón de la sala, donde había estado hablando
en voz baja con dos señoras que ya estaban por irse.
Y así pasaban los minutos, hasta que monsieur Loulou
soltó como un chillido y se apartó del otro joven que lo
miraba furioso, y oí que monsieur Loulou decía algo como:
«A tí nunca te importó nada, Nina», y yo me acordé de
alguien que se llamaba Nina y que tenía una tía en el
Poitou que le mandaba pollos y legumbres. Monsieur
Loulou se encogió de hombros y volvió a decir que Nina
era un mentiroso, y al final se levantó haciendo muecas
y gestos de enojo. Entonces monsieur Nina se levantó
también, y los dos fueron casi corriendo al cuarto donde
estaba monsieur Bébé, y oí que discutían, pero en seguida
entró monsieur Rosay a hacerlos callar y no se oyó nada
más, hasta que monsieur Loulou vino a sentarse en el sofá,
con un pañuelo mojado en la mano. Justamente detrás
del sofá había una ventana que daba al patio interior.
Creo que de todo lo que había en esa sala lo que mejor
recuerdo es la ventana (y también las arañas, tan lujosas)
porque al final de la noche la vi cambiar poco a poco de
color y ponerse cada vez más gris y por fin rosa, antes de
que saliera el sol. Y todo ese tiempo yo estuve pensando en
monsieur Bébé, y de pronto no podía contenerme y lloraba,
aunque solamente estaban ahí monsieur Rosay y monsieur
Loulou, porque monsieur Nina se había ido o estaba en
otra parte de la casa. Y así pasó la noche, y a ratos no

podía contenerme al pensar en monsieur Bébé, tan joven,
y me ponía a llorar, aunque también era un poco por la
fatiga; entonces monsieur Rosay venía a sentarse a mi lado,
con una cara muy rara, y me decía que no era necesario
que siguiera fingiendo, y que me preparara para cuando
fuese la hora del entierro y llegaran la gente y los periodistas. Pero a veces es difícil saber cuándo se llora o no
de veras, y le pedí a monsieur Rosay que me dejara quedarme velando a monsieur Bébé. Parecía muy extrañado de
que no quisiera ir a dormir un rato, y me ofreció varias
veces llevarme a un dormitorio, pero al final se convenció
y me dejó tranquila. Aproveché un rato en que él había
salido, probablemente para ir al excusado, y entré otra vez
en el cuarto donde estaba monsieur Bébé.

Había pensado encontrarlo solo, pero monsieur Nina
estaba ahí, mirándolo, parado a los pies de la cama. Como
no nos conocíamos (quiero decir que él sabía que yo era
la señora que pasaba por madre de monsieur Bébé, pero
no nos habíamos visto antes) los dos nos miramos con
desconfianza, aunque él no dijo nada cuando me acerqué y
me puse al lado de monsieur Bébé. Estuvimos así un rato,
y yo veía que le corrían las lágrimas por las mejillas y que
le habían hecho como un surco cerca de la nariz.

—Usted también estaba la noche de la fiesta —le dije,
queriendo distraerlo—. Monsieur Bébé... monsieur Linard
dijo que usted estaba muy triste, y le pidió a monsieur
Loulou que fuera a acompañarlo.

Monsieur Nina me miró sin comprender. Movía la cabeza, y yo le sonreí para distraerlo.

—La noche de la fiesta en casa de monsieur Rosay
—dije—. Monsieur Linard vino a la cocina y me ofreció
whisky.

—¿Whisky?

—Sí. Fue el único que me ofreció de beber esa noche...
Y monsieur Loulou abrió una botella de champaña, y
entonces monsieur Linard le echó un chorro de espuma
en la cara, y...

—Oh, cállese, cállese —murmuró monsieur Nina—. No
nombre a ése... Bébé estaba loco, realmente loco...

—¿Y era por eso que usted estaba triste? —le pregunté,

por decir algo, pero ya no me oía, miraba a monsieur
Bébé como preguntándole alguna cosa, y movía la boca
repitiendo siempre lo mismo, hasta que no pude seguir
mirándolo. Monsieur Nina no era tan buen mozo como
monsieur Bébé o monsieur Loulou, y me pareció muy
pequeño, aunque la gente de negro siempre parece más
pequeña, como dice Gustave. Yo hubiera querido con-
solar a monsieur Nina, tan afligido, pero monsieur Rosay
entró en ese momento y me hizo señas de que volviera
a la sala.

—Ya está amaneciendo, madame Francinet —me dijo.
Tenía la cara color verde, el pobre—. Usted debería descansar un rato. No va a poder resistir la fatiga, y pronto
empezará a llegar la gente. El entierro es a las nueve y
media.

Realmente yo me caía de cansancio y era mejor que
durmiera una hora. Es increíble cómo una hora de sueño
me quita la fatiga. Por eso dejé que monsieur Rosay me
llevara del brazo, y cuando atravesamos la sala con las
arañas la ventana ya estaba de color rosa vivo, y sentí frío
a pesar de la chimenea encendida. En ese momento monsieur Rosay me soltó de golpe, y se quedó mirando la
puerta que daba a la salida de la casa. Había entrado un
hombre con una bufanda anudada al cuello, y me asusté
por un momento pensando que a lo mejor nos habían
descubierto (aunque no era nada ilegal) y que el hombre de
la bufanda era un hermano o algo así de monsieur Bébé.
Pero no podía ser, con ese aire tan rústico que tenía, como
si Pierre o Gustave hubieran podido ser hermanos de alguien tan refinado como monsieur Bébé. Detrás del hombre de la bufanda vi de repente a monsieur Loulou con
un aire como si tuviera miedo, pero me pareció que a la
vez estaba como contento por algo que iba a suceder.
Entonces monsieur Rosay me hizo seña de que me quedara donde estaba, y dio dos o tres pasos hacia el hombre
de la bufanda, me parece que sin muchas ganas.

—¿Usted viene?... —empezó a decir, con la misma voz
que usaba para hablar conmigo, y que no era nada amable
en el fondo.

—¿Dónde está Bébé? —preguntó el hombre, con una

voz como de haber estado bebiendo o gritando. Monsieur
Rosay hizo un gesto vago, queriendo negarle la entrada,
pero el hombre se adelantó y lo apartó a un lado con sólo
mirarlo. Yo estaba muy extrañada de una actitud tan
grosera en un momento tan triste, pero monsieur Loulou,
que se había quedado en la puerta (yo creo que era él
quien había dejado entrar a ese hombre) se puso a reír
carcajadas, y entonces monsieur Rosay se le acercó y le
dio de bofetones como a un chico, realmente como a un
chico. No oí bien lo que se decían, pero monsieur Loulou
parecía contento a pesar de los bofetones, y decía algo así
como: «Ahora verá... ahora verá esa puta...» aunque esté
mal que repita sus palabras, y las dijo varias veces hasta
que de golpe se echó a llorar y se tapó la cara, mientras
monsieur Rosay lo empujaba y lo tironeaba hasta el sofá
donde se quedó gritando y llorando, y todos se habían
olvidado de mí como pasa siempre.

Monsieur Rosay parecía muy nervioso y no se decidía a
entrar en el cuarto mortuorio, pero al cabo de un momento
se oyó la voz de monsieur Nina que protestaba por alguna
cosa, y monsieur Rosay se decidió y corrió a la puerta
justamente cuando monsieur Nina salía protestando, y yo
hubiera jurado que el hombre de la bufanda le había dado
de empellones para echarlo. Monsieur Rosay retrocedió,
mirando a monsieur Nina, y los dos se pusieron a hablar
en voz muy baja pero que lo mismo resultaba chillona, y
monsieur Nina lloraba de despecho y hacía gestos, tanto
que me daba mucha lástima. Al final se calmó un poco
y monsieur Rosay lo llevó hasta el sofá donde estaba
monsieur Loulou, que se reía de nuevo (era así, tan pronto
reían como lloraban), pero monsieur Nina hizo una mueca
de desprecio y fue a sentarse en otro sofá cerca de la
chimenea. Yo me quedé en un rincón de la sala, esperando
que llegaran las señoras y los periodistas como me había
mandado madame Rosay, y al final el sol dio en los vidrios
de la ventana y un mucano de librea hizo entrar a dos señores muy elegantes y a una señora, que miró primero a
monsieur Nina pensando tal vez que era de la familia, y
después me miró a mí, y yo tenía la cara tapada con las
manos pero la veía muy bien por entre los dedos. Los se-

ñores, y otros que entraron luego, pasaban a ver a monsieur
Bébé y luego se reunían en la sala, y algunos venían hasta
donde yo estaba, acompañados por monsieur Rosay, y me
daban el pésame y me estrechaban la mano con mucho sentimiento. Las señoras también eran muy amables, sobre todo
una de ellas, muy joven y hermosa, que se sentó un momento a mi lado y dijo que monsieur Linard había sido un
gran artista y que su muerte era una desgracia irreparable.
Yo decía a todo que sí, y lloraba de veras aunque estuviera fingiendo todo el tiempo, pero me emocionaba pensar
en monsieur Bébé ahí dentro, tan hermoso y tan bueno,
y en lo gran artista que había sido. La señora joven me
acarició varias veces las manos y me dijo que nadie olvida-
ría nunca a monsieur Linard, y que ella estaba segura de
que monsieur Rosay continuaría con la casa de modas tal
como lo había querido siempre monsieur Linard, para que
no se perdiera su estilo, y muchas otras cosas que ya no
recuerdo pero siempre llenas de elogios para monsieur
Bébé. Y entonces monsieur Rosay vino a buscarme, y
después de mirar a los que me rodeaban para que compren-
dieran lo que iba a suceder, me dijo en voz baja que era
hora de despedirme de mi hijo, porque pronto iban a cerrar
el cajón. Yo sentí un miedo horrible, pensando que en ese
momento tendría que hacer la escena más difícil, pero él
me sostuvo y me ayudó a incorporarme, y entramos en el
cuarto donde solamente estaba el hombre de la bufanda a
los pies de la cama, mirando a monsieur Bébé, y monsieur
Rosay le hizo una seña suplicante como para que comprendiera que debía dejarme a solas con mi hijo, pero el hombre
le contestó con una mueca y se encogió de hombros y no
se movió. Monsieur Rosay no sabía qué hacer, y volvió a
mirar al hombre como implorándole que saliera, porque
otros señores que debían ser los periodistas acababan de
entrar detrás de nosotros, y realmente el hombre desen-
tonaba allí con esa bufanda y esa manera de mirar a monsieur Rosay como si estuviera por insultarlo. Y no pude
esperar más, tenía miedo de todos, estaba segura de que
iba a pasar algo terrible, y aunque monsieur Rosay no se
ocupaba de mí y seguía haciendo señas para convencer al
hombre de que se fuera, me acerqué a monsieur Bébé y

me puse a llorar a gritos, y entonces monsieur Rosay me
sujetó porque realmente yo hubiera querido besar en la
frente a monsieur Bébé, que seguía siendo el más bueno de
todos conmigo, pero él no me dejaba y me pedía que me
calmara, y por fin me obligó a volver a la sala, consolán-
dome mientras me apretaba el brazo hasta hacerme daño,
pero esto último nadie podía sentirlo más que yo y no me
importaba. Cuando estuve en el sofá, y el mucamo trajo
agua y dos señoras me echaron aire con el pañuelo, hubo
gran movimiento en la otra habitación, y nuevas personas
entraron y se acercaron a mí hasta que ya no pude ver
mucho de lo que ocurría. Entre los que acababan de llegar
estaba el señor cura, y me alegré tanto de que hubiera
venido a acompañar a monsieur Bébé. Pronto sería hora
de salir para el cementerio, y estaba bien que el señor
cura viniera con nosotros, con la madre y los amigos de
monsieur Bébé. Seguramente ellos también estarían contentos de que viniera, sobre todo monsieur Rosay que
estaba tan afligido por culpa del hombre de la bufanda,
y que se preocupaba de que todo fuese correcto como debe
ser, para que la gente supiera lo bien que había estado el
entierro y lo mucho que todos querían a monsieur Bébé.

Muy bien hubiera podido llamarse libertad condicional. Cada vez que la portera le entregaba un sobre, a Luis le bastaba reconocer la minúscula cara familiar de José de San Martín para comprender que otra vez más habría de franquear el puente. San Martín, Rivadavia, pero esos nombres eran también imágenes de calles y de cosas, Rivadavia al seis mil quinientos, el caserón de Flores, mamá, el café de San Martín y Corrientes donde lo esperaban a veces los amigos, donde el mazagrán tenía un leve gusto a aceite de ricino. Con el sobre en la mano, después del *Merci bien, madame Durand*, salir a la calle no era ya lo mismo que el día anterior, que todos los días anteriores. Cada carta de mamá (aun antes de esto que acababa de ocurrir, este absurdo error ridículo) cambiaba de golpe la vida de Luis, lo devolvía al pasado como un duro rebote de pelota. Aun antes de esto que acababa de leer —y que ahora releía en el autobús entre enfurecido y perplejo, sin acabar de convencerse—, las cartas de mamá eran siempre una alteración del tiempo, un pequeño escándalo inofensivo dentro del orden de cosas que Luis había

querido y trazado y conseguido, calzándolo en su vida
como había calzado a Laura en su vida y a París en su vida.
Cada nueva carta insinuaba por un rato (porque después
él las borraba en el acto mismo de contestarlas cariñosamente) que su libertad duramente conquistada, esa nueva
vida recortada con feroces golpes de tijera en la madeja
de lana que los demás habían llamado su vida, cesaba de
justificarse, perdía pie, se borraba como el fondo de las
calles mientras el autobús corría por la rue de Richelieu.
No quedaba más que una parva libertad condicional, la
irrisión de vivir a la manera de una palabra entre paréntesis,
divorciada de la frase principal de la que sin embargo es
casi siempre sostén y explicación, Y desazón, y una necesidad de contestar en seguida, como quien vuelve a cerrar
una puerta.

Esa mañana había sido una de las tantas mañanas en
que llegaba carta de mamá. Con Laura hablaban poco del
pasado, casi nunca del caserón de Flores. No es que a Luis
no le gustara acordarse de Buenos Aires. Más bien se
trataba de evadir nombres (las personas, evadidas hacía
ya tanto tiempo, pero los nombres, los verdaderos fantas-
mas que son los nombres, esa duración pertinaz). Un día
se había animado a decirle a Laura: «Si se pudiera romper
y tirar el pasado como el borrador de una carta o de un
libro. Pero ahí queda siempre, manchando la copia en
limpio, y yo creo que eso es el verdadero futuro.» En realidad, por qué no habían de hablar de Buenos Aires donde
vivía la familia, donde los amigos de cuando en cuando
adornaban una postal con frases cariñosas. Y el rotogra-
bado de *La Nación* con los sonetos de tantas señoras entu-
siastas, esa sensación de ya leído, de para qué. Y de cuando
en cuando alguna crisis de gabinete, algún coronel enojado, algún boxeador magnífico. ¿Por qué no habían de
hablar de Buenos Aires con Laura? Pero tampoco ella
volvía al tiempo de antes, sólo al azar de algún diálogo,
y sobre todo cuando llegaban cartas de mamá, dejaba caer
un nombre o una imagen como moneda fuera de circula-
ción, objetos de un mundo caduco en la lejana orilla
del río.

—*Eh oui, fait lourd* —dijo el obrero sentado frente a él.

«Si supiera lo que es el calor —pensó Luis—. Si pudiera andar una tarde de febrero por la Avenida de Mayo, por alguna callecita de Liniers.»

Sacó otra vez la carta del sobre, sin ilusiones: el párrafo estaba ahí, bien claro. Era perfectamente absurdo pero estaba ahí. Su primera reacción, después de la sorpresa, el golpe en plena nuca, era como siempre de defensa. Laura no debía leer la carta de mamá. Por más ridículo que fuese el error, la confusión de nombres (mamá habría querido escribir «Víctor» y había puesto «Nico»), de todos modos Laura se afligiría, sería estúpido. De cuando en cuando se pierden cartas; ojalá ésta se hubiera ido al fondo del mar. Ahora tendría que tirarla al *water* de la oficina, y por supuesto unos días después Laura se extrañaría: «Qué raro, no ha llegado carta de tu madre.» Nunca decía *tu mamá*, tal vez porque había perdido a la suya siendo niña. Entonces él contestaría: «De veras, es raro. Le voy a mandar unas líneas hoy mismo», y las mandaría, asombrándose del silencio de mamá. La vida seguiría igual, la oficina, el cine por las noches, Laura siempre tranquila, bondadosa, atenta a sus deseos. Al bajar del autobús en la rue de Rennes se preguntó bruscamente (no era una pregunta, pero cómo decirlo de otro modo) por qué no quería mostrarle a Laura la carta de mamá. No por ella, por lo que ella pudiera sentir. No le importaba gran cosa lo que ella pudiera sentir, mientras lo disimulara. (¿No le importaba gran cosa lo que ella pudiera sentir, mientras lo disimulara?) No, no le importaba gran cosa (¿No le importaba?) Pero la primera verdad, suponiendo que hubiera otra detrás, la verdad más inmediata por decirlo así, era que le importaba la cara que pondría Laura, la actitud de Laura. Y le importaba por él, naturalmente, por el efecto que le haría la forma en que a Laura iba a importarle la carta de mamá. Sus ojos caerían en un momento dado sobre el nombre de Nico, y él sabía que el mentón de Laura empezaría a temblar ligeramente, y después Laura diría: «Pero qué raro... ¿qué le habrá pasado a tu madre?» Y él habría sabido todo el tiempo que Laura se contenía para no gritar, para no esconder entre las manos un rostro desfigurado ya por el llanto, por el dibujo del nombre de Nico temblándole en la boca.

En la agencia de publicidad donde trabajaba como dise-
ñador, releyó la carta, una de las tantas cartas de mamá,
sin nada de extraordinario fuera del párrafo donde se había
equivocado de nombre. Pensó si no podría borrar la palabra, reemplazar Nico por Víctor, sencillamente reemplazar
el error por la verdad, y volver con la carta a casa para
que Laura la leyera. Las cartas de mamá interesaban siempre a Laura, aunque de una manera indefinible no le estuvieran destinadas. Mamá le escribía a él; agregaba al final,
a veces a mitad de la carta, saludos muy cariñosos para
Laura. No importaba, la leía con el mismo interés, vacilando
ante alguna palabra ya retorcida por el reuma y la miopía.
«Tomo Saridón, y el doctor me ha dado un poco de salicilato...» Las cartas se pasaban dos o tres días sobre la mesa
de dibujo; Luis hubiera querido tirarlas apenas las contestaba, pero Laura las releía, a las mujeres les gusta releer
las cartas, mirarlas de un lado y de otro, parecen extraer
un segundo sentido cada vez que vuelven a sacarlas y a
mirarlas. Las cartas de mamá eran breves, con noticias
domésticas, una que otra referencia al orden nacional (pero
esas cosas ya se sabían por los telegramas de *Le Monde*,
llegaban siempre tarde por su mano). Hasta podía pensarse
que las cartas eran siempre la misma, escueta y mediocre,
sin nada interesante. Lo mejor de mamá era que nunca
se había abandonado a la tristeza que debía causarle la
ausencia de su hijo y de su nuera, ni siquiera al dolor —tan
a gritos, tan a lágrimas al principio— por la muerte de
Nico. Nunca, en los dos años que llevaban ya en París,
mamá había mencionado a Nico en sus cartas. Era como
Laura, que tampoco lo nombraba. Ninguna de las dos lo
nombraba, y hacía más de dos años que Nico había muerto.
La repentina mención de su nombre a mitad de la carta
era casi un escándalo. Ya el solo hecho de que el nombre
de Nico apareciera de golpe en una frase, con la *N* larga
y temblorosa, la *o* con una cola torcida; pero era peor,
porque el nombre se situaba en una frase incomprensible
y absurda, en algo que no podía ser otra cosa que un anuncio de senilidad. De golpe mamá perdía la noción del
tiempo, se imaginaba que... El párrafo venía después de
un breve acuse de recibo de una carta de Laura. Un punto

apenas marcado con la débil tinta azul comprada en el almacén del barrio, y a quemarropa: «Esta mañana Nico preguntó por ustedes.» El resto seguía como siempre: la salud, la prima Matilde se había caído y tenía una clavícula sacada, los perros estaban bien. Pero Nico había preguntado por ellos.

En realidad hubiera sido fácil cambiar Nico por Víctor, que era el que sin duda había preguntado por ellos. El primo Víctor, tan atento siempre. Víctor tenía dos letras más que Nico, pero con una goma y habilidad se podían cambiar los nombres. Esta mañana Víctor preguntó por ustedes. Tan natural que Víctor pasara a visitar a mamá y le preguntara por los ausentes.

Cuando volvió a almozar, traía intacta la carta en el bolsillo. Seguía dispuesto a no decirle nada a Laura, que lo esperaba con su sonrisa amistosa, el rostro que parecía haberse desdibujado un poco desde los tiempos de Buenos Aires, como si el aire gris de París le quitara el color y el relieve. Llevaban más de dos años en París, habían salido de Buenos Aires apenas dos meses después de la muerte de Nico, pero en realidad Luis se había considerado como ausente desde el día mismo de su casamiento con Laura. Una tarde, después de hablar con Nico que estaba ya enfermo, se había jurado escapar de la Argentina, del caserón de Flores, de mamá y los perros y su hermano (que ya estaba enfermo). En aquellos meses todo había girado en torno a él como las figuras de una danza: Nico, Laura, mamá, los perros, el jardín. Su juramento había sido el gesto brutal del que hace trizas una botella en la pista, interrumpe el baile con un chicotear de vidrios rotos. Todo había sido brutal en esos días: su casamiento, la partida sin remilgos ni consideraciones para con mamá, el olvido de todos los deberes sociales, de los amigos entre sorprendidos y desencantados. No le había importado nada, ni siquiera el asomo de protesta de Laura. Mamá se quedaba sola en el caserón, con los perros y los frascos de remedios, con la ropa de Nico colgada todavía en un ropero. Que se quedara, que todos se fueran al demonio. Mamá había parecido comprender, ya no lloraba a Nico y andaba como antes por la casa, con la fría y resuelta recuperación de los viejos frente a la muerte.

Pero Luis no quería acordarse de lo que había sido la tarde de la despedida, las valijas, el taxi en la puerta, la casa ahí con toda la infancia, el jardín donde Nico y él habían jugado a la guerra, los dos perros indiferentes y estúpidos. Ahora era casi capaz de olvidarse de todo eso. Iba a la agencia, dibujaba afiches, volvía a comer, bebía la taza de café que Laura le alcanzaba sonriendo. Iban mucho al cine, mucho a los bosques, conocían cada vez mejor París. Habían tenido suerte, la vida era sorprendentemente fácil, el trabajo pasable, el departamento bonito, las películas excelentes. Entonces llegaba carta de mamá.

No las detestaba; si le hubieran faltado habría sentido caer sobre él la libertad como un peso insoportable. Las cartas de mamá le traían un tácito perdón (pero de nada había que perdonarlo), tendían el puente por donde era posible seguir pasando. Cada una lo tranquilizaba o lo inquietaba sobre la salud de mamá, le recordaba la economía familiar, la permanencia de un orden. Y a la vez odiaba ese orden y lo odiaba por Laura, porque Laura estaba en París, pero cada carta de mamá la definía como ajena, como cómplice de ese orden que él había repudiado una noche en el jardín después de oír una vez más la tos apagada, casi humilde de Nico.

No, no le mostraría la carta. Era innoble sustituir un nombre por otro, era intolerable que Laura leyera la frase de mamá. Su grotesco error, su tonta torpeza de un instante —la veía luchando con una pluma vieja, con el papel que se ladeaba, con su vista insuficiente—, crecería en Laura como una semilla fácil. Mejor tirar la carta (la tiró esa tarde misma) y por la noche ir al cine con Laura, olvidarse lo antes posible de que Víctor había preguntado por ellos. Aunque fuera Víctor, el primo tan bien educado, olvidarse de que Víctor había preguntado por ellos.

Diabólico, agazapado, relamiéndose, Tom esperaba que Jerry cayera en la trampa. Jerry no cayó, y llovieron sobre Tom catástrofes incontables. Después Luis compró hela

dos, los comieron mientras miraban distraídamente los
anuncios en colores. Cuando empezó la película, Laura
se hundió un poco más en su butaca y retiró la mano del
brazo de Luis. El la sentía otra vez lejos, quién sabe si lo
que miraban juntos era ya la misma cosa para los dos,
aunque más tarde comentaran la película en la calle o en
la cama. Se preguntó (no era una pregunta, pero cómo
decirlo de otro modo) si Nico y Laura habían estado así de
distantes en los cines, cuando Nico la festejaba y salían
juntos. Probablemente habían conocido todos los cines
de Flores, toda la rambla estúpida de la calle Lavalle, el
león, el atleta que golpea el gongo, los subtítulos en caste-
llano por Carmen de Pinillos, los personajes de esta película
son ficticios, y toda relación... Entonces, cuando Jerry
había escapado de Tom y empezaba la hora de Bárbara
Stanwyck o de Tyrone Power, la mano de Nico se acos-
taría despacio sobre el muslo de Laura (el pobre Nico, tan
tímido, tan novio), y los dos se sentirían culpables de quién
sabe qué. Bien le constaba a Luis que no habían sido culpables de nada definitivo; aunque no hubiera tenido la
más deliciosa de las pruebas, el veloz desapego de Laura
por Nico hubiera bastado para ver en ese noviazgo un
mero simulacro urdido por el barrio, la vecindad, los círculos culturales y recreativos que son la sal de Flores. Había
bastado el capricho de ir una noche a la misma sala de
baile que frecuentaba Nico, el azar de una presentación
fraternal. Tal vez por eso, por la facilidad del comienzo,
todo el resto había sido inesperadamente duro y amargo.
Pero no quería acordarse ahora, la comedia había terminado con la blanda derrota de Nico, su melancólico refugio
en una muerte de tísico. Lo raro era que Laura no lo
nombrara nunca, y que por eso tampoco él lo nombrara,
que Nico no fuera ni siquiera el difunto, ni siquiera el
cuñado muerto, el hijo de mamá. Al principio le había
traído un alivio después del turbio intercambio de reproches, del llanto y los gritos de mamá, de la estúpida inter-
vención del tío Emilio y del primo Víctor (Víctor preguntó
esta mañana por ustedes), el casamiento apresurado y sin
más ceremonia que un taxi llamado por teléfono y tres
minutos delante de un funcionario con caspa en las sola-

pas. Refugiados en un hotel de Adrogué, lejos de mamá y de toda la parentela desencadenada, Luis había agradecido a Laura que jamás hiciera referencia al pobre fantoche que tan vagamente había pasado de novio a cuñado. Pero ahora, con un mar de por medio, con la muerte y dos años de por medio, Laura seguía sin nombrarlo, y él se plegaba a su silencio por cobardía, sabiendo que en el fondo ese silencio lo agraviaba por lo que tenía de reproche, de arrepentimiento, de algo que empezaba a parecerse a la traición. Más de una vez había mencionado expresamente a Nico, pero comprendía que eso no contaba, que la respuesta de Laura tendía solamente a desviar la conversación. Un lento territorio prohibido se había ido formando poco a poco en su lenguaje, aislándolos de Nico, envolviendo su nombre y su recuerdo en un algodón manchado y pegajoso. Y del otro lado mamá hacía lo mismo, confabulada inexplicablemente en el silencio. Cada carta hablaba de los perros, de Matilde, de Víctor, del salicilato, del pago de la pensión. Luis había esperado que alguna vez mamá aludiera a su hijo para aliarse con ella frente a Laura, obligar cariñosamente a Laura a que aceptara la existencia póstuma de Nico. No porque fuera necesario, a quién le importaba nada de Nico vivo o muerto, pero la tolerancia de su recuerdo en el panteón del pasado hubiera sido la oscura, irrefutable prueba de que Laura lo había olvidado verdaderamente y para siempre. Llamado a la plena luz de su nombre el íncubo se hubiera desvanecido, tan débil e inane como cuando pisaba la tierra. Pero Laura seguía callando el nombre de Nico, y cada vez que lo callaba, en el momento preciso en que hubiera sido natural que lo dijera y exactamente lo callaba, Luis sentía otra vez la presencia de Nico en el jardín de Flores, escuchaba su tos discreta preparando el más perfecto regalo de bodas imaginable, su muerte en plena luna de miel de la que había sido su novia, del que había sido su hermano.

Una semana más tarde Laura se sorprendió de que no hubiera llegado carta de mamá. Barajaron las hipótesis usuales, y Luis escribió esa misma tarde. La respuesta no lo inquietaba demasiado, pero hubiera querido (lo sentía al bajar la escalera por las mañanas) que la portera le diese

a él la carta en vez de subirla al tercer piso. Una quincena
más tarde reconoció el sobre familiar, el rostro del almi-
rante Brown y una vista de las cataratas del Iguazú. Guardó
el sobre antes de salir a la calle y contestar al saludo de
Laura asomada a la ventana. Le pareció ridículo tener que
doblar la esquina antes de abrir la carta. El Boby se había
escapado a la calle y unos días después había empezado
a rascarse, contagio de algún perro sarnoso. Mamá iba a
consultar a un veterinario amigo del tío Emilio, porque
no era cosa de que el Boby le pegara la peste al Negro.
El tío Emilio era de parecer que los bañara con acaroína,
pero ella ya no estaba para esos trotes y sería mejor que el
veterinario recetara algún polvo insecticida o algo para
mezclar con la comida. La señora de al lado tenía un gato
sarnoso, vaya a saber si los gatos no eran capaces de con-
tagiar a los perros, aunque fuera a través del alambrado.
Pero qué les iba a interesar a ellos esas charlas de vieja,
aunque Luis siempre había sido muy cariñoso con los perros
y de chico hasta dormía con uno a los pies de la cama, al
revés de Nico que no le gustaban mucho. La señora de
al lado aconsejaba espolvorearlos con dedeté por si no
era sarna, los perros pescan toda clase de pestes cuando
andan por la calle; en la esquina de Bacacay paraba un
circo con animales raros, a lo mejor había microbios en
el aire, esas cosas. Mamá no ganaba para sustos, entre el
chico de la modista que se había quemado el brazo con
leche hirviendo y el Boby sarnoso.

Después había como una estrellita azul (la pluma cucha-
rita que se enganchaba en el papel, la exclamación de fastidio de mamá) y entonces unas reflexiones melancólicas
sobre lo sola que se quedaría si también Nico se iba a
Europa como parecía, pero ése era el destino de los viejos,
los hijos son golondrinas que se van un día, hay que tener
resignación mientras el cuerpo vaya tirando. La señora
de al lado...

Alguien empujó a Luis, le soltó una rápida declaración
de derechos y obligaciones con acento marsellés. Vagamente comprendió que estaba estorbando el paso de la
gente que entraba por el angosto corredor del *métro*. El
resto del día fue igualmente vago, telefoneó a Laura para

decirle que no iría a almorzar, pasó dos horas en un banco de plaza releyendo la carta de mamá, preguntándose qué debería hacer frente a la insania. Hablar con Laura, antes de nada. Por qué (no era una pregunta, pero cómo decirlo de otro modo) seguir ocultándole a Laura lo que pasaba. Ya no podía fingir que esta carta se había perdido como la otra, ya no podía creer a medias que mamá se había equivocado y escrito Nico por Víctor, y que era tan penoso que se estuviera poniendo chocha. Resueltamente esas cartas eran Laura, eran lo que iba a ocurrir con Laura. Ni siquiera eso: lo que ya había ocurrido desde el día de su casamiento, la luna de miel en Adrogué, las noches en que se habían querido desesperadamente en el barco que los traía a Francia. Todo era Laura, todo iba a ser Laura ahora que Nico quería venir a Europa en el delirio de mamá. Cómplices como nunca, mamá la estaba hablando a Laura de Nico, le estaba anunciando que Nico iba a venir a Europa, y lo decía así, Europa a secas, sabiendo tan bien que Laura comprendería que Nico iba a desembarcar en Francia, en París, en una casa donde se fingía exquisitamente haberlo olvidado, pobrecito.

Hizo dos cosas: escribió al tío Emilio señalándole los síntomas que lo inquietaban y pidiéndole que visitara inmediatamente a mamá para cerciorarse y tomar las medidas del caso. Bebió un coñac tras otro y anduvo a pie hacia su casa para pensar en el camino lo que debía decirle a Laura, porque al fin y al cabo tenía que hablar con Laura y ponerla al corriente. De calle en calle sintió cómo le costaba situarse en el presente, en lo que tendría que suceder media hora más tarde. La carta de mamá lo metía, lo ahogaba en la realidad de esos dos años de vida en París, la mentira de una paz traficada, de una felicidad de puertas para afuera sostenida por diversiones y espectáculos, de un pacto involuntario de silencio en que los dos se desunían poco a poco como en todos los pactos negativos. Sí, mamá, sí, pobre Boby sarnoso, mamá. Pobre Boby, pobre Luis, cuánta sarna, mamá. Un baile del club de Flores, mamá, fui porque él insistía, me imagino que quería darse corte con su conquista. Pobre Nico, mamá, con esa tos seca en que nadie creía todavía, con ese traje cruzado a rayas, esa peinada a la brillantina, esas corbatas de rayón tan cajetillas. Uno charla un rato, simpatiza, cómo no va a bailar esa pieza con la novia del hermano, oh, novia es mucho decir, Luis, supongo que puedo llamarlo Luis, verdad. Pero sí, me extraña que Nico no la haya llevado a casa todavía, usted le va a caer tan bien a mamá. Este Nico es más torpe, a que ni siquiera habló con su papá. Tímido, sí, siempre fue igual. Como yo. ¿De qué se ríe, no me cree? Pero si yo no soy lo que parezco... ¿Verdad que hace calor? De veras, usted tiene que venir a casa, mamá va a estar encantada. Vivimos los tres solos, con los perros. Che Nico, pero es una vergüenza, te tenías esto escondido, malandra. Entre nosotros somos así, Laura, nos decimos cada cosa. Con tu permiso, yo bailaría este tango con la señorita.

Tan poca cosa, tan fácil, tan verdaderamente brillantina y corbata rayón. Ella había roto con Nico por error, por ceguera, porque el hermano rana había sido capaz de ganar de arrebato y darle vuelta la cabeza. Nico no juega al tenis, qué va a jugar, usted no lo saca del ajedrez y la filatelia, hágame el favor. Callado, tan poca cosa el pobrecito, Nico se había ido quedando atrás, perdido en un rincón del patio, consolándose con el jarabe pectoral y el mate amargo. Cuando cayó en cama y le ordenaron reposo coincidió justamente con un baile en Gimnasia y Esgrima de Villa del Parque. Uno no se va a perder esas cosas, máxime cuando va a tocar Edgardo Donato y la cosa promete. A mamá le parecía tan bien que él sacara a pasear a Laura, le había caído como una hija apenas la llevaron una tarde a la casa. Vos fijáte, mamá, el pibe está débil y capaz que le hace impresión si uno le cuenta. Los enfermos como él se imaginan cada cosa, de fija que va a creer que estoy afilando con Laura. Mejor que no sepa que vamos a Gimnasia. Pero yo no le dije eso a mamá, nadie de casa se enteró nunca que andábamos juntos. Hasta que se mejorara el enfermito, claro. Y así el tiempo, los bailes, dos o tres bailes, las radiografías de Nico, después el auto del petiso Ramos, la noche de la farra en casa de la Beba, las copas; el paseo en auto hasta el puente del arroyo, una luna, esa luna como una ventana de hotel allá arriba, y Laura en el auto negándose, un poco bebida, las manos hábiles, los besos, los gritos ahogados, la manta de vicuña, la vuelta en silencio, la sonrisa de perdón.

La sonrisa era casi la misma cuando Laura le abrió la puerta. Había carne al horno, ensalada, un flan. A las diez vinieron unos vecinos que eran sus compañeros de canasta. Muy tarde, mientras se preparaban para acostarse, Luis sacó la carta y la puso sobre la mesa de luz.

—No te hablé antes porque no quería afligirte. Me parece que mamá...

Acostado, dándole la espalda, esperó. Laura guardó la carta en el sobre, apagó el velador. La sintió contra él, no exactamente contra pero la oía respirar cerca de su oreja.

—¿Vos te das cuenta? —dijo Luis, cuidando su voz.

—Sí. ¿No creés que se habrá equivocado de nombre? Tenía que ser. Peón cuatro rey, peón cuatro rey. Perfecto.

—A lo mejor quiso poner Víctor —dijo Luis, clavándose lentamente las uñas en la palma de la mano.

—Ah, claro. Podría ser —dijo Laura. Caballo rey tres alfil. Empezaron a fingir que dormían.

A Laura le había parecido bien que el tío Emilio fuera el único en enterarse, y los días pasaron sin que volvieran a hablar de eso. Cada vez que volvía a casa, Luis esperaba una frase o un gesto insólito en Laura, un claro en esa guardia perfecta de calma y de silencio. Iban al cine como siempre, hacían el amor como siempre. Para Luis ya no había en Laura otro misterio que el de su resignada adhesión a esa vida en la que nada había llegado a ser lo que pudieron esperar dos años atrás. Ahora la conocía bien, a la hora de las confrontaciones definitivas tenía que admitir que Laura era como había sido Nico, de las que se quedan atrás y sólo obran por inercia, aunque empleara a veces una voluntad casi terrible en no hacer nada, en no vivir de veras para nada. Se hubiera entendido mucho mejor con Nico que con él, y los dos lo venían sabiendo desde el día de su casamiento, desde las primeras tomas de posición que siguen a la blanda aquiescencia de la luna de miel y el deseo. Ahora Laura volvía a tener la pesadilla. Soñaba mucho, pero la pesadilla era distinta, Luis la reconocía entre muchos otros movimientos de su cuerpo, palabras confusas

o breves gritos de animal que se ahoga. Había empezado
a bordo, cuando todavía hablaban de Nico porque Nico
acababa de morir y ellos se habían embarcado unas pocas
semanas después. Una noche, después de acordarse de
Nico y cuando ya se insinuaba el tácito silencio que se ins-
talaría luego entre ellos, Laura había tenido la pesadilla. Se
repetía de tiempo en tiempo y era siempre lo mismo, Laura
lo despertaba con un gemido ronco, una sacudida convul-
siva de las piernas, y de golpe un grito que era una negativa total, un rechazo con las dos manos y todo el cuerpo
y toda la voz de algo horrible que le caía desde el sueño
como un enorme pedazo de materia pegajosa. El la sacudía,
la calmaba, le traía agua que bebía sollozando, acosada
aún a medias por el otro lado de su vida. Decía no recordar nada, era algo horrible pero no se podía explicar, y
acababa por dormirse llevándose su secreto, porque Luis
sabía que ella sabía, que acababa de enfrentarse con aquél
que entraba en su sueño, vaya a saber bajo qué horrenda
máscara, y cuyas rodillas abrazaría. Laura en un vértigo
de espanto, quizá de amor inútil. Era siempre lo mismo, le
alcanzaba un vaso de agua, esperando en silencio a que
ella volviera a apoyar la cabeza en la almohada. Quizá
un día el espanto fuera más fuerte que el orgullo, si eso
era orgullo. Quizá entonces él podría luchar desde su lado.
Quizá no todo estaba perdido, quizá la nueva vida llegara
a ser realmente otra cosa que ese simulacro de sonrisas
realmente otra cosa que ese simulacro de sonrisas y de
cine francés.

Frente a la mesa de dibujo, rodeado de gentes ajenas,
Luis recobraba el sentido de la simetría y el método que le
gustaba aplicar a la vida. Puesto que Laura no tocaba el
tema, esperando con aparente indiferencia la contestación
del tío Emilio, a él le correspondía entenderse con mamá.
Contestó su carta limitándose a las menudas noticias de
las últimas semanas, y dejó para la postdata una frase
rectificatoria: «De modo que Víctor habla de venir a
Europa. A todo el mundo le da por viajar, debe ser la pro-
paganda de las agencias de turismo. Decíle que escriba,
le podemos mandar todos los datos que necesite. Decíle
también que desde ahora cuenta con nuestra casa.»

El tío Emilio contestó casi a vuelta de correo, secamente como correspondía a un pariente tan cercano y tan resentido por lo que en el velorio de Nico había calificado de incalificable. Sin haberse disgustado de frente con Luis, había demostrado sus sentimientos con la sutileza habitual en casos parecidos, absteniéndose de ir a despedirlo al barco, olvidando dos años seguidos la fecha de su cumpleaños. Ahora se limitaba a cumplir con su deber de hermano político de mamá, y enviaba escuetamente los resultados. Mamá estaba muy bien pero casi no hablaba, cosa comprensible teniendo en cuenta los muchos disgustos de los últimos tiempos. Se notaba que estaba muy sola en la casa de Flores, lo cual era lógico puesto que ninguna madre que ha vivido toda la vida con sus dos hijos puede sentirse a gusto en una enorme casa llena de recuerdos. En cuanto a las frases en cuestión, el tío Emilio había procedido con el tacto que se requería en vista de lo delicado del asunto, pero lamentaba decirles que no había sacado gran cosa en limpio, porque mamá no estaba en vena de conversación y hasta lo había recibido en la sala, cosa que nunca hacía con su hermano político. A una insinuación de orden terapéutico, había contestado que aparte del reumatismo se sentía perfectamente bien, aunque en esos días la fatigaba tener que planchar tantas camisas. El tío Emilio se había interesado por saber de qué camisas se trataba, pero ella se había limitado a una inclinación de cabeza y un ofrecimiento de jerez y galletitas Bagley.

Mamá no les dio demasiado tiempo para discutir la carta del tío Emilio y su ineficacia manifiesta. Cuatro días después llegó un sobre certificado, aunque mamá sabía de sobra que no hay necesidad de certificar las cartas aéreas a París. Laura telefoneó a Luis y le pidió que volviera lo antes posible. Media hora más tarde la encontró respirando pesadamente, perdida en la contemplación de unas flores amarillas sobre la mesa. La carta estaba en la repisa de la chimenea, y Luis volvió a dejarla ahí después de la lectura. Fue a sentarse junto a Laura, esperó. Ella se encogió de hombros.

—Se ha vuelto loca —dijo.

Luis encendió un cigarrillo. El humo le hizo llorar los ojos. Comprendió que la partida continuaba, que a él le tocaba mover. Pero esa partida la estaban jugando tres jugadores, quizá cuatro. Ahora tenía la seguridad de que también mamá estaba al borde del tablero. Poco a poco resbaló en el sillón, y dejó que su cara se pusiera la inútil máscara de las manos juntas. Oía llorar a Laura, abajo corrían a gritos los chicos de la portera.

La noche trae consejo, etcétera. Les trajo un sueño pesado y sordo, después que los cuerpos se encontraron en una monótona batalla que en el fondo no habían deseado. Una vez más se cerraba el tácito acuerdo: por la mañana hablarían del tiempo, del crimen de Saint-Cloud, de James Dean. La carta seguía sobre la repisa y mientras bebían té no pudieron dejar de verla, pero Luis sabía que al volver del trabajo ya no la encontraría. Laura borraba las huellas con su fría, eficaz diligencia. Un día, otro día, otro día más. Una noche se rieron mucho con los cuentos de los vecinos, con una audición de Fernandel. Se habló de ir a ver una pieza de teatro, de pasar un fin de semana en Fontainebleau. Sobre la mesa de dibujo se acumulaban los datos innecesarios, todo coincidía con la carta de mamá. El barco llegaba efectivamente al Havre el viernes 17 por la mañana, y el tren especial entraba en Saint-Lazare a las 11,45. El jueves vieron la pieza de teatro y se divirtieron mucho. Dos noches antes Laura había tenido otra pesadilla, pero él no se molestó en traerle agua y la dejó que se tranquilizara sola, dándole la espalda. Después Laura durmió en paz, de día andaba ocupada cortando y cosiendo un vestido de verano. Hablaron de comprar una máquina de coser eléctrica cuando terminaran de pagar la heladera. Luis encontró la carta de mamá en el cajón de la mesa de luz y la llevó a la oficina. Telefoneó a la compañía naviera, aunque estaba seguro de que mamá daba las fechas exactas. Era su única seguridad, porque todo el resto no se podía siquiera pensar. Y ese imbécil del tío Emilio. Lo mejor sería escribir a Matilde, por más que estuviesen distanciados Matilde comprendería la urgencia de intervenir, de proteger a mamá. ¿Pero realmente (no era una pregunta, pero cómo decirlo de otro modo) había que proteger a mamá, precisamente a mamá? Por un momento pensó en pedir larga distancia y hablar con ella. Se acordó del jerez y las galletitas Bagley, se encogió de hombros. Tampoco había tiempo de escribir a Matilde, aunque en realidad había tiempo pero quizá fuese preferible esperar al viernes diecisiete antes de ... El coñac ya no lo ayudaba ni siquiera a no pensar, o por lo menos a pensar sin tener miedo. Cada vez recordaba con más claridad la cara de mamá en las últimas semanas de Buenos Aires, después del entierro de Nico. Lo que él había entendido como dolor, se le mostraba ahora como otra cosa, algo en donde había una rencorosa desconfianza, una expresión de animal que siente que van a abandonarlo en un terreno baldío lejos de la casa, para deshacerse de él. Ahora empezaba a ver de veras la cara de mamá. Recién ahora la veía de veras en aquellos días en que toda la familia se había turnado para visitarla, darle el pésame por Nico, acompañarla de tarde, y también Laura y él venían de Adrogué para acompañarla, para estar con mamá. Se quedaban apenas un rato porque después aparecía el tío Emilio, o Víctor, o Matilde, y todos eran una misma fría repulsa, la familia indignada por lo sucedido, por Adrogué, porque eran felices mientras Nico, pobrecito, mientras Nico. Jamás sospecharían hasta qué punto habían colaborado para embarcarlos en el primer buque a mano; como si se hubieran asociado para pagarles los pasajes, llevarlos cariñosamente a bordo con regalos y pañuelos.

Claro que su deber de hijo lo obligaba a escribir en seguida a Matilde. Todavía era capaz de pensar cosas así antes del cuarto coñac. Al quinto las pensaba de nuevo y se reía (cruzaba París a pie para estar más solo y despejarse la cabeza), se reía de su deber de hijo, como si los hijos tuvieran deberes, como si los deberes fueran los de cuarto grado, los sagrados deberes para la sagrada señorita del inmundo cuarto grado. Porque su deber de hijo no era escribir a Matilde. ¿Para qué fingir (no era una pregunta, pero cómo decirlo de otro modo) que mamá estaba loca? Lo único que se podía hacer era no hacer nada, dejar que pasaran los días, salvo el viernes. Cuando se despidió como siempre de Laura diciéndole que no vendría a almorzar porque tenía que ocuparse de unos afiches urgentes, estaba tan seguro del resto que hubiera podido agregar: «Si querés vamos juntos.» Se refugió en el café de la estación, menos por disimulo que para tener la pobre ventaja de ver sin ser visto. A las once y treinta y cinco descubrió a Laura por su falda azul, la siguió a distancia, la vio mirar el tablero, consultar a un empleado, comprar un boleto de plataforma, entrar en el andén donde ya se juntaba la gente con el aire de los que esperan. Detrás de una zorra cargada de cajones de fruta miraba a Laura que parecía dudar entre quedarse cerca de la salida del andén o internarse por él. La miraba sin sorpresa, como a un insecto cuyo comportamiento podía ser interesante. El tren llegó casi en seguida y Laura se mezcló con la gente que se acercaba a las ventanillas de los coches buscando cada uno lo suyo, entre gritos y manos que sobresalían como si dentro del tren se estuvieran ahogando. Bordeó la zorra y entró al andén entre más cajones de fruta y manchas de grasa. Desde donde estaba vería salir a los pasajeros, vería pasar otra vez a Laura, su rostro lleno de alivio porque el rostro de Laura, ¿no estaría lleno de alivio? (No era una pregunta, pero cómo decirlo de otro modo.) Y después, dándose el lujo de ser el último una vez que pasaran los últimos viajeros y los últimos changadores, entonces saldría a su vez, bajaría a la plaza llena de sol para ir a beber coñac al café de la esquina. Y esa misma tarde escribiría a mamá sin la menor referencia al ridículo episodio (pero no era ridículo) y después tendría valor y hablaría con Laura (pero no tendría valor y no hablaría con Laura). De todas maneras coñac, eso sin la menor duda, y que todo se fuera al demonio. Verlos pasar así en racimos, abrazándose con gritos y lágrimas, las parentelas desatadas, un erotismo barato como un carroussel de feria barriendo el andén, entre valijas y paquetes y por fin, por fin, cuánto tiempo sin vernos, qué quemada estás, Ivette, pero sí, hubo un sol estupendo, hija. Puesto a buscar semejanzas, por gusto de aliarse a la imbecilidad, dos de los hombres que pasaban cerca debían ser argentinos por el corte de pelo, los sacos, el aire de suficiencia disimu-

lando el azoramiento de entrar en París. Uno sobre todo
se parecía a Nico, puesto a buscar semejanzas. El otro no,
y en realidad éste tampoco apenas se le miraba el cuello
mucho más grueso y la cintura más ancha. Pero puesto a
buscar semejanzas por puro gusto, ese otro que ya había
pasado y avanzaba hacia el portillo de salida, con una
sola valija en la mano izquierda, Nico era zurdo como él,
tenía esa espalda un poco cargada, ese corte de hombros.
Y Laura debía haber pensado lo mismo porque venía
detrás mirándolo, y en la cara una expresión que él conocía bien, la cara de Laura cuando despertaba de la pesadilla y se incorporaba en la cama mirando fijamente el
aire, mirando, ahora lo sabía, a aquél que se alejaba dándole la espalda, consumada la innominable venganza que la
hacía gritar y debatirse en sueños.

Puestos a buscar semejanzas, naturalmente el hombre
era un desconocido, lo vieron de frente cuando puso la
valija en el suelo para buscar el billete y entregarlo al del
portillo. Laura salió la primera de la estación, la dejó que
tomara distancia y se perdiera en la plataforma del autobús.
Entró en el café de la esquina y se tiró en una banqueta.
Más tarde no se acordó si había pedido algo de beber, si
eso que le quemaba la boca era el regusto del coñac barato.
Trabajó toda la tarde en los afiches, sin tomarse descanso.
A ratos pensaba que tendría que escribirle a mamá, pero
lo fue dejando pasar hasta la hora de salida. Cruzó París
a pie, al llegar a casa encontró a la portera en el zaguán
y charló un rato con ella. Hubiera querido quedarse
hablando con la portera o los vecinos, pero todos iban
entrando en los departamentos y se acercaba la hora de
cenar. Subió despacio (en realidad siempre subía despacio
para no fatigarse los pulmones y no toser) y al llegar al
tercero se apoyó en la puerta antes de tocar el timbre,
para descansar un momento en la actitud del que escucha
lo que pasa en el interior de una casa. Después llamó con
los dos toques cortos de siempre.

—Ah, sos vos —dijo Laura, ofreciéndole una mejilla
fría—. Ya empezaba a preguntarme si habrías tenido que
quedarte más tarde. La carne debe estar recocida.

No estaba recocida, pero en cambio no tenía gusto a

nada. Si en ese momento hubiera sido capaz de preguntarle a Laura por qué había ido a la estación, tal vez el café hubiese recobrado el sabor, o el cigarrillo. Pero Laura no se había movido de casa en todo el día, lo dijo como si necesitara mentir o esperara que él hiciera un comentario burlón sobre la fecha, las manías lamentables de mamá. Revolviendo el café, de codos sobre el mantel, dejó pasar una vez más el momento. La mentira de Laura ya no importaba, una más entre tantos besos ajenos, tantos silencios donde todo era Nico, donde no había nada en ella o en él que no fuera Nico. ¿Por qué (no era una pregunta, pero cómo decirlo de otro modo) no poner un tercer cubierto en la mesa? ¿Por qué no irse, por qué no cerrar el puño y estrellarlo en esa cara triste y sufrida que el humo del cigarrillo deformaba, hacía ir y venir como entre dos aguas, parecía llenar poco a poco de odio como si fuera la cara misma de mamá? Quizá estaba en la otra habitación, o quizá esperaba apoyado en la puerta como había esperado él, o se había instalado ya donde siempre había sido el amo, en el territorio blanco y tibio de las sábanas al que tantas veces había acudido en los sueños de Laura. Allí esperaría, tendido de espaldas, fumando también él su cigarrillo, tosiendo un poco, riéndose con una cara de payaso como la cara de los últimos días, cuando no le quedaba ni una gota de sangre sana en las venas.

Pasó al otro cuarto, fue a la mesa de trabajo, encendió la lámpara. No necesitaba releer la carta de mamá para contestarla como debía. Empezó a escribir, querida mamá. Escribió: querida mamá. Tiró el papel, escribió: mamá. Sentía la casa como un puño que se fuera apretando. Todo era más estrecho, más sofocante. El departamento había sido suficiente para dos, estaba pensado exactamente para dos. Cuando levantó los ojos (acababa de escribir: mamá), Laura estaba en la puerta, mirándolo. Luis dejó la pluma.

—¿A vos no te parece que está mucho más flaco? —dijo.

Laura hizo un gesto. Un brillo paralelo le bajaba por las mejillas.

—Un poco —dijo—. Uno va cambiando...

Final del juego

Con Leticia y Holanda íbamos a jugar a las vías del Central Argentino los días de calor, esperando que mamá y tía Ruth empezaran su siesta para escaparnos por la puerta blanca. Mamá y tía Ruth estaban siempre cansadas después de lavar la loza, sobre todo cuando Holanda y yo secábamos los platos porque entonces había discusiones, cucharitas por el suelo, frases que sólo nosotras entendíamos, y en general un ambiente en donde el olor a grasa, los maullidos de José y la oscuridad de la cocina acababan en una violentísima pelea y el consiguiente desparramo. Holanda se especializaba en armar esta clase de líos, por ejemplo dejando caer un vaso ya lavado en el tacho del agua sucia, o recordando como al pasar que en la casa de las de Loza había dos sirvientas para todo servicio. Yo usaba otros sistemas, prefería insinuarle a tía Ruth que se le iban a paspar las manos si seguía fregando cacerolas en vez de dedicarse a las copas o los platos, que era precisamente lo que le gustaba lavar a mamá, con lo cual las enfrentaba sordamente en una lucha de ventajeo por la cosa fácil. El recurso heroico, si los consejos y las largas

241

recordaciones familiares empezaban a saturarnos, era volcar agua hirviendo en el lomo del gato. Es una gran mentira eso del gato escaldado, salvo que haya que tomar al pie de la letra la referencia al agua fría; porque de la caliente José no se alejaba nunca, y hasta parecía ofrecerse, pobre animalito, a que le volcáramos media taza de agua a cien grados o poco menos, bastante menos probablemente porque nunca se le caía el pelo. La cosa es que ardía Troya, y en la confusión coronada por el espléndido si bemol de tía Ruth y la carrera de mamá en busca del bastón de los castigos, Holanda y yo nos perdíamos en la galería cubierta, hacia las piezas vacías del fondo donde Leticia nos esperaba leyendo a Ponson du Terrail, lectura inexplicable.

Por lo regular mamá nos perseguía un buen trecho, pero las ganas de rompernos la cabeza se le pasaban con gran rapidez y al final (habíamos trancado la puerta y le pedíamos perdón con emocionantes partes teatrales) se cansaba y se iba, repitiendo la misma frase:

—Acabarán en la calle, estas mal nacidas.

Donde acabábamos era en las vías del Central Argentino, cuando la casa quedaba en silencio y veíamos al gato tenderse bajo el limonero para hacer también él su siesta perfumada y zumbante de avispas. Abríamos despacio la puerta blanca, y al cerrarla otra vez era como un viento, una libertad que nos tomaba de las manos, de todo el cuerpo y nos lanzaba hacia adelante. Entonces corríamos buscando impulso para trepar de un envión al breve talud del ferrocarril, y encaramadas sobre el mundo contemplábamos silenciosas nuestro reino.

Nuestro reino era así: una gran curva de las vías acababa su comba justo frente a los fondos de nuestra casa. No había más que el balasto, los durmientes y la doble vía, pasto ralo y estúpido entre los pedazos de adoquín donde la mica, el cuarzo y el feldespato —que son los componentes del granito— brillaban como diamantes legítimos contra el sol de las dos de la tarde. Cuando nos agachábamos a tocar las vías (sin perder tiempo porque hubiera sido peligroso quedarse mucho ahí, no tanto por los trenes como por los de casa si nos llegaban a ver) nos subía a la cara el fuego de las piedras, y al pararnos contra el viento del río era un calor mojado pegándose a las mejillas y las orejas. Nos gustaba flexionar las piernas y bajar, subir, bajar otra vez, entrando en una y otra zona de calor, estudiándonos las caras para apreciar la transpiración, con lo cual al rato éramos una sopa. Y siempre calladas, mirando al fondo de las vías, o el río al otro lado, el pedacito de río color café con leche.

Después de esta primera inspección del reino bajábamos el talud y nos metíamos en la mala sombra de los sauces pegados a la tapia de nuestra casa, donde se abría la puerta blanca. Ahí estaba la capital del reino, la ciudad silvestre y la central de nuestro juego. La primera en iniciar el juego era Leticia, la más feliz de las tres y la más privilegiada. Leticia no tenía que secar los platos ni hacer las camas, podía pasarse el día leyendo o pegando figuritas, y de noche la dejaban quedarse hasta más tarde si lo pedía, aparte de la pieza solamente para ella, el caldo de hueso y toda clase de ventajas. Poco a poco se había ido aprovechando de los privilegios, y desde el verano anterior dirigía el juego, yo creo que en realidad dirigía el reino; por lo menos se adelantaba a decir las cosas y Holanda y yo aceptábamos sin protestar, casi contentas. Es probable que las largas conferencias de mamá sobre cómo debíamos portarnos con Leticia hubieran hecho su efecto, o simplemente que la queríamos bastante y no nos molestaba que fuese la jefa. Lástima que no tenía aspecto para jefa, era la más baja de las tres, y tan flaca. Holanda era flaca, y yo nunca pesé más de cincuenta kilos, pero Leticia era la más flaca de las tres, y para peor una de esas flacuras que se ven de fuera, en el pescuezo y las orejas. Tal vez el endurecimiento de la espalda la hacía parecer más flaca, como casi no podía mover la cabeza a los lados daba la impresión de una tabla de planchar parada, de esas forradas de género blanco como había en casa de las de Loza. Una tabla de planchar con la parte más ancha para arriba, parada contra la pared. Y nos dirigía.

La satisfacción más profunda era imaginarme que mamá o tía Ruth se enteraran un día del juego. Si llegaban a enterarse del juego se iba a armar una meresunda increíble. El si bemol y los desmayos, las inmensas protestas de devo-

ción y sacrificio malamente recompensados, el amontonamiento de invocaciones a los castigos más célebres, para
rematar con el anuncio de nuestros destinos, que consistían
en que las tres terminaríamos en la calle, Esto último
siempre nos había dejado perplejas, porque terminar en la
calle nos parecía bastante normal.

Primero Leticia nos sorteaba. Usábamos piedritas escondidas en la mano, contar hasta veintiuno, cualquier sis-
tema. Si usábamos el de contar hasta veintiuno, imaginá-
bamos dos o tres chicas más y las incluíamos en la cuenta
para evitar trampas. Si una de ellas salía veintiuna, la
sacábamos del grupo y sorteábamos de nuevo, hasta que
nos tocaba a una de nosotras. Entonces Holanda y yo le-
vantábamos la piedra y abríamos la caja de los ornamentos.
Suponiendo que Holanda hubiese ganado, Leticia y yo
escogíamos los ornamentos. El juego marcaba dos formas:
estatuas y actitudes. Las actitudes no requerían ornamentos pero sí mucha expresividad: para la envidia mostrar
los dientes, crispar las manos y arreglárselas de modo de
tener un aire amarillo. Para la caridad el ideal era un rostro
angélico, con los ojos vueltos al cielo, mientras las manos
ofrecían algo —un trapo, una pelota, una rama de sauce—
a un pobre huerfanito invisible. La vergüenza y el miedo
eran fáciles de hacer; el rencor y los celos exigían estudios
más detenidos. Los ornamentos se destinaban casi todos a
las estatuas, donde reinaba una libertad absoluta. Para que
una estatua resultara, había que pensar bien cada detalle
de la indumentaria. El juego marcaba que la elegida no
podía tomar parte en la selección; las dos restantes deba-
tían el asunto y aplicaban luego los ornamentos. La elegida
debía inventar su estatua aprovechando lo que le habían
puesto, y el juego era así mucho más complicado y exci-
tante porque a veces había alianzas contra, y la víctima se
veía ataviada con ornamentos que no le iban para nada;
de su viveza dependía entonces que inventara una buena
estatua. Por lo general cuando el juego marcaba actitudes
la elegida salía bien parada pero hubo veces en que las
estatuas fueron fracasos horribles.

Lo que cuento empezó vaya a saber cuándo, pero las
cosas cambiaron el día en que el primer papelito cayó del

tren. Por supuesto que las actitudes y las estatuas no eran
para nosotras mismas, porque nos hubiéramos cansado en
seguida. El juego marcaba que la elegida debía colocarse
al pie del talud, saliendo de la sombra de los sauces, y
esperar el tren de las dos y ocho que venía del Tigre.
A esa altura de Palermo los trenes pasan bastante rápido,
y no nos daba vergüenza hacer las estatua o la actitud. Casi
no veíamos a la gente de las ventanillas pero con el tiempo
llegamos a tener práctica y sabíamos que algunos pasajeros
esperaban vernos. Un señor de pelo blanco y anteojos de
carey sacaba la cabeza por la ventanilla y saludaba a la
estatua o la actitud con el pañuelo. Los chicos que volvían del colegio sentados en los estribos gritaban cosas al
pasar, pero algunos se quedaban serios mirándonos. En
realidad la estatua o la actitud no veía nada, por el esfuerzo
de mantenerse inmóvil, pero las otras dos bajo los sauces
analizaban con gran detalle el buen éxito o la indiferencia
producidos. Fue un martes cuando cayó el papelito, al
pasar el segundo coche. Cayó muy cerca de Holanda, que
ese día era la maledicencia, y rebotó hasta mí. Era un
papelito muy doblado y sujeto a una tuerca. Con letra de
varón y bastante mala, decía: «Muy lindas las estatuas.
Viajo en la tercera ventanilla del segundo coche. Ariel B.»
Nos pareció un poco seco, con todo ese trabajo de atarle
la tuerca y tirarlo, pero nos encantó. Sorteamos para
saber quién se lo quedaría, y me lo gané. Al otro día
ninguna quería jugar para poder ver cómo era Ariel B., pero
temimos que interpretara mal nuestra interrupción, de manera que sorteamos y ganó Leticia. Nos alegramos mucho
con Holanda porque Leticia era muy buena como estatua,
pobre criatura. La parálisis no se notaba estando quieta,
y ella era capaz de gestos de una enorme nobleza. Como
actitudes elegía siempre la generosidad, la piedad, el sacrificio y el renunciamiento. Como estatuas buscaba el estilo
de la Venus de la sala que tía Ruth llamaba la Venus del
Nilo. Por eso le elegimos ornamentos especiales para que
Ariel se llevara una buena impresión. Le pusimos un pedazo
de terciopelo verde a manera de túnica, y una corona de
sauce en el pelo. Como andábamos de manga corta, el
efecto griego era grande. Leticia se ensayó un rato a la

sombra, y decidimos que nosotras nos asomaríamos también y saludaríamos a Ariel con discreción pero muy amables.

Leticia estuvo magnífica, no se le movía ni un dedo cuando llegó el tren. Como no podía girar la cabeza la echaba para atrás, juntado los brazos al cuerpo casi como si le faltaran; aparte el verde de la túnica, era como mirar la Venus del Nilo. En la tercera ventanilla vimos a un muchacho de rulos rubios y ojos claros que nos hizo una gran sonrisa al descubrir que Holanda y yo lo saludábamos. El tren se lo llevó en un segundo, pero eran las cuatro y media y todavía discutíamos si vestía de oscuro, si llevaba corbata roja y si era odioso o simpático. El jueves yo hice la actitud del desaliento, y recibimos otro papelito que decía: «Las tres me gustan mucho, Ariel». Ahora él sacaba la cabeza y un brazo por la ventanilla y nos saludaba riendo. Le calculamos dieciocho años (seguras de que no tenía más de dieciséis) y convinimos en que volvía diariamente de algún colegio inglés. Lo más seguro de todo era el colegio inglés, no podíamos aceptar un incorporado cualquiera. Se vería que Ariel era muy bien.

Pasó que Holanda tuvo la suerte increíble de ganar tres días seguidos. Superándose, hizo las actitudes del desengaño y el latrocinio, y una estatua dificilísima de bailarina. Al otro día gané yo, y después de nuevo; cuando estaba haciendo la actitud del horror, recibí casi en la nariz un papelito de Ariel que al prinipio no entedimos: «La más linda es la mas haragana.» Leticia fue la última en darse cuenta, la vimos que se ponía colorada y se iba a un lado, y Holanda y yo nos miramos con un poco de rabia. Lo primero que se nos ocurrió sentenciar fue que Ariel era un idiota, pero no podíamos decirle eso a Leticia, pobre ángel, con su sensibilidad y la cruz que llevaba encima. Ella no dijo nada, pero pareció entender que el papelito era suyo y se lo guardó. Ese día volvimos bastante calladas a casa, y por la noche no jugamos juntas. En la mesa Leticia estuvo muy alegre, le brillaban los ojos, y mamá miró una o dos veces a tía Ruth como poniéndola de testigo de su propia alegría. En aquellos días estaban ensayando un nuevo tratamiento fortificante para Leticia, y por lo visto era una maravilla lo bien que le sentaba.

Antes de dormirnos, Holanda y yo hablamos del asunto. No nos molestaba el papelito de Ariel, desde un tren andando las cosas se ven como se ven, pero nos parecía que Leticia se estaba aprovechando demasiado de su ventaja sobre nosotras. Sabíamos que no le íbamos a decir nada, y que en una casa donde hay alguien con algún defecto físico y mucho orgullo, todos juegan a ignorarlo empezando por el enfermo, o más bien se hacen los que no saben que el otro sabe. Pero tampoco había que exagerar y la forma en que Leticia se había portado en la mesa, o su manera de guardarse el papelito, era demasiado. Esa noche yo volví a soñar mis pesadillas con trenes, anduve de madrugada por enormes playas ferroviarias cubiertas de vías llenas de empalmes, viendo a distancia las luces rojas de locomotoras que venían, calculando con angustia si el tren pasaría a mi izquierda, y a la vez amenazada por la posible llegada de un rápido a mi espalda o —lo que era peor— que a último momento uno de los trenes tomara uno de los desvíos y se me viniera encima. Pero de mañana me olvidé porque Leticia amaneció muy dolorida y tuvimos que ayudarla a vestirse. Nos pareció que estaba un poco arrepentida de lo de ayer y fuimos muy buenas con ella, diciéndole que esto le pasaba por andar demasiado, y que tal vez lo mejor sería que se quedara leyendo en su cuarto. Ella no dijo nada pero vino a almorzar a la mesa, y a las preguntas de mamá contestó que ya estaba muy bien y que casi no le dolía la espalda. Se lo decía y nos miraba.

Esa tarde gané yo, pero en ese momento me vino un no sé qué y le dije a Leticia que le dejaba mi lugar, claro que sin darle a entender por qué. Ya que el otro la prefería, que la mirara hasta cansarse. Como el juego marcaba estatua, le elegimos cosas sencillas para no complicarle la vida, y ella inventó una especie de princesa china, con aire vergonzoso, mirando al suelo y juntando las manos como hacen las princesas chinas. Cuando pasó el tren, Holanda se puso de espaldas bajo los sauces pero yo miré y vi que Ariel no tenía ojos más que para Leticia. La siguió mirando hasta que el tren se perdió en la curva, y Leticia estaba inmóvil y no sabía que él acababa de mirarla así. Pero

cuando vino a descansar bajo los sauces vimos que sí
sabía, y que le hubiera gustado seguir con los ornamentos
toda la tarde, toda la noche.

El miércoles sorteamos entre Holanda y yo porque
Leticia nos dijo que era justo que ella se saliera. Ganó
Holanda con su suerte maldita, pero la carta de Ariel
cayó de mi lado. Cuando la levanté tuve el impulso de
dársela a Leticia que no decía nada, pero pensé que tampoco era cosa de complacerle todos los gustos, y la abrí
despacio. Ariel anunciaba que al otro día iba a bajarse en
la estación vecina y que vendría por el terraplén para
charlar un rato. Todo estaba terriblemente escrito, pero la
frase final era hermosa: «Saludo a las tres estatuas muy
atentamente.» La firma parecía un garabato aunque se
notaba la personalidad.

Mientras le quitábamos los ornamentos a Holanda, Leticia me miró una o dos veces. Yo les había leído el mensaje
y nadie hizo comentarios, lo que resultaba molesto porque
al fin y al cabo Ariel iba a venir y había que pensar en esa
novedad y decidir algo. Si en casa se enteraban, o por
desgracia a alguna de las de Loza le daba por espiarnos,
con lo envidiosas que eran esas enanas, seguro que se iba
a armar la meresunda. Además que era muy raro quedarnos calladas con una cosa así, sin mirarnos casi mientras
guardábamos los ornamentos y volvíamos por la puerta
blanca.

Tía Ruth nos pidió a Holanda y a mí que bañáramos a
José, se llevó a Leticia para hacerle el tratamiento, y por
fin pudimos desahogarnos tranquilas. Nos parecía maravilloso que viniera Ariel, nunca habíamos tenido un amigo
así, a nuestro primo Tito no lo contábamos, un tilingo que
juntaba figuritas y creía en la primera comunión. Estábamos nerviosísimas con la expectativa y José pagó el pato,
pobre ángel. Holanda fue más valiente y sacó el tema de
Leticia. Yo no sabía qué pensar, de un lado me parecía
horrible que Ariel se enterara, pero también era justo que
las cosas se aclararan porque nadie tiene por qué perjudi-
carse a causa de otro. Lo que yo hubiera querido es que
Leticia no sufriera, bastante cruz tenía encima y ahora con
el nuevo tratamiento y tantas cosas.

A la noche mamá se extrañó de vernos tan calladas y dijo qué milagro, si nos habían comido la lengua los ratones, después miró a tía Ruth y las dos pensaron seguro que habíamos hecho alguna gorda y que nos remordía la conciencia.

Leticia comió muy poco y dijo que estaba dolorida, que la dejaran ir a su cuarto a leer Rocambole. Holanda le dio el brazo aunque ella no quería mucho, y yo me puse a tejer, que es una cosa que me viene cuando estoy nerviosa. Dos veces pensé ir al cuarto de Leticia, no me explicaba qué hacían esas dos ahí solas, pero Holanda volvió con aire de gran importancia y se quedó a mi lado sin hablar hasta que mamá y tía Ruth levantaron la mesa. «Ella no va a ir mañana. Escribió una carta y dijo que si él pregunta mucho, que se la demos.» Entornando el bolsillo de la blusa me hizo ver un sobre violeta. Después nos llamaron para secar los platos, y esa noche nos dormimos casi en seguida por todas las emociones y el cansacio de bañar a José.

Al otro día me tocó a mí salir de compras al mercado y en toda la mañana no vi a Leticia que seguía en su cuarto. Antes que llamaran a la mesa entré un momento y la encontré al lado de la ventana, con muchas almohadas y el tomo noveno de Rocambole. Se veía que estaba mal pero se puso a reír y me contó de una abeja que no encontraba salida y de un sueño cómico que había tenido. Yo le dije que era una lástima que no fuera a venir a los sauces, pero me parecía tan difícil decírselo bien. «Si querés podemos explicarle a Ariel que estabas descompuesta», le propuse, pero ella decía que no y se quedaba callada. Yo insistí un poco en que viniera, y al final me animé y le dije que no tuviese miedo, poniéndole como ejemplo que el verdadero cariño no conoce barreras y otras ideas preciosas que habíamos aprendido en El Tesoro de la Juventud, pero era cada vez más difícil decirle nada porque ella miraba la ventana y parecía como si fuera a ponerse a llorar. Al final me fui diciendo que mamá me precisaba. El almuerzo duró días, y Holanda se ganó un sopapo de tía Ruth por salpicar el mantel con tuco. Ni me acuerdo de cómo secamos los platos, de repente estábamos en los sauces y las dos nos abrazábamos llenas de felicidad y nada celosas una de otra. Holanda me explicó todo lo que teníamos que decir sobre nuestros estudios para que Ariel se llevara una buena impresión, porque los del secundario desprecian a las chicas que no han hecho más que la primaria y solamente estudian corte y repujado al aceite. Cuando pasó el tren de las dos y ocho Ariel sacó los brazos con entusiasmo, y con nuestros pañuelos estampados le hicimos señas de bienvenida. Unos veinte minutos después lo vimos llegar por el terraplén, y era más alto de lo que pensábamos y todo de gris.

Bien no me acuerdo de lo que hablamos al principio, él era bastante tímido a pesar de haber venido y los papelitos, y decía cosas muy pensadas. Casi en seguida nos elogió mucho las estatuas y las actitudes y preguntó cómo nos llamábamos y por qué faltaba la tercera. Holanda explicó que Leticia no había podido venir, y él dijo que era una lástima y que Leticia le parecía un nombre precioso. Después nos contó cosas del Industrial, que por desgracia no era un colegio inglés, y quiso saber si le mostraríamos los ornamentos. Holanda levantó la piedra y le hicimos ver las cosas. A él parecían interesarle mucho, y varias veces tomó alguno de los ornamentos y dijo: «Este lo llevaba Leticia un día», o: «Este fue para la estatua oriental», con lo que quería decir la princesa china. Nos sentamos a la sombra de un sauce y él estaba contento pero distraído, se veía que sólo se quedaba de bien educado. Holanda me miró dos o tres veces cuando la conversación decaía, y eso nos hizo mucho mal a las dos, nos dio deseos de irnos o que Ariel no hubiese venido nunca. El preguntó otra vez si Leticia estaba enferma, y Holanda me miró y yo creí que iba a decirle, pero en cambio contestó que Leticia no había podido venir. Con una ramita Ariel dibujaba cuerpos geométricos en la tierra, y de cuando en cuando miraba la puerta blanca y nosotras sabíamos lo que estaba pensando, por eso Holanda hizo bien en sacar el sobre violeta y alcanzárselo, y él se quedó sorprendido con el sobre en la mano, después se puso muy colorado mientras le explicábamos que eso se lo mandaba Leticia, y se guardó la carta en el bolsillo de adentro del saco sin querer leerla

delante de nosotras. Casi en seguida dijo que había tenido
un gran placer y que estaba encantado de haber venido,
pero su mano era blanca y antipática de modo que fue
mejor que la visita se acabara, aunque más tarde no hicimos más que pensar en sus ojos grises y en esa manera
triste que tenía de sonreír. También nos acordamos de
cómo se había despedido diciendo: «Hasta siempre», una
forma que nunca habíamos oído en casa y que nos pareció
tan divina y poética. Todo se lo contamos a Leticia que
nos estaba esperando debajo del limonero del patio, y yo
hubiese querido preguntarle qué decía su carta pero me
dio no sé qué porque ella había cerrado el sobre antes de
confiárselo a Holanda, así que no le dije nada y solamente
le contamos cómo era Ariel y cuántas veces había preguntado por ella. Esto no era nada fácil de decírselo porque era
una cosa linda y mala a la vez, nos dábamos cuenta que
Leticia se sentía muy feliz y al mismo tiempo estaba casi
llorando, hasta que nos fuimos diciendo que tía Ruth nos
precisaba y la dejamos mirando las avispas del limonero.

Cuando íbamos a dormirnos esa noche, Holanda me dijo:
«Vas a ver que desde mañana se acaba el juego.» Pero se
equivocaba aunque no por mucho, y al otro día Leticia
nos hizo una seña convenida en el momento del postre.
Nos fuimos a lavar la loza bastante asombradas y con un
poco de rabia, porque eso era una desvergüenza de Leticia
y no estaba bien. Ella nos esperaba en la puerta y casi nos
morimos de miedo cuando al llegar a los sauces vimos que
sacaba del bolsillo el collar de perlas de mamá y todos los
anillos, hasta el grande con rubí de tía Ruth. Si las de Loza
espiaban y nos veían con las alhajas, seguro que mamá
iba a saberlo en seguida y que nos mataría, enanas asquerosas. Pero Leticia no estaba asustada y dijo que si algo
sucedía ella era la única responsable. «Quisiera que me
dejaran hoy a mí», agregó sin mirarnos. Nosotras sacamos
en seguida los ornamentos, de golpe queríamos ser tan
buenas con Leticia, darle todos los gustos y eso que en el
fondo nos quedaba un poco de encono. Como el juego
marcaba estatua, le elegimos cosas preciosas que iban bien
con las alhajas, muchas plumas de pavorreal para sujetar
en el pelo, una piel que de lejos parecía un zorro plateado,

y un velo rosa que ella se puso como un turbante. La vimos
que pensaba, ensayando la estatua pero sin moverse, y
cuando el tren apareció en la curva fue a ponerse al pie del
talud con todas las alhajas que brillaban al sol. Levantó
los brazos como si en vez de una estatua fuera a hacer una
actitud, y con las manos señaló el cielo mientras echaba la
cabeza hacia atrás (que era lo único que podía hacer, pobre)
y doblaba el cuerpo hasta darnos miedo. Nos pareció
maravillosa, la estatua más regia que había hecho nunca,
y entonces vimos a Ariel que la miraba, salido de la ventanilla la miraba solamente a ella, girando la cabeza y
mirándola sin vernos a nosotras hasta que el tren se lo llevó
de golpe. No sé por qué las dos corrimos al mismo tiempo
a sostener a Leticia que estaba con los ojos cerrados y
grandes lagrimones por toda la cara. Nos rechazó sin enojo,
pero la ayudamos a esconder las alhajas en el bolsillo, y se
fue sola a casa mientras guardábamos por última vez los
ornamentos en su caja. Casi sabíamos lo que iba a suceder,
pero lo mismo al otro día fuimos las dos a los sauces, después que tía Ruth nos exigió silencio absoluto para no
molestar a Leticia que estaba dolorida y quería dormir.
Cuando llegó el tren vimos sin ninguna sorpresa la tercera ventanilla vacía, y mientras nos sonreíamos entre aliviadas y furiosas, imaginamos a Ariel viajando del otro
lado del coche, quieto en su asiento, mirando hacia el río
con sus ojos grises.

Ahora que lo escribo, para otros esto podría haber sido la ruleta o el hipódromo, pero no era dinero lo que buscaba, en algún momento había empezado a sentir, a decidir que un vidrio de ventanilla en el metro podía traerme la respuesta, el encuentro con una felicidad, precisamente aquí donde todo ocurre bajo el signo de la más implacable ruptura, dentro de un tiempo bajo tierra que un trayecto entre estaciones dibuja y limita así, inapelablemente abajo. Digo ruptura para comprender mejor (tendría que comprender tantas cosas desde que empecé a jugar el juego) esa esperanza de una convergencia que tal vez me fuera dada desde el reflejo en un vidrio de ventanilla. Rebasar la ruptura que la gente no parece advertir aunque vaya a saber lo que piensa esa gente agobiada que sube y baja de los vagones del metro, lo que busca además del transporte esa gente que sube antes o después para bajar después o antes, que sólo coincide en una zona de vagón donde todo está decidido por adelantado sin que nadie pueda saber si saldremos juntos, si yo bajaré primero o ese hombre flaco con un rollo de papeles, si la vieja de verde seguirá hasta el final, si estos niños bajarán ahora, está claro que bajarán porque recogen sus cuadernos y sus reglas, se acercan riendo y jugando a la puerta mientras allá en el ángulo hay una muchacha que se instala para durar, para quedarse todavía muchas estaciones en el asiento por fin libre, y esa otra muchacha es imprevisible, Ana era imprevisible, se mantenía muy derecha contra el respaldo en el asiento de la ventanilla, ya estaba ahí cuando subí en la estación Etienne Marcel y un negro abandonó el asiento de enfrente y a nadie pareció interesarle y yo pude resbalar con una vaga excusa entre las rodillas de los dos pasajeros sentados en los asientos exteriores y quedé frente a Ana y casi en seguida, porque había bajado al metro para jugar una vez más el juego, busqué el perfil de Margrit en el reflejo del vidrio de la ventanilla y pensé que era bonita, que me gustaba su pelo negro con una especie de ala breve que le peinaba en diagonal la frente.

No es verdad que el nombre de Margrit o de Ana viniera después o que sea ahora una manera de diferenciarlas en la escritura, cosas así se daban decididas instantáneamente por el juego, quiero decir que de ninguna manera el reflejo en el vidrio de la ventanilla podía llamarse Ana, así como tampoco podía llamarse Margrit la muchacha sentada frente a mí sin mirarme, con los ojos perdidos en el hastío de ese interregno en el que todo el mundo parece consultar una zona de visión que no es la circundante, salvo los niños que miran fijo y de lleno en las cosas hasta el día en que les enseñan a situarse también en los intersticios, a mirar sin ver con esa ignorancia civil de toda apariencia vecina, de todo contacto sensible, cada uno instalado en su burbuja, alineado entre paréntesis, cuidando la vigencia del mínimo aire libre entre rodillas y codos ajenos, refugiándose en *France-Soir* o en libros de bolsillo aunque casi siempre como Ana, unos ojos situándose en el hueco entre lo verdaderamente mirable, en esa distancia neutra y estúpida que iba de mi cara a la del hombre concentrado en el *Figaro*. Pero entonces Margrit, si algo podía yo prever era que en algún momento Ana se volvería distraída hacia la ventanilla y entonces Margrit vería mi reflejo, el cruce de miradas en las imágenes de ese vidrio donde la oscuridad

del túnel pone su azogue atenudado, su felpa morada y
moviente que da a las caras una vida en otros planos, les
quita esa horrible máscara de tiza de las luces municipales
del vagón y sobre todo, oh sí, no hubieras podido negarlo,
Margrit, las hace mirar de verdad esa otra cara del cristal
porque durante el tiempo instantáneo de la doble mirada
no hay censura, mi reflejo en el vidrio no era el hombre
sentado frente a Ana y que Ana no debía mirar de lleno
en un vagón de metro, y además la que estaba mirando mi
reflejo ya no era Ana sino Margrit en el momento en que
Ana había desviado rápidamente los ojos del hombre sentado frente a ella porque no estaba bien que la mirara, al
volverse hacia el cristal de la ventanilla había visto mi
reflejo que esperaba ese instante para levemente sonreír
sin insolencia ni esperanza cuando la mirada de Margrit
cayera como un pájaro en su mirada. Debió durar un
segundo, acaso algo más porque sentí que Margrit había
advertido esa sonrisa que Ana reprobaba aunque no fuera
más que por el gesto de bajar la cara, de examinar vagamente
el cierre de su bolso de cuero rojo; y era casi justo seguir
sonriendo aunque ya Margrit no me mirara porque de
alguna manera el gesto de Ana acusaba mi sonrisa, la seguía
sabiendo y ya no era necesario que ella o Margrit me miraran, concentradas aplicadamente en la nimia tarea de comprobar el cierre del bolso rojo.

Como ya con Paula (con Ofelia) y con tantas otras que
se habían concentrado en la tarea de verificar un cierre,
un botón, el pliegue de una revista, una vez más fue el
pozo donde la esperanza se enredaba con el temor en un
calambre de arañas a muerte, donde el tiempo empezaba
a latir como un segundo corazón en el pulso del juego;
desde ese momento cada estación del metro era una trama
diferente del futuro porque así lo había decidido el juego;
la mirada de Margrit y mi sonrisa, el retroceso instantáneo
de Ana a la contemplación del cierre de su bolso eran la
apertura de una ceremonia que alguna vez había empezado
a celebrar contra todo lo razonable, prefiriendo los peores
desencuentros a las cadenas estúpidas de una casualidad
cotidiana. Explicarlo no es difícil pero jugarlo tenía mucho
de combate a ciegas, de temblorosa suspensión coloida

en la que todo derrotero alzaba un árbol de imprevisible recorrido. Un plano del metro de París define en su esqueleto mondrianesco, en sus ramas rojas, amarillas, azules y negras una vasta pero limitada superficie de subtendidos seudópodos: y ese árbol está vivo veinte horas de cada veinticuatro, una savia atormentada lo recorre con finalidades precisas, la que baja en Chatelet o sube en Vaugirard, la que en Odeón cambia para seguir a La Motte-Picquet, las doscientas, trescientas, vaya a saber cuántas posibilidades de combinación para que cada célula codificada y programada ingrese en un sector del árbol y aflore en otro, salga de las Galeries Lafayette para depositar un paquete de toallas o una lámpara en un tercer piso de la rue Gay-Lussac.

Mi regla de juego era maniáticamente simple, era bella, estúpida y tiránica, si me gustaba una mujer, si me gustaba una mujer sentada frente a mí, si me gustaba una mujer sentada frente a mí junto a la ventanilla, si su reflejo en la ventanilla cruzaba la mirada con mi reflejo en la ventanilla, si mi sonrisa en el reflejo de la ventanilla turbaba o complacía o repelía al reflejo de la mujer en la ventanilla, si Margrit me veía sonreír y entonces Ana bajaba la cabeza y empezaba a examinar aplicadamente el cierre de su bolso rojo, entonces había juego, daba exactamente lo mismo que la sonrisa fuera acatada o respondida o ignorada, el primer tiempo de la ceremonia no iba más allá de eso, una sonrisa registrada por quien la había merecido. Entonces empezaba el combate en el pozo, las arañas en el estómago, la espera con su péndulo de estación en estación. Me acuerdo de cómo me acordé ese día: ahora eran Margrit y Ana, pero una semana atrás habían sido Paula y Ofelia, Montparnasse-Bienvenue que abre su hidra maloliente a las máximas posibilidades de fracaso. Mi combinación era con la línea de la Porte de Vanves y casi en seguida, en el primer pasillo, comprendí que Paula (que Ofelia) tomaría el corredor que llevaba a la combinación con la Mairie d'Issy. Imposible hacer nada, sólo mirarla por última vez en el cruce de los pasillos, verla alejarse, descender una escalera. La regla del juego era ésa, una sonrisa en el cristal de la ventanilla y el derecho de seguir a una mujer y esperar desesperadamente que su combinación coincidiera con la decidida por mí antes de cada viaje; y entonces —siempre, hasta ahora— verla tomar otro pasillo y no poder seguirla, obligado a volver al mundo de arriba y entrar en un café y seguir viviendo hasta que poco a poco, horas o días o semanas, la sed de nuevo reclamando la posibilidad de que todo coincidiera alguna vez, mujer y cristal de ventanilla, sonrisa aceptada o repelida, combinación de trenes y entonces por fin sí, entonces el derecho de acercarme y decir la primera palabra, espesa de estancado tiempo, de inacabable merodeo en el fondo del pozo entre las arañas del calambre.

Ahora entrábamos en la estación Saint-Sulpice, alguien a mi lado se enderezaba y se iba, también Ana se quedaba sola frente a mí, había dejado de mirar el bolso y una o dos veces sus ojos me barrieron distraídamente antes de perderse en el anuncio del balneario termal que se repetía en los cuatro ángulos del vagón. Margrit no había vuelto a mirarme en la ventanilla pero eso probaba el contacto, su latido sigiloso; Ana era acaso tímida o simplemente le parecía absurdo aceptar el reflejo de esa cara que volvería a sonreír para Margrit; y además llegar a Saint-Sulpice era importante porque si todavía faltaban ocho estaciones hasta el fin del recorrido en la Porte d'Orléans, sólo tres tenían combinaciones con otras líneas, y sólo si Ana bajaba en una de esas tres me quedaría la posibilidad de coincidir; cuando el tren empezaba a frenar en Saint-Placide miré y miré a Margrit buscándole los ojos que Ana seguía apoyando blandamente en las cosas del vagón como admitiendo que Margrit no me miraría más, que era inútil esperar que volviera a mirar el reflejo que la esperaba para sonreírle.

No bajó en Saint-Placide, lo supe antes de que el tren empezara a frenar, hay ese apresto del viajero, sobre todo de las mujeres que nerviosamente verifican paquetes, se ciñen el abrigo o miran de lado al levantarse, evitando rodillas en ese instante en que la pérdida de velocidad traba y atonta los cuerpos. Ana repasaba vagamente los anuncios de la estación, la cara de Margrit se fue borrando de las luces del andén y no pude saber si había vuelto a mirarme; tampoco mi reflejo hubiera sido visible en esa

marea de neón y anuncios fotográficos, de cuerpos entrando
y saliendo. Si Ana bajaba en Montparnasse-Bienvenue mis
posibilidades eran mínimas; cómo no acordarme de Paula
(de Ofelia) allí donde una cuádruple combinación posible
adelgazaba toda previsión; y sin embargo el día de Paula
(de Ofelia) había estado absurdamente seguro de que coin-
cidiríamos, hasta último momento había marchado a tres
metros de esa mujer lenta y rubia, vestida como con hojas
secas, y su bifurcación a la derecha me había envuelto
la cara con un latigazo. Por eso ahora Margrit no, por eso
el miedo, de nuevo podía ocurrir abominablemente en
Montparnasse-Bienvenue; el recuerdo de Paula (de Ofelia),
las arañas en el pozo contra la menuda confianza en que Ana
(en que Margrit). Pero quién puede contra esa ingenuidad
que nos va dejando vivir, casi inmediatamente me dije que
tal vez Ana (que tal vez Margrit) no bajaría en Montparnasse-Bienvenue sino en una de las otras estaciones posibles, que acaso no bajaría en las intermedias donde no me
estaba dado seguirla; que Ana (que Margrit) no bajaría
en Raspail que era la primera de las dos últimas posibles;
y cuando no bajó y supe que sólo quedaba una estación
en la que podría seguirla contra las tres finales en que ya
todo daba lo mismo, busqué de nuevo los ojos de Margrit
en el vidrio de la ventanilla, la llamé desde un silencio y
una inmovilidad que hubieran debido llegarle como un
reclamo, como un oleaje, le sonreí con la sonrisa que Ana
ya no podía ignorar, que Margrit tenía que admitir aunque
no mirara mi reflejo azotado por las semiluces del túnel
desembocando en Denfert-Rochereau. Tal vez el primer
golpe de frenos había hecho temblar el bolso rojo en los
muslos de Ana, tal vez sólo el hastío le movía la mano hasta
el mechón negro cruzándole la frente; en esos tres, cuatro
segundos en que el tren se inmovilizaba en el andén, las
arañas clavaron sus uñas en la piel del pozo para una vez
más vencerme desde adentro; cuando Ana se enderezó con
una sola y limpia flexión de su cuerpo, cuando la vi de
espaldas entre dos pasajeros, creo que busqué todavía
absurdamente el rostro de Margrit en el vidrio enceguecido
de luces y movimientos. Salí como sin saberlo, sombra
pasiva de ese cuerpo que bajaba al andén, hasta despertar

a lo que iba a venir, a la doble elección final cumpliéndose irrevocable.

Pienso que está claro, Ana (Margrit) tomaría un camino cotidiano o circunstancial, mientras antes de subir a ese tren yo había decidido que si alguien entraba en el juego y bajaba en Denfert-Rochereau, mi combinación sería la línea Nation-Etoile, de la misma manera que si Ana (que si Margrit) hubiera bajado en Chatelet sólo hubiera podido seguirla en caso de que tomara la combinación Vincennes-Neuilly. En el último tiempo de la ceremonia el juego estaba perdido si Ana (si Margrit) tomaba la combinación de la Ligne de Sceaux o salía directamente a la calle; inmediatamente, ya mismo porque en esa estación no había los interminables pasillos de otras veces y las escaleras llevaban rápidamente a destino, a eso que en los medios de transportes también se llamaba destino. La estaba viendo moverse entre la gente, su bolso rojo como un péndulo de juguete, alzando la cabeza en busca de los carteles indicadores, vacilando un instante hasta orientarse hacia la izquierda; pero la izquierda era la salida que llevaba a la calle.

No sé cómo decirlo, las arañas mordían demasiado, no fui deshonesto en el primer minuto, simplemente la seguí para después quizá aceptar, dejarla irse por cualquiera de sus rumbos allá arriba; a mitad de la escalera comprendí que no, que acaso la única manera de matarlas era negar por una vez la ley, el código. El calambre que me había crispado en ese segundo en que Ana (en que Margrit) empezaba a subir la escalera vedada, cedía de golpe a una lasitud soñolienta, a un gólem de lentos peldaños; me negué a pensar, bastaba saber que la seguía viendo, que el bolso rojo subía hacia la calle, que a cada paso el pelo negro le temblaba en los hombros. Ya era de noche y el aire estaba helado, con algunos copos de nieve entre ráfagas y llovizna; sé que Ana (que Margrit) no tuvo miedo cuando me puse a su lado y le dije: «No puede ser que nos separemos así, antes de habernos encontrado.»

En el café, más tarde, ya solamente Ana mientras el reflejo de Margrit cedía a una realidad de cinzano y de palabras, me dijo que no comprendía nada, que se llamaba

Marie-Claude, que mi sonrisa en el reflejo le había hecho
daño, que por un momento había pensado en levantarse
y cambiar de asiento, que no me había visto seguirla y que
en la calle no había tenido miedo, contradictoriamente,
mirándome en los ojos, bebiendo su cinzano, sonriendo
sin avergonzarse de sonreír, de haber aceptado casi en
seguida mi acoso en plena calle. En ese momento de una
felicidad como de oleaje boca arriba, de abandono a un
deslizarse lleno de álamos, no podía decirle lo que ella
hubiera entendido como locura o manía y que lo era pero
de otro modo, desde otras orillas de la vida; le hablé de
su mechón de pelo, de su bolso rojo, de su manera de mirar
el anuncio de las termas, de que no le había sonreído por
donjuanismo ni aburrimiento sino para darle una flor que
no tenía, el signo de que me gustaba, de que me hacía bien,
de que viajar frente a ella, de que otro cigarrillo y otro cinzano. En ningún momento fuimos enfáticos, hablamos
como desde un ya conocido y aceptado, mirándonos sin
lastimarnos, yo creo que Marie-Claude me dejaba venir y
estar en su presente como quizá Margrit hubiera respon-
dido a mi sonrisa en el vidrio de no mediar tanto molde
previo, tanto no tienes que contestar si te hablan en la
calle o te ofrecen caramelos y quieren llevarte al cine, hasta
que Marie-Claude, ya liberada de mi sonrisa a Margrit,
Marie-Claude en la calle y el café había pensado que era
una buena sonrisa, que el desconocido de ahí abajo no le
había sonreído a Margrit para tantear otro terreno, y mi
absurda manera de abordarla había sido la sola comprensible, la sola razón para decir que sí, que podíamos beber
una copa y charlar en un café.

    No me acuerdo de lo que pude contarle de mí, tal vez
todo salvo el juego pero entonces tan poco, en algún momento nos reímos, alguien hizo la primera broma, descu-
brimos que nos gustaban los mismos cigarrillos y Catheri-
ne Deneuve, me dejó acompañarla hasta el portal de su casa,
me tendió la mano con llaneza y consintió en el mismo café
a la misma hora del martes. Tomé un taxi para volver a
mi barrio, por primera vez en mí mismo como en un
increíble país extranjero, repitiéndome que sí, que Marie-
Claude, que Denfert-Rochereau, apretando los párpados

para guardar mejor su pelo negro, esa manera de ladear la cabeza antes de hablar, de sonreír. Fuimos puntuales y nos contamos películas, trabajo, verificamos diferencias ideológicas parciales, ella seguía aceptándome como si maravillosamente le bastara ese presente sin razones, sin interrogación; ni siquiera parecía darse cuenta de que cualquier imbécil la hubiese creído fácil o tonta; acatando incluso que yo no buscara compartir la misma banqueta en el café, que en el tramo de la rue Froidevaux no le pasara el brazo por el hombro en el primer gesto de una intimidad, que sabiéndola casi sola —una hermana menor, muchas veces ausente del departamento en el cuarto piso— no le pidiera subir. Si algo no podía sospechar eran las arañas, nos habíamos encontrado tres o cuatro veces sin que mordieran, inmóviles en el pozo y esperando hasta el día en que lo supe como si no lo hubiera estado sabiendo todo el tiempo, pero los martes, llegar al café, imaginar que Marie-Claude ya estaría allí o verla entrar con pasos ágiles, su morena recurrencia que había luchado inocentemente contra las arañas otra vez despiertas, contra la transgresión del juego que sólo ella había podido defender sin más que darme una breve, tibia mano, sin más que ese mechón de pelo que se paseaba por su frente. En algún momento debió darse cuenta, se quedó mirándome callada, esperando; imposible ya que no me delatara el esfuerzo para hacer durar la tregua, para no admitir que volvían poco a poco a pesar de Marie-Claude, contra Marie-Claude que no podía comprender, que se quedaba mirándome callada, esperando; beber y fumar y hablarle, defendiendo hasta lo último el dulce interregno sin arañas, saber de su vida sencilla y a horario y hermana estudiante y alergias, desear tanto ese mechón negro que la peinaba la frente, desearla como un término, como de veras la última estación del último metro de la vida, y entonces el pozo, la distancia de mi silla a esa banqueta en la que nos hubiéramos besado, en la que mi boca hubiera bebido el primer perfume de Marie-Claude antes de llevármela abrazada hasta su casa, subir esa escalera, desnudarnos por fin de tanta ropa y tanta espera.

Entonces se lo dije, me acuerdo del paredón del cementerio y de que Marie-Claude se apoyó en él y me dejó

hablar con la cara perdida en el musgo caliente de su abrigo,
vaya a saber si mi voz le llegó con todas sus palabras, si
fue posible que comprendiera; se lo dije todo, cada detalle
del juego, las improbabilidades confirmadas desde tantas
Paulas (desde tantas Ofelias) perdidas al término de un
corredor, las arañas en cada final. Lloraba, la sentía temblar contra mí aunque siguiera abrigándome, sosteniéndome con todo su cuerpo apoyado en la pared de los muros;
no me preguntó nada, no quiso saber por qué ni desde
cuándo, no se le ocurrió luchar contra una máquina mon-
tada por toda una vida a contrapelo de sí misma, de la
ciudad y sus consignas, tan sólo ese llanto ahí como un
animalito lastimado, resistiendo sin fuerza al triunfo del
juego, a la danza exasperada de las arañas en el pozo.
  En el portal de su casa le dije que no todo estaba perdido, que de los dos dependía intentar un encuentro legí-
timo; ahora ella conocía las reglas del juego, quizá nos
fueran favorables puesto que no haríamos otra cosa que
buscarnos. Me dijo que podría pedir quince días de licencia,
viajar llevando un libro para que el tiempo fuera menos
húmedo y hostil en el mundo de abajo, pasar de una combinación a otra, esperarme leyendo, mirando los anuncios.
No quisimos pensar en la improbabilidad, en que acaso
nos encontraríamos en un tren pero que no bastaba, que
esta vez no se podría faltar a lo preestablecido; le pedí
que no pensara, que dejara correr el metro, que no llorara
nunca esas dos semanas mientras yo la buscaba; sin palabras quedó entendidio que si el plazo se cerraba sin volver
a vernos o sólo viéndonos hasta que dos pasillos diferentes
nos apartaran, ya no tendría sentido retornar al café, al
portal de su casa. Al pie de esa escalera de barrio que una
luz naranja tendía dulcemente hacia lo alto, hacia la imagen
de Marie-Claude en su departamento, entre sus muebles,
desnuda y dormida, la besé en el pelo, le acaricié las manos
ella no buscó mi boca, se fue apartando y la vi de espaldas,
subiendo otra de las tantas escaleras que se la llevaban
sin que pudiera seguirla; volví a pie a mi casa, sin arañas,
vacío y lavado para la nueva espera; ahora no podíamos
hacer nada, el juego iba a recomenzar como tantas otras
veces pero con solamente Marie-Claude, el lunes bajando

a la estación Couronnes por la mañana, saliendo en Max
Dormoy en plena noche, el martes entrando en Crimée, el
miércoles en Philippe Auguste, la precisa regla del juego,
quince estaciones en las que cuatro tenían combinaciones,
y entonces en la primera de las cuatro sabiendo que me
tocaría seguir a la línea Sèvres-Montreuil como en la
segunda tendría que tomar la combinación Clichy-Porte
Dauphine, cada itinerario elegido sin razón especial porque no podía haber ninguna razón, Marie-Claude habría
subido quizá cerca de su casa, en Denfert-Rochereau o en
Corvisart, estaría cambiando en Pasteur para seguir hacia
Falguière, el árbol mondrianesco con todas sus ramas
secas, el azar de las tentaciones rojas, azules, blancas,
punteadas; el jueves, el viernes, el sábado. Desde cualquier
andén ver entrar los trenes, los siete u ocho vagones,
consintiéndome mirar mientras pasaban cada vez más
lentos, correrme hasta el final y subir a un vagón sin
Marie-Claude, bajar en la estación siguiente y esperar otro
tren, seguir hasta la primera estación para buscar otra
línea, ver llegar los vagones sin Marie-Claude, dejar pasar
un tren o dos, subir en el tercero, seguir hasta la termi-
nal, regresar a una estación desde donde podía pasar a
otra línea, decidir que sólo tomaría el cuarto tren, abandonar la búsqueda y subir a comer, regresar casi en seguida con un cigarrillo amargo y sentarme en un banco
hasta el segundo, hasta el quinto tren. El lunes, el martes, el
miércoles, el jueves, sin arañas porque todavía esperaba,
porque todavía espero en este banco de la estación Chemin
Vert, con esta libreta en la que una mano escribe para
inventarse un tiempo que no sea solamente esa interminable ráfaga que me lanza hacia el sábado en que acaso
todo habrá concluido, en que volveré solo y las sentiré
despertarse y morder, sus pinzas rabiosas exigiéndome el
nuevo juego, otras Marie-Claudes, otras Paulas, la reiteración después de cada fracaso, el recomienzo canceroso.
Pero es jueves, es la estación Chemin Vert, afuera cae la
noche, todavía cabe imaginar cualquier cosa, incluso puede
no parecer demasiado increíble que en el segundo tren,
que en el cuarto vagón, que Marie Claude en un asiento
contra la ventanilla, que haya visto y se enderece con un

grito que nadie salvo yo puede escuchar así en plena cara,
en plena carrera para saltar al vagón repleto, empujando
a pasajeros indignados, murmurando excusas que nadie
espera ni acepta, quedándome de pie contra el doble
asiento ocupado por piernas y paraguas y paquetes, por
Marie-Claude con su abrigo gris contra la ventanilla, el
mechón negro que el brusco arranque del tren agita apenas
como sus manos tiemblan sobre los muslos en una llamada
que no tiene nombre, que es solamente eso que ahora
va a suceder. No hay necesidad de hablarse, nada se podría
decir sobre ese muro impasible y desconfiado de caras y
paraguas entre Marie-Claude y yo; quedan tres estaciones
que combinan con otras líneas, Marie-Claude deberá elegir una de ellas, recorrer el andén, seguir uno de los pasillos o buscar la escalera de salida, ajena a mi elección que
esta vez no transgrediré. El tren entra en la estación Bas-
tille y Marie-Claude sigue ahí, la gente baja y sube, alguien
deja libre el asiento a su lado pero no me acerco, no puedo
sentarme ahí, no puedo temblar junto a ella como ella
estará temblando. Ahora vienen Ledru-Rollin y Froidherbe-
Chaligny, en esas estaciones sin combinación Marie-Claude
sabe que no puedo seguirla y no se mueve, el juego tiene
que jugarse en Reuilly-Diderot o en Daumesnil, mientras
el tren entra en Reuilly-Diderot aparto los ojos, no quiero
que sepa, no quiero que pueda comprender que no es allí.
Cuando el tren arranca veo que no se ha movido, que nos
queda una última esperanza, en Daumesnil tan sólo una
combinación y la salida a la calle, rojo o negro, sí o no.
Entonces nos miramos, Marie-Claude ha alzado la cara
para mirarme de lleno, aferrado al barrote del asiento soy
eso que ella mira, algo tan pálido como lo que estoy
mirando, la cara sin sangre de Marie-Claude que aprieta
el bolso rojo, que va a hacer el primer gesto para levantarse
mientras el tren entra en la estación Daumesnil.

Índice

El Libro de Bolsillo   Alianza Editorial   Madrid

Libros en venta